国家社会科学基金“十三五”规划2018年度教育学重大招标课题
“建设教育强国的国际经验与中国路径研究”阶段性研究成果

全球教育治理研究系列

美国教育治理研究

A Study of Education Governance in America

主 编 周洪宇 副主编 王建梁
戴伟芬 李 娜 等著

长江出版传媒 | 湖北教育出版社

（鄂）新登字 02 号

图书在版编目（CIP）数据

美国教育治理研究/戴伟芬，李娜等著.
—武汉：湖北教育出版社，2020.6
（全球教育治理研究系列）

ISBN 978-7-5564-1772-8

Ⅰ.①美…
Ⅱ.①戴…②李…
Ⅲ.①教育管理-研究-美国
Ⅳ.①G571.26

中国版本图书馆 CIP 数据核字（2020）第 049812 号

美国教育治理研究　MEIGUO JIAOYU ZHILI YANJIU

出品人	方　平	策　划	刘　艺
责任编辑	邓珍珍	责任校对	王艳波
封面设计	牛　红　何亦明	责任督印	张遇春

出版发行	长江出版传媒	430070　武汉市雄楚大道 268 号
	湖北教育出版社	430070　武汉市雄楚大道 268 号
经　销	新　华　书　店	
网　址	http://www.hbedup.com	
印　刷	湖北恒泰印务有限公司	
地　址	武汉市江夏庙山开发区汤逊湖工业园	
开　本	710mm×1000mm　1/16	
印　张	15.75	
字　数	225 千字	
版　次	2020 年 6 月第 1 版	
印　次	2020 年 6 月第 1 次印刷	
书　号	ISBN 978-7-5564-1772-8	
定　价	78.00 元	

总　序

站在人类历史拐点探求全球教育治理之道

当我们把目光做一个转向聚焦，跳出教育，纵观世界，我们会惊奇地发现当今人类历史发展已处在新的拐点处——第四次工业革命正扑面而来，势不可当。这将给人类社会带来前所未有的系统而深刻的变革，也无疑会成为下一个时代教育的起点，并促使教育的变革与发展也随之迎来新的拐点。第四次工业革命的车轮驱动着全球化、新工业化、生态化、智能化和数据化时代滚滚向前，对教育发展变革，尤其是教育治理，带来了前所未有的冲击与挑战。这是全球教育治理以及中国教育治理必须构建的宏观视野。

一、人类历史拐点与教育发展的十字路口

在人类社会发展的历史长河中，技术革新和传播持续推动着人类创造新的世界。从农耕时代到工业时代再到信息时代，人类历史不断从一个阶段迈向另一个阶段。信息时代是人类正在经历的发展阶段，这个阶段无疑只是人类漫漫历史征程中的一个特定时期。未来，人类将走向何方？还可以走多远？

历史上，工业革命是指工业化进程中所发生的重大变革。新的制造工具的应用，推动了工业发生根本性的变革，引起了工业从旧质飞跃到新质，使国民经济的产业结构发生了重大的变化，进而使经济社会各方面出现了崭新面貌，推动了人类社会发展的进程和文明的程度。[①]人类进入工业文明阶段后至今已经发生了三次工业革命。从18世纪第一次工业革命的机械化，到19世纪第二次工业革命的电气化，再到20世纪第三次工业革命的信息化，一次

① 周洪宇．周洪宇论第三次工业革命［M］．武汉：湖北教育出版社，2014：215．

次颠覆性的科技革新，带来社会生产力的巨大解放和生活方式的大变革，从根本上改变了人类发展的历史轨迹。

统观前三次工业革命，可以发现它们对世界发展格局都产生了巨大影响。一是都极大地促进了社会生产力的发展，带来了工业布局的新变化。第一次工业革命随一波创新浪潮而来，例如蒸汽机和棉纺机的发明。它伴随着一次历史性剧变，带来许多系统性的变化，如城市化、大众教育和农业产业化等。第二次工业革命的核心是电气化和大规模生产，为世界带来了全新的社会模式和生产方式。第三次工业革命，以电子、信息技术和网络为核心，也被称为数字革命，在过去的七十多年，实现了生产的自动化，世界互联互通，使传统的物理世界彻底颠覆。二是都引起了社会关系的重大变革。第一次工业革命导致近代社会工业无产阶级和资产阶级产生，并开启了大规模的城市化进程。第二次工业革命致使垄断组织出现，并与国家政权结合，使自由资本主义过渡到垄断资本主义。第三次工业革命使国家垄断资本主义强化，第三产业比重上升。三是都对世界格局产生巨大影响。第一次工业革命确立了资本主义对世界的统治，殖民扩张造成东方从属于西方。第二次工业革命最终形成资本主义世界体系、殖民体系，世界成为一个密不可分的整体。第三次工业革命推动了国际经济结构的调整，全球化加速，世界各国经济相互依存，联系日益紧密。相较农耕文明时代而言，工业文明时代的人类更深刻地改变和影响了地球。第一、二次工业革命所创造的财富与统治力所向披靡、无可抵挡。第三次工业革命呈现了信息技术革命、生物技术革命等新形态，表现为新能源、新技术、新材料与互联网的融合、创新和运用。[①]它继续推进及强化了人类对自然的改造和控制力。

进入21世纪，科技推动社会飞速发展，大数据、人工智能、云计算等前沿技术不断取得突破，新技术、新业态、新产业层出不穷。这些因素促使第四次工业革命浪潮汹涌而至，这是一场更大范围、更深层次的科技革命和产业变革，即将深刻改变人类社会的发展进程。“第四次工业革命论”首倡者、世界经济论坛主席克劳斯·施瓦布所著的《第四次工业革命》一书认

① 周洪宇.周洪宇论第三次工业革命[M].武汉：湖北教育出版社，2014：218.

为这场革命正以前所未有的态势向我们席卷而来。其发展速度之快、范围之广、程度之深丝毫不逊于前三次工业革命。第四次工业革命的核心是智能化与数据化，它将数字技术、物理技术、生物技术有机融合在一起，即通过技术融合消除数字世界、物理世界和生物世界之间的界限。[①]因此迸发出强大的力量，对我们的经济和社会产生深刻影响。可植入技术、数字化身份、物联网、3D打印、人工智能、区块链、大数据、纳米技术、生物技术、材料科学、能源储存、量子计算等技术变革同步进行，融合形成一个高度灵活、人性化、数字化的产品生产与服务模式。与前三次工业革命不同，本次工业革命呈现出指数级而非线性的发展速度。原因在于我们目前生活在一个万物互联的世界，而且新技术也在不断催生更新、更强大的技术。创新的发展速度和传播速度比以往任何时候都快。这是一场深刻的系统性变革。它不仅从根本上改变了我们的生活、工作以及相互之间的关系，更改变了整个社会和我们的身份。

这些变革让各国、各类组织、人与人之间的利益和命运紧密相连，深度交融。我们认识和理解这次革命需要跨界思维。这次革命在推动生产力水平提高、物质丰富的同时，也将从速度、深度、广度上给个人以及经济、政治、社会和文化的发展带来新的冲击和变化、机遇与挑战。然而，世界经济新旧动能转换尚未完成，南北失衡等深层次、结构性问题还未消除。地缘政治冲突此起彼伏，保护主义和单边主义愈演愈烈。[②]这些问题与第四次工业革命带来的冲击合流，将成为影响世界和平与发展的不稳定因素。这正是我们今天所处的时代，是我们正面临的人类发展的历史拐点。

第四次工业革命和伴随着它的系统性变化，将会比以往任何时候都更加强调合作参与，要求进一步改变协同参与的方式，要求我们共同构想自己将要创造的未来。面对全球发展对沟通、合作越来越多的需求和依赖，每个国家都应该积极推进开放分享。德国政府在《德国2020高技术战略》中提出的

---

① World Economic Forum. The Fourth Industrial Revolution, by Klaus Schwab [EB/OL].[2020-01-14]. http://www.weforum.org/about/the-fourth-industrial-revolution-by-klaus-schwab.

② 习近平. 让美好愿景变为现实——在金砖国家领导人约翰内斯堡会晤大范围会议上的讲话[N]. 人民日报，2018-07-27（3）.

十大未来项目之一——工业4.0，旨在提升制造业的智能化水平，建立具有适应性、资源效率及基因工程学的智慧工厂，在商业流程及价值流程中整合客户及商业伙伴。其技术基础是网络实体系统及物联网。这是发达国家对第四次工业革命的积极回应。

全人类历史拐点的出现，把正在现代化建设道路上奋力前行的东方第一大国——中国再一次推到了历史的十字路口。前两次工业革命的缺席，使中国没有赶上西方的工业化进程，而成为工业化的后发国家。从中华人民共和国成立后的第一个五年计划起，中国在工业基础十分薄弱的条件下，开始了以工业化为核心的现代化征程。经历了从传统的社会主义工业化道路到改革开放后的中国特色社会主义工业化道路的转型，中国工业化取得了巨大的成就，中国已经从农业经济大国转变为工业经济大国。但它的工业化仍然没有完成，工业化进程仍在途中。今天，正当中国即将快速跨入工业化国家行列之际，人们眼前却横出一块“工业文明将就此止步”的警示牌，令中国蓦然站在时代大转型的历史关口。

站在人类历史拐点处，中国该何去何从？作为全球化进程的重要参与者，当前的中国也面临着经济、社会转型等重大问题。中国经济已由高速增长阶段转向高质量发展阶段，正处在转变发展方式、优化经济结构、转换增长动力的攻关期，迫切需要抓住第四次工业革命的机遇，寻找可持续发展的原动力。

放眼全球，人类正面临百年未有之大变局。基于互联网技术的智能化、数据化高度融合的第四次工业革命已经来临。我们不仅需要反思我们的经济、社会和政治体制，还需要反思我们的教育是否能够适应和引领这场深刻的变革，反思教育这把钥匙能否打开一扇可以让我们看到希望和未来的思考之门。

二、全球化新文明时代的教育治理

如果说告别工业化社会、迎接第四次工业革命带来的新文明是人类走出当前困境的必由之路，那么，由此催生的全球化时代则使全球治理成为现实。正在蓬勃发展的全球治理实践给全球教育治理带来了新的动力，进一步推动了全球教育治理的发展。

21世纪，随着全球化、区域一体化进程的持续发展，人类日益成为一个命运共同体。以人工智能、数据化等深度融合为标志的第四次工业革命让这种趋势愈发加速。人工智能及相关技术带来的安全和治理挑战是需要全人类共同面对的问题。同时，人类还面临许多领域的问题，如核威胁、气候变化、环境污染、疾病流行等。这些问题一旦爆发，各国很难独善其身。这就需要各国具备全球视野，协同合作，共同解决这些问题。“人类的政治生活正在发生重大的变革，其中最引人注目的变化之一，便是人类政治过程的重心正在从统治（government）走向治理（governance），从善政（good government）走向善治（good governance），从政府的统治走向没有政府的治理（governance without government），从民族国家的政府统治走向全球治理（global governance）。”[①]全球治理是国际体系中以主权国家为核心的各个行为体共同合作，通过正式制度和非正式制度安排，协调各自利益和政策，以应对全球化时代人类社会必须面对的各种跨国的全球性挑战，并支持各个国家实现国家治理水平提升的活动。从中国的角度看，全球治理与国家治理是当代中国两大战略考量。日渐崛起的当代中国，经济总量居于世界前列，成为世界经济增长的新引擎，国际社会赋予中国更多责任与希望。中国积极参与全球治理，有助于澄清当下国际社会对中国的质疑与误解，表明当代中国的担当，有助于化解国际社会对中国“参与不足”的指责，表明当代中国维护人类共同利益、推进人类共同进步的理念与追求，有助于赢得国际社会的尊重，从而引领着人类的发展。

教育治理是全球治理的一个重要组成部分，也是国家治理的具体内容。全球治理和国家治理的推进势必促进教育治理的发展。第四次工业革命必将深刻改变人类的学习方式和生活方式，引发人们对于“人”的价值的进一步思考。教育和教育治理的理念、规则、方式也不可避免地要受到影响和冲击。世界银行发布的年度旗舰报告《2018年世界发展报告：学习以实现教育的承诺》(World Development Report 2018：Learning to Realize Education’s

---

① 俞可平. 全球治理引论[J]. 马克思主义与现实，2002（1）.

Promise)指出，全球教育面临“学习危机”——上学却没学到知识，这不仅是浪费发展机遇，也是对全世界儿童和青少年的巨大不公。造成“学习危机”的一个重要原因就是低效的教育管理和治理。

近年来，全球教育治理的理念正在出现新的变化。2015年年底，联合国教科文组织发布了一份新的研究报告《反思教育：向“全球共同利益”的理念转变？》（Rethinking Education: Towards a Global Common Good ？）。这是联合国教科文组织成立七十多年以来，继1972年出版的研究报告《学会生存：教育世界的今天和明天》（Learning to Be：The World of Education Today and Tomorrow，又称《富尔报告》，即Faure Report）和1996年出版的研究报告《教育——财富蕴藏其中》（Learning：The Treasure Within，又称《德洛尔报告》，即Delors Report）之后，又一份非常重要的报告。联合国教科文组织总干事伊琳娜·博科娃在这一报告的《序言》中开门见山地写道：“我们在21世纪需要怎样的教育？在当前社会变革的背景下，教育的宗旨是什么？应如何组织学习？本出版物的思想便是因这些问题有感而发。”她继而写道：“我确信，我们今天需要对教育再次做出高瞻远瞩的思考。”博科娃认为“再没有比教育更加强大的变革力量”。她进而强调“教育促进人权和尊严，消除贫穷，强化可持续性，为所有人建设更美好的未来”，“教育以权利平等和社会正义、尊重文化多样性、国际团结和分担责任为基础”。她最后指出：“我们必须高瞻远瞩，在不断变化的世界中重新审视教育。”这种重新审视的结果就是我们21世纪的教育应该向“全球共同利益”的理念转变。可以断定，这份报告必定像前两份报告那样对世界教育的发展产生重大影响。

随着全球一体化进程加速，全球性教育问题（如教育不平等、“学习危机”等）将持续存在而且有复杂化的趋势。通信技术、信息技术和互联网技术的飞速发展，也让教育领域的许多问题，如信息技术背景下的核心素养、信息技术教育、教育与经济同步发展、教育与创新等，成为具有全球性特质的难题。要解决这些问题，客观上要求全球教育治理这一理念、方式及行动在世界各国教育领域中发挥越来越重要的作用。它要求世界各国站在全球的高度，运用现代治理的理论和理念，以主权国家为主体，充分运用国际政府组织、国际非政府组织、公民社会等的力量，寻求问题的最佳解决方案。教育领域已显现了全球化的负面影响，需要更有效的全球治理。[①]世界主要国家，国际组织如联合国教科文组织、世界银行、经合组织、联合国儿童基金会、二十国集团、全球教育合作组织等，全球知名智库如卡耐基教学促进会、布鲁金斯学会、兰德公司、澳大利亚教育研究委员会等，都是参与全球教育治理的行为主体。它们正通过各种方式介入全球教育领域的治理。全球教育治理是顺应时代发展趋势的一种新型治理理论，如何从参与全球教育治理的诸多行为主体的行动中总结全球教育治理的实践经验、提炼理论，如何运用其推动全球教育的发展，成为当前迫切需要研究的课题。

当前，中国正处于推进国家治理体系与治理能力现代化建设的关键阶段，教育领域也不例外。中国实行改革开放的国策，把自身置于世界的开放体系之中。改革开放推动中国教育取得了举世瞩目的巨大成就，教育同步助力改革开放走向更高水平、更高层次。与此同时，教育也面临着新的更大的机遇与挑战。党的十九大确定了中国发展新的历史方位——中国特色社会主义进入了新时代。新时代的社会主要矛盾发生了变化，教育领域的主要矛盾集中体现为人民对优质教育日益增长的需求与教育发展的不平衡不充分之间的矛盾。2019年2月，中国颁布了《中国教育现代化2035》和《加快推进教育现代化实施方案（2018—2022年）》，明确了未来一段时期中国教育发展的总体思路、战略任务、实施路径与保障措施。《中国教育现代化2035》提出对内要“加快推进教育现代化、建设教育强国，办好人民满意的教育”，对外则是要开创教育对外开放新格局，“积极参与全球教育治理，深度参与国际教育规则、标准、评价体系的研究制定。推进与国际组织及专业机构的教育交流合作。健全对外教育援助机制”。[②]文件方案的出台标志着中国教育现代化走向新时代、新目标和新征程。[③]推进教育现代化、建设

① 卡伦·芒迪. 全球治理与教育变革：跨国与国际教育政策过程研究的重要性[J]. 申超，译. 北京大学教育评论，2011（1）.

② 中共中央、国务院印发《中国教育现代化2035》[N].人民日报，2019-02-04（1）.

③ 周洪宇，刘大伟. 中国教育现代化走向新时代新目标新征程[N]. 中国教育报，2019-04-01（1）.

教育强国和参与全球教育治理势必对教育治理的理念、体系、制度、内容、方法等提出新的要求。当前，中国已置身于第四次工业革命主导的全球化、智能化、数据化、信息化、生态化时代，教育治理理念也将升级换代。第四次工业革命这一全人类共同面临的巨大变革，同样对不断深化改革、扩大开放的中国产生影响，也对中国的教育治理提出全方位挑战。对于当今的中国而言，建立现代教育治理体系、完善学校内部治理结构、推进教育治理体系与教育治理能力的现代化，不仅是重要的，而且是十分紧迫的时代任务。2019年10月召开的中共十九届四中全会通过了《中共中央关于坚持和完善中国特色社会主义制度、推进国家治理体系和治理能力现代化若干重大议题的决定》，提出要把我国制度优势更好地转化为国家治理效能，具体在教育领域，要“发挥网络教育和人工智能优势，创新教育和学习方式，加快发展面向每个人、适合每个人、更加开放灵活的教育体系，建设学习型社会”。十九届四中全会关于教育的论述及时地回应了第四次工业革命给教育带来的机遇和挑战，为国家教育现代化指明了方向。同时，参与全球教育治理亦是中国由教育大国走向教育强国的必由之路。中国由教育大国向教育强国迈进的征程中，在努力实现本国教育现代化的同时，秉持共商共建共享的全球治理观，积极参与全球教育治理，为人类社会贡献中国特色的教育智慧、教育治理方案和力量，既是中国的使命，亦是担当，更是走向教育强国、负责任大国的必然选择。[①]研究国家教育治理及全球教育治理的理论、实践、经验及教训，成为中国教育学术界的当务之急。

三、研究全球教育治理是中国教育学术界的当务之急

作为当代中国怀抱着理想、洋溢着激情、时刻关注着中国乃至人类命运、富有社会责任感和历史使命感的学术研究者，我们有义务也有责任从事教育治理包括全球教育治理的研究工作。作为当下中国主要民间教育智库之一的长江教育研究院及高校教育智库——华中师范大学国家教育治理研究

---

① 周洪宇，付睿. 参与全球教育治理：从教育大国走向教育强国的必由之路[J]. 世界教育信息，2018（3）.

院的重要成员，我们有义务也有责任从事教育治理包括全球教育治理的研究工作。我们的研究原则是“全球视野，中国本位，问题导向，专业研究”，这与我们智库的定位与目标“立足华中，影响全国，走向世界”，研究风格“全球视野，中国特色，专业能力，实践导向”，以及基本宗旨“民众立场，建设态度，专业视野”等，都是一致的。我们希望通过开展全球教育治理研究，“出思想，出人才，出产品，出效益”，真正发挥学术研究者的作用，推动中国的教育改革和发展，推进中国的教育治理体系与治理能力现代化进程，乃至促进全球教育治理理念、结构与体系的变革。

为此，我们以长江教育研究院、华中师范大学国家教育治理研究院的专家学者为主，同时邀请国内外知名高校的一批国别教育研究专家参与，组织撰写了这套“全球教育治理研究系列”。这套丛书的编写目的，就是要在全球化及第四次工业革命的背景下，探讨全球教育治理的理念、经验教训和趋势，进而讨论中国教育治理的发展道路。丛书涉及三个层面的视角，即超国家层面、国家层面、次国家层面。超国家层面主要研究联合国相关部门、国际组织、大型跨国公司等，分析其对全球教育治理进行研究的成果、形成的研究报告和政策是怎样影响世界各国的。国家层面研究各国在全球教育治理的背景下是如何根据本国国情进行本国国家教育治理的。次国家层面更加中观和微观地审视一个国家各级行政区划内部的教育治理，甚至细化研究一类教育类型的治理或者一所学校的治理。丛书围绕上述三个层面开展研究，力图完整清晰地展示全球教育治理的全貌及其基本特征，为教育研究者、教育工作者提供一个全面深入了解全球教育治理的窗口。

几年前，我在组织编写“教育智库与教育治理研究丛书”（共14册，湖北教育出版社2016年出版）的同时，就已经设想接着要向两头延伸，继续组织编写“全球教育治理研究系列”和另一套“全球教育智库研究丛书”，最终形成“教育智库与教育治理研究”的“三部曲”。为此，2016年编写出版第一套研究丛书后就以第一套丛书的部分作者为基础，本着五湖四海、众志成城的基本原则，在全国物色合适作者，在综合考虑研究能力与研究专长的基础上，最终确定了本丛书各册的写作者。与此同时，由湖北教育出版社牵头积极申报国家出版基金资助项目，“全球教育治理研究系列”成功获批

2017年度国家出版基金资助立项，使后续工作有了良好的开局。

“全球教育治理研究系列”共10册，具体如下：

1.《全球教育治理研究导论》（华中师范大学教授、博士生导师周洪宇，华中师范大学副教授付睿著）

2.《中国教育治理研究》（华中师范大学教授、博士生导师周洪宇，湖北大学教务处副处长、博士后李中伟，华中农业大学教授陈新忠著）

3.《美国教育治理研究》（华中师范大学教授戴伟芬，湖北幼儿师范高等专科学校学前教育系副主任李娜等著）

4.《英国教育治理研究》（浙江大学教授阚阅著）

5.《德国教育治理研究》（华中师范大学副教授岳伟著）

6.《日本教育治理研究》（湖北大学教授赵霞著）

7.《加拿大教育治理研究》（中南民族大学教授汪丞，加拿大布鲁克大学教授、博士生导师路春雷，加拿大布鲁克大学博士后荣文婷著）

8.《俄罗斯教育治理研究》（辽宁师范大学副教授乔桂娟著）

9.《印度教育治理研究》（华中师范大学教授、博士生导师王建梁著）

10.《南非教育治理研究》（华中师范大学副教授李先军著）

“全球教育治理研究系列”有总有分，总分结合，以分为主，由点到面，兼顾发达国家和欠发达国家，覆盖面尽量广一些。其中，《全球教育治理研究导论》主要从超国家层面研究全球教育治理的基本理论，以及重要的国际组织、知名智库、机构参与全球教育治理的理论及其实践，并对中国参与全球教育治理的情况进行梳理分析，试图从整体上建构全球教育治理的一般理论体系，为中国及其他行为主体参与全球教育治理提供理论和实践基础。其他各册以国家层面为主，同时兼顾次国家层面，对全球重要国家的国家教育治理理论及经验进行研究，指出对中国进行国家教育治理及参与全球教育治理的可借鉴之处及启示。

受湖北教育出版社委托，全套图书由我担任主编，提出研究思路，规划整体布局，拟定研究大纲，草拟写作体例，统审系列书稿。比较教育专家王建梁教授担任副主编，协助我联络作者，审改初稿，处理日常事务。我们希望未来在此基础上再组织一套以教育治理不同方面为重点的研究系列，与此套丛书相辅相成，相得益彰。在此，我代表丛书编委会向丛书的各位作者及编辑人员表达诚挚的敬意，向对此套丛书编写出版工作作出指导与提供支持的各界人士表示感谢。由于教育治理研究，尤其是全球教育治理研究，在国内才刚刚起步，基本上没有什么可供参考的论著，完全是靠我们自己的摸索，此套丛书不成熟之处在所难免，还请各位读者不吝指教。

周洪宇

2020年5月1日

目　录

第一章　美国教育治理体系形成的过程及动因

从早期教育到大学教育，从私立教育到公立教育，从职业教育到专业教育，美国都是全球优质教育资源的集结地之一。一方面，良好的经济基础是优质教育资源的保证，比如美国的教育资源中既有联邦政府及各级州市的公立教育资源，也有集团、个人捐赠或者投资的私有资本；另一方面，比较完备的教育治理体系，也是美国教育质量的保障。美国的教育治理先后掀起了三次浪潮，逐步形成了颇具特色的教育治理体系。“治理”是“管理”的高级形态，教育治理是对以简政放权、职能转变为特征的教育管理改革的承继与深化。那么，美国的教育治理体系是如何形成的呢？政府部门、市场投资者、教师、学生、家长在教育系统中分别担当什么角色呢？美国的教育治理体系是如何运转的呢？

党的十八届三中全会提出了从“管理”走向“治理”的新思路，以解决教育管理体制中所存在的不足。目前我国教育治理体系尚未完备，分析研究美国教育治理体系的有效经验和做法，对优化我国教育治理体系、推进教育改革有积极意义。

第一节　教育治理的历史演进

1492年哥伦布最先发现了美洲新大陆，此后欧洲各国竞相在此建立殖民地。英国在北美的统治时间最长，这对北美政治、经济、社会等方面产生的影响最为深远。英国传教士最早在北美殖民地办教育，因此北美早期的教育制度深受宗教的影响与控制，其教育治理体系带有浓厚的殖民地宗教色彩。

美国独立战争以来，美国教育治理发生了几次重大变革：从独立战争之前的宗教主导逐渐转向世俗化；政府在教育治理中的参与程度不断提升，教育治理结构逐步成熟；二战后，因社会经济发展的需要，美国强调绩效责任治理，提倡教育的开放性和教育治理各主体的共赢，“善治”理念逐渐形成并成为美国教育治理体系的主流。

一、起源——宗教主导的教育治理模式

美国独立战争前，北美殖民地教育制度基本上是从英国移植过来的。北美殖民地时期的政治、经济发展有限，教育受到教会的控制。在高等教育体系中，各个学院为独立的学术法人机构，政府几乎未对高等教育进行管理。

（一）复制欧洲教育模式

殖民地时期教育的目标、教育管理制度、教育的发展状况等都深受宗主国的教育制度影响。北美殖民地时期教育的主要目标是培养传教人士。①学校的发展主要依靠教会团体的赞助、私人捐款，政府给予教育机构的经费资助少而且不固定，因此也并未对教育进行限制或管理，教育基本处于无政府管理状态。②

殖民地时期建立起来的教育和文化为美国教育治理体系的形成奠定了基础。比较典型的案例有：1636年，移居北美的英国清教徒在马萨诸塞开始筹建哈佛学院；1647年及之后的几十年里，以马萨诸塞海湾殖民地为典型，各殖民地相继实行义务小学教育。美国教育治理体系的雏形初现，以费城为例，传教士在殖民地内建立教友派社区，主管当地教育，创办了以传教为目的的初等教育、中等教育系统，除此之外，还有私人创办的与教会无关的学校。在教友派社区主管的学校，开设的课程有阅读、写作、记账、古文、历史、文学、科学等，私立学校也开设类似的课程。这些课程深受英国早期的拉丁文法学校办学模式的影响，同时其教育管理体制深受英国殖民统治的

---

① 亚瑟·M. 科恩，卡丽·B. 基斯克. 美国高等教育的历程［M］. 梁燕玲，译. 北京：教育科学出版社，2012.

② 袁利平，段肖阳. 美国高等教育治理的历史演进与实践逻辑［J］. 河北师范大学学报：教育科学版，2016（6）.

影响。

殖民地时期的美国教育复制了欧洲传统的学院治理模式——学术自治模式，大学的资源由学者与教授们控制，拥有绝对的学术自由，是与世隔绝的象牙塔。[①]但仅靠教会或者捐赠也不能维持学院的生存，所以学院为保障其发展，只能引入校外力量参与学院事务管理。同时，学院单纯培养牧师的目标无法满足美国的社会需求，所以学院渐渐将培养宗教人士和培养从事政府公务的公务人员结合起来。尤其在殖民地晚期，宗教的影响逐渐减弱，学院开始注重公共服务、年轻人的教育及公民社会教育。[②]

（二）基础教育为教会控制

独立战争前，北美的教育由殖民者所控制，教育机构多为教徒或宗教团体创立，为发展教徒而服务。其高等教育的目标是培养教区牧师。在17世纪，哈佛学院近2/3的毕业生服务于教会。[③]1635年，英国殖民者在波士顿创办拉丁文法学校，这是殖民地时期中学的主要类型。拉丁文法学校的任务是为升学作准备，其教学内容主要为古典语文，教学方法古板教条，内容枯燥乏味，且当时体罚盛行。

这个时期，欧洲各国纷至沓来在北美建立殖民地，设校管校，由于各国教育制度不同，同一国家也教派各异，因此形成了北美多样化的教育治理形态。总体而言，殖民地时期的北美基础教育已经粗具雏形。北部的殖民地主要为清教徒控制，其初等学校面对劳动人民子弟，重在培养学生的宗教信仰，教学内容以粗浅的文化知识为主；南部各殖民地移民实行贫富差别教育，富庶的家庭仿效英国，对子女实施家庭教育，或者干脆送回英国读书，对贫苦儿童实行学徒训练，只能在慈善机构接受一点文化教育。

（三）高等教育初步形成传统的大学治理结构

中世纪的欧洲，大学在学术研究、制度管理等方面有一定程度的自主

---

① 亚瑟·M. 科恩，卡丽·B. 基斯克．美国高等教育的历程［M］. 梁燕玲，译．北京：教育科学出版社，2012.

② 袁利平，段肖阳．美国高等教育治理的历史演进与实践逻辑［J］. 河北师范大学学报：教育科学版，2016（6）.

③ 阿尔巴赫，伯巴尔，冈普奥特. 21世纪美国高等教育：社会、政治、经济的挑战［M］. 施晓光，蒋凯，译. 北京：北京师范大学出版社，2005.

管理权，这些权力主要是通过罗马教皇或者国王颁发皇家特许状（Royal Charter，一种由君主签发的正式文书，类似于皇室制诰，专门用于向个人或法人团体授予特定的权力）赋予的。北美的大学沿用了这一做法，被授予特许状以后就拥有了独立学术法人的地位，由董事会控制校长遴选、教师聘任、财务管理、学术研究、教育教学等具体事务。例如，当时的哈佛学院就获得了学院自治的特许，实行董事会领导下的校长负责制，学术自治。之后，其他大学相继取得了学院自治的特许，具有很强的独立性。

1642年，世界高等教育史上第一个高校董事会在哈佛学院成立，常设校监委员会和院务委员会两个机构。校监委员会成员由地方官员及牧师组成，拥有监管权，负责学院办学政策、人员聘用等。校监委员会成员不驻校，不便管理学院事务。为了解决这一问题，哈佛学院在校监委员会之外设立了院务委员会管理具体事务。院务委员会具体承担学院的日常管理工作，如师生管理、学术工作等，由学院院长、财务主管与另外五位评议人组成。校监委员会监督院务委员会的工作开展情况并拥有院长的任命权。

由此可见，美国高等教育治理起初是由教会主导，而地方官员及牧师这些校外人员掌握学校事务的管理权。随着经济的发展，社会对高等教育人员数量和素质的要求不断提升，以宗教为目的的教育体系已经无法满足社会的需求。随着社会对教育关注程度的提升，由社会各阶层代表所组成的人群开始进入学校管理权力中心，拉近了大学与社会的距离，在培养目标和管理体制上越来越贴近社会、体现民众呼声，得到更多社会人士资助，也更加反映社会发展的需要。

（四）具有浓厚宗教色彩的教师教育

由于殖民地时期的学校主要为教会控制，学校的开办、教学制度的建立、学校的课程设置都为教会掌管，教师的选拔与任用由地方社区的牧师掌管，对教师教派信仰、思想修为、遵纪守法等方面有着严格的要求。比如，1654年，马萨诸塞州最高法院对教师的任职条件明确规定：“思想不端正、具有社会公害性和有悖于基督礼教的人不能在大学（即哈佛）或学校从事教育工作。”[①]教师的选拔与任用必须获得牧师或者教会的许可。例如，1664年，查理二世在英国占领新阿姆斯特丹之后宣布：“从今以后，没有得到坎特伯雷大主教许可的教师不允许在该地任教。”[②]而在专业上对教师入职要求是比较低的，只需要具备简单的读、写、算方面的知识就可以从教，这一时期的教师培训方式是师徒传授，即由现任教师培训有意从教的学生，教授简单的读、写、算。

这一时期教师地位较低，其工资基本是无法保障的，在广大的农村地区，教师只能通过去学生家吃饭、住宿以抵消酬劳，许多教师通过从事副业增加收入。

二、发展——教育治理体系逐步形成

殖民地时期由教会捐赠、私人捐款所建立的教育资源有限，所培养的人才无法满足社会发展的需要。独立战争胜利以后，美国州政府给予了教育尤其是高等教育大量的经费支持。从1819年的达特茅斯学院案到1862年林肯总统签署《莫里尔法案》，美国政府加强了对教育管理的控制权。及至二战胜利，美国的教育治理体系逐步完善，形成了均衡的教育治理体系。

（一）地方政府开始主导基础教育

独立战争胜利以后，美国的工业获得了空前的发展，为了更大规模地培养科技人才，推动经济发展，美国政府展开了一系列的教育改革，占据了基础教育的主导地位。这一时期，美国公立中小学教育经费主要来源于地方政府征收的财产税，地方政府扮演了绝对性的支撑角色。

为了更快培养科技人才，美国文实学校兴起，但是后来由于收费过高而受到保守派批评。为了解决这个矛盾，政府掀起了一场公立学校运动，各州开始兴办公立中学。由于公立中学免收学费、课程丰富、利于就业，招生规

① Christohper J. Lucas. Teacher Education in America: Reform Agendas for the Twenty-First Century [M]. New York: St. Matin's Press, 1997: 7.

② 王萍 . 美国中小学教师教育发展研究［M］. 武汉：武汉大学出版社，2014.

模迅速扩大，由政府管理的优势逐渐凸显。公立中学的创立，显示了美国希望通过教育巩固社会发展，维护民主制度的决心，是美国中等教育的特色。后来，美国在此基础上，兴建了许多职业中学，为社会培养专门技能的工人和职员。美国政府通过创办公立中学、职业中学的方式确立了在中等教育中的主导地位。

美国基础教育的改革是美国劳动人民为争取教育权而斗争的结果，19世纪30年代，随着普及初等教育的呼声变高，政府开始广设小学，广大儿童获得了入学机会。

南北战争以后，初等教育逐步普及，但各州各自为政。各个城镇仍然自行决定是否要成立学校以及筹募资金的方法，学校的开支通常来自于所有居民的税赋加上学生父母缴纳的学费，儿童受到学校教育的多寡，取决于家庭财富的多少。在课程设置上，各校还都不同程度地保留着宗教教育的色彩。而且种族歧视极为严重，对黑人的普及义务教育始终未能认真推行，南方各州黑人的入学率很低。贫穷地区的儿童接受教育的机会和质量也堪忧。

欧维尔·泰勒（Orville Taylor）说："私立学校系统是只为富有者服务的学校，不符合共和的特质，这种做法让所有人不可能有一个公平的起跑点。"亨利·伯那德抱怨当时的学校系统是"将社会分级……依据财富、教育或其父母的外在环境，把孩童分类"。因此，在很长一段时间内，教育公平问题成为基础教育中最大的矛盾，这也是政府需要着手去解决的问题。①

这一时期美国初等教育的发展还出现了现代教育的新特点，主要体现在幼儿园的开设和教育组织的出现。1840年，福禄贝尔在德国创办了世界上第一所幼儿园，随后一些发达国家相继兴办起福禄贝尔式的幼儿园，美国各州也涌现出大批教会及私人办园。1900年，美国将幼儿园的开办与管理也纳入公立学校系统，成为初等学校的有机组成部分，初等教育治理体系开始形成以政府为主导的模式。除此之外，全国性的教育组织和"基金会"也相继成立，对美国的教育产生了重大的影响。如"全国教育协会"对美国教育体系改革、教师学术能力提升等起到了重要作用。

---

① 林玉体. 西洋教育史［M］. 台北：三民书局，2015：55.

（二）高等教育独立自治体系逐步形成

进入20世纪，美国的高等教育治理体系发生着悄然的变化，宗教色彩开始削弱，政府对新建大学给予了赠地、减少赋税等优惠政策。许多大企业、大公司捐献资金与地产，兴办大学。在这一时期，工商业的膨胀加速了资本的积累，大企业、大公司急需适应本行业发展的人才，许多资本家为培养自身所需要的人才兴办大学。政府的税收政策对私人捐资办学也起到了鼓励作用，促进了美国高等教育的发展与兴盛。

与此同时，美国高等教育的治理主体也随之多元化，教育组织成为治理主体之一。1905年，美国第一个州级高等教育治理机构——佛罗里达州教育治理委员会成立，专门针对四年制院校进行州级治理；1906年，爱荷华州也成立了高等教育治理机构；1931年，佐治亚州成立了州教育治理委员会。

独立战争至第二次世界大战（以下简称二战）期间，美国取得了国家各项建设的自主权，政治、经济获得了长足发展，教育事业无疑也是国家重点关注的事业之一。美国的教育治理体系经历了从以校长为主导逐步转向“国家—大学—社会”共同治理的演变过程。至二战结束时，美国各州初步建立起州级高等教育协调与治理模式，高等教育机构的州级监管基本稳固。在州政府不断加强对高等教育规范治理的同时，美国联邦政府也以一种积极的姿态介入高等教育。①

1. 校长主导治理

以哈佛学院为例，学校在创办初期，院长代表董事会，主要负责筹款和处理社会关系，并对学院内部行政人员、资金、招生等进行管理。在此管理体制下，教师的权力是非常有限的。

19世纪下半叶以后，校长在大学治理中的权力和影响力逐渐增强，越来越多的大学校长进入董事会，成为董事会的当然成员，校长由管理委员会（董事会）的代言人逐渐向管理委员会与教师间的中介人和调节人过渡。②

校长在大学治理中的主导地位和作用日益彰显，随着大学规模和职能的

---

① 袁利平，段肖阳．美国高等教育治理的历史演进与实践逻辑［J］．河北师范大学学报：教育科学版，2016（6）．

② 陈学飞．美国高等教育发展史［M］．成都：四川大学出版社，1989．

扩大，大学中开始设立其他行政岗位，校长负责行政管理，各个部门设置了专职人员管理具体事务。

2. 政府加强干预

此时美国政府与高等教育之间的关系并不是很密切，可以说高等教育的发展是不受政府干预的，但是随着社会发展对高级人才的需求日益增加，政府开始对高等教育干预和施加影响。

第一，通过创办州立大学，满足州内企业发展需要。州政府虽然创办了州立大学，但是州政府对大学的资助并不是长期固定的，大学发展的经费在很大程度上仍需依靠私人资金。随着经济、政治等一系列的社会发展，政府部门和公众越来越希望高等教育能成为一项福利事业。

第二，达特茅斯学院案以后美国政府介入高等教育。1819年，新罕布什尔州的一些官员和社会人士主张将达特茅斯学院改成达特茅斯大学，变为公共机构，由州政府接管。达特茅斯学院董事会拒绝这一要求，于是将案件送到了新罕布什尔州高等法院审理，结果达特茅斯学院胜诉。整个案件的爆发和处理过程，体现了州政府试图加强对高等教育管理的意志，事实上，也正是通过该案的判决，政府开始介入高等教育领域。此后，各级州政府通过创办州立大学加强对教育的控制。

第三，联邦政府通过赠地学院运动加强了政府对高等教育的影响。独立战争以后，美国社会经济逐步发展，当时高等教育培养的人才已无法满足工农业的发展需要。为了加强人才培养的适用性，1862年，林肯总统签署《莫里尔法案》，要求各州积极资助或者筹建一所高等院校从事农业和机械工程教育，各州纷纷响应号召，向资助大学赠地办学。该法案从实践上打破了美国联邦政府不过问高等教育的传统，高等学校与联邦政府的关系进入了一个崭新的历史时期。

第四，通过专项资助干预高等教育发展导向。20世纪以来，联邦政府开始以为高等教育提供专项资助的措施刺激高等教育的发展。随着专项资助经费占高等教育经费的比例提升，州政府通过经济手段不断加强对高等教育的控制，还制定了适用于高等教育的法律和规范。

至二战结束时，各州高等教育协调与治理体系粗具雏形，政府对高等教育机构的州级监管基本稳固，美国联邦政府并未对高等教育直接管理，但是其指导和引导作用已经显现出来。

3. 董事会把握大权

南北战争之后，美国社会逐渐朝着工业化、城市化、世俗化和专业化的方向发展，高等教育更加贴近世俗，对旧的以教会为主导的董事会治理结构提出了新的挑战，大学治理结构的变革势在必行。当时董事会虽然仍旧是大学的最高权力机构，但其构成发生了变化。工商业者对大学的资金捐助增多，且希望大学培养更多实用的技术和管理人才以服务于工商业界。据统计，1860年，工商界人士占美国大学董事会人数的20%，到1930年这一比例上升到33%左右。①在大学董事会中校友的力量和影响大幅提升，许多大学相继成立校友会，校友参与到大学的治理中，有的大学最终的治理权甚至掌握在了校友手中。

美国大学“法人董事会”的组建和制度管理具有鲜明的本土化特色。在殖民地时期，美国大学先是复制英国剑桥大学等以行会为基础的现代法人自治制度，保障高校拥有学术自治权。随着社会的进步与发展，宗教主导的教育理念被摒弃，大学的董事会融入了外行管理的理念，形成了自治的法人董事会和外行共同管理大学内外部事务的“法人董事会”，“为美国学院与政府等外部权威因素之间划分了界限，为保护学院最大限度的自治和政府最低程度的干预提供了合法制度”。②同时，“学术法人与外行董事会的结合非常有利于克服各自的不足，使大学既能保持独立又能满足社会的需要”。

“法人董事会”将大学的学术自治和公共利益对大学的影响融合一体，架起了大学与外部沟通、与社会接轨的桥梁，由此形成了大学既独立又紧密联系政府和社会的格局，这有力地保障了美国高等教育的发展。

4. 协会组织权力扩大

随着高等教育的发展，大学管理体制中专职教师和研究者的比例不断提

---

① Brubacher J.S.，Rudy W. Higher Education in Transition：A History of American Colleges and Universities［M］. New York：Harper & Row Publishers，1976.

② 刘虹 . 控制与自治：美国政府与大学关系研究［D］. 上海：复旦大学，2010：46.

升，为了维护教师的专业地位和权威，在大学中获得更多的话语权，他们积极筹建教师评议会，在大学治理结构中取得了学术事务治理权。尽管在高等教育治理体系中董事会是最终决定者，但是专业方面的意见必须由专业院系提交。教师评议会在专业学位授予、课程与教学设置、教师专业认定、新教师聘任等方面享有直接的管理权力。

随着大学规模的扩大、研究型大学的建立，各种专业化的学系和各种专业教授职位相继设立。大学内以知识逻辑为主导的学术事务越来越多，而以校外人士为主导的董事会因缺乏相关的学问，大学内的学术事务治理不得不让位于教授。有些学校成立了学术理事会来保障所有教师参与大学治理。1940年，美国大学教授协会与美国学院协会联合发表了《关于学术自由与终身教职的原则声明》。教师除了通过董事会这一机构参与大学治理外，还可通过教师委员会、教师评议会及教授会参与大学治理。教师对诸如课程设置、招生、教师能力标准设定等事务有首要权力。①以学术评议会和美国大学教授协会为标志的学术权力在美国高等教育中崭露头角。②

（三）从政府承担到政府与专业组织共同参与的教师教育治理

美国的教师教育是从私立师范学校的创办和发展开始的。1823年，塞缪尔·霍尔（Samuel Hall）在佛蒙特州创设了美国第一所私立师范师资培训班，又设立了附属小学，供实习使用，揭开了美国师范教育的序幕。③此后，詹姆斯·尼德在印第安纳州、詹姆斯·卡特及霍尔在马萨诸塞州先后创办了私立师范学校，以培养师资。

1839年，塞罗斯·皮尔斯（Cyrus Peirce）在马萨诸塞州创建第一所州立师范学校，培养初等教育师资，此后，全美各州纷纷通过立法创办大量的公

---

① Hamilton W. Academic Ethics：Professional Conduct and Shared Governance［M］. Santa Barbara：Greenwood Publishing Group，2002：152.

② 袁利平，段肖阳．美国高等教育治理的历史演进与实践逻辑［J］. 河北师范大学学报：教育科学版，2016（6）.

③ 滕大春．外国教育史和外国教育［M］. 石家庄：河北大学出版社，1998：436.

立师范学校。州立师范学校必须严格按照政府规定的标准培养师资，因此，培养的师资数量非常有限，在当时的社会条件下不能够满足学校对教师的需求，为了培养更多的师资，许多地区设立了简易的市立和县立师范学校培训教师。19世纪中期以后，美国最终形成了以州立师范学校为主，市立、县立及私立师范学校为辅的师范教育体系。①

殖民地时期，教师资格的认证是由各地区的牧师决定的，独立战争后，各地教育官员掌握了教师资格证的核发权力。俄亥俄州于1825年颁布了美国教师证书法令。这是美国最早的教师资格认证制度。②

随后，各州效仿俄亥俄州颁布教师资格认证制度。19世纪后半期，随着社会的发展，学校教育对教师的任职资格提出了更高的要求，因此各州都加强教师培养力度，同时对教师的学历和知识水平也提出了更高的要求，教师的培养和资格认证都更加专业化。1845年，佛蒙特州还在每县任命了一名督学，专门负责教师的专业考核工作，各州纷纷效仿，通过成立州教育委员会专门管理教师资格的认证和后续考核评价工作。至此，全美逐渐形成了严格的教师资格认证制度。

尽管师范学校的发展以及教师资格认证制度的实行提升了教师的专业水平，但当时教师的社会地位是比较低的。教师工资待遇低，学校在教师的人事管理制度上有绝对的自主权，校教育董事会决定教师的去留。

随着美国从农业国向工业国的转变，农村人口涌入城市，公立学校大量增加，教师资源匮乏，这引起了政府的高度重视。教育行政人员发现，仅仅依靠师范学校培训教师是远远不够的。因此，政府鼓励社区学院和大学开办师范专业，以在短时间内培养大量师资。各州纷纷成立了地区认证协会参与教师教育的认证工作，认证教师培养机构的资质，以提升教师培养的数量和质量。1889年，美国师范学校协会指派委员会对全美各地二、三、四年学制师范院校的课程进行考察，也组建了一批评鉴培训机构的认证组织。1946年，国家教师教育和专业标准委员会成立，确定了教师专业标准，全美教育

---

① 王萍．美国中小学教师教育发展研究［M］．武汉：武汉大学出版社，2014：70.

② Kinney. Certification in Education［M］. N. J.：Prentive-Hall，1964：45.

协会还起草了《师范学校政策声明》。至此，美国形成了州教育部门支配、专业协会参与的教师教育机构认证制度。这些措施有利于促进美国教师教育体系的形成。

三、成型——教育治理体系逐步完备

二战后尤其是20世纪80年代以来，美国的教育获得了空前的发展，从基础教育、高等教育到教师教育，其发展水平领先于世界各国，形成了完备的现代教育治理体系。

在基础教育改革方面，教育治理的主体为州教育局，更加强调绩效化管理，同时注重赋予学校办学的自主权，扩大了儿童和家长的自由选择权利。

20世纪中叶，苏联第一颗人造地球卫星上天给了美国重磅一击，美国将科技的落后归结于教育和科研体制的不足，因此大刀阔斧开展高等教育改革。这一时期，美国的高等教育获得了长足的发展，抓住机遇进行了各方面的变革，其中治理体系的变革也是最为突出的内容之一。

在教师教育治理方面，基础教育对教师的专业水平要求不断提高，师范院校在培养教师方面不仅要扩充数量，更要保证质量。美国各州均设立了教师资格和教师教育机构资格认证机构，通过专业认证保障教师培养质量，形成了由政府主导、社会参与的教师教育治理模式。

（一）基础教育三级治理模式

美国政府近年来加强了对基础教育的调控，颁布了一系列的教育政策，以期提升教育质量，促进教育公平。例如，联邦政府、全国教育质量委员会共同促成了各州实行统一的课程标准。如今，美国基础教育形成了地方教育自主、社会团体参与、公立和私立学校并存、多元文化并存、办学形式灵活、大众教育与天才教育结合、学科门类齐全、学制多样的治理结构。[①]

1. 联邦政府调控教育改革方向

1957年10月4日，苏联成功发射了世界上第一颗人造地球卫星，这一消息震惊了全世界，严重刺激了与苏联处于“冷战”格局的美国，在美国国内

① 蒋蓉．美国小学教师培养：现状、特点与启示［J］．贵州师范学院学报，2017（11）．

引起了恐慌，民众纷纷开始表示对本国教育的不满，认为是教育的失败导致了美国科技的落后。因此，美国开始了大规模的教育改革。1958年美国国会通过了《国防教育法》（National Defense Education Act），确立了以培养高科技人才为目标的教学新体系。显而易见，联邦政府希望通过这一法案来提高美国的教育质量，这也标志着美国率先将教育置于关乎国家发展的重要地位。1983年4月，美国国家高等教育质量教育委员会发表了《国家处于危机之中：教育改革势在必行》（A Nation at Risk：The Imperative for Education Reform，以下简称《国家处于危机之中》）的报告。据此各州将提升质量作为教育改革和发展的目标，各州制定了统一的课程管理，增强对教师和学生双方的考核。如提高了毕业要求，进一步强调计算机教学、家庭作业和基本技能的训练，制定了学生参与运动的最低标准，延长了在校时间和学年长度等，同时在教师考核方面提升了教师资格要求。这是美国“回归基础”思潮的具体表现，以《国家处于危机之中》这份报告为标志，美国拉开了基础教育改革的序幕。

美国的基础教育一直由各州主管，由于经济发展不平衡，各州之间教育发展也极为不平衡，且国会认为有一些教育事务是地方政府和学区力所不能及的，如教育贷款、残疾人教育、教育科技、扫盲教育等，因此需要有个统一的部门协调、统筹、管理。于是，美国联邦教育部于1980年升格为内阁一级的教育部。其主要任务有：①保证联邦政府“每个人都能拥有平等接受教育的机会”的承诺得以实现；②在各州、地方学校系统，公私非营利性教育机构、基于社区的组织、家长及学生办学或参与教育等力量共同努力的基础上，采取补充措施，不断提升教育质量；③鼓励公众、家长和学生积极参与联邦政府实施的教育计划；④通过获得联邦政府支持的教育科研项目、教育评估项目来促进教育质量和效益的提高；⑤加强对联邦各教育项目的协调；⑥加强对联邦教育事务的管理；⑦对总统、国会及公众负责，不断提高联邦教育项目执行效果。[①]

由此看来，作为教育公共治理重要主体之一，美国联邦政府在教育公共

① 美国联邦教育部网站https://www2. ed. gov/about/overview/mission/mission.html.

治理中起着主导全局的作用。在充分发挥各自优势的基础上，合理分配政府、学校和社会等主体在教育公共治理体系中的权力与利益，实现各主体责任与利益的协调。美国联邦政府一直在为全国的教育质量提升而推行改革举措，在加强宏观调控的同时，也在努力调动地方政府的积极性，形成统一而灵活的协调系统。

2. 地方政府加强教育质量提升

教育部升格为内阁一级以后，对美国基础教育地方分权所带来的弊端进行了改造。因为长期的教育分权，各州教育发展水平甚至教育制度各有差异，国家有关部门或机构曾提出的教育目标和标准，要么得不到认同，要么在实践中没有得到重视，无法起到实际的指导作用。为改变这一现状，1991年布什政府颁布《美国2000年：教育战略》，1994年克林顿政府公布《2000年目标：美国教育法》，这两个文件堪称美国教育改革的纲领性文件。

长期以来各州主管当地基础教育，在教育部加强统筹协调的政策背景下，地方政府对教育质量的提升主要通过以下两个方面得以实现。

首先，联邦政府的政策和经济支持。政策的落实要依靠州政府和各地方办学力量的实践，为了刺激各州积极响应和落实教育部的文件精神，教育部通过提供教育拨款、项目资助等方式，调动各州开展教育改革的积极性。如2009年奥巴马签署《2009年美国复苏与再投资法》，联邦政府对教育领域提供1 400多亿美元投入；同年7月启动“力争上游”（Race to the Top）计划，提供40多亿美元资助各州改革基础教育。

其次，各州政府通过教育改革提升教育质量。在联邦教育部的支持下，各州积极学习贯彻国家教育标准，并且通过申请国家资助，用于教学改革、教材研发、教师待遇提升等工程，尤其是在数学和科学等学科方面，各州根据国家标准制定各州的实施细则，通过一系列计划提升基础教育质量，顺应国家教育改革。

3. 多方力量协作促进教育公平

民权运动促进了教育公平的进程。由于历史原因，美国一直存在种族歧视问题，这种歧视在教育领域也异常严重。学生家庭的社会背景、经济地位不同，能选择的学校教育类型、质量等存在很大差异。如在穷人和少数民族学生集中的学校，教育管理秩序混乱、教育方法死板、学生成绩差、升学受限，可以说他们是美国种族歧视下教育制度的牺牲品。20世纪60年代中期，民权运动的爆发促使政府对教育机会均等问题高度重视。1955年，美国最高法院宣布在学校废止种族隔离；1965年，国会通过了《初等和中等教育法》（Elementary and Secondary Education Act），要求州政府根据各学区贫穷儿童的数量分配资金，为促进教育公平起到了一定的推动作用。

社会团体也成为推动美国教育公平的重要力量。20世纪60年代以来，一些社会团体也为促进教育公平作出了贡献。如社会改良派与其他团体联合发起的恢复基础运动和教师责任运动促使国会于1972年通过了禁止性别歧视的《教育修正法案》；1975年福特总统签署了《全体残障儿童教育法案》，以保证残障儿童教育权利。

教育券制、公开择校计划促进了教育机会平等。教育券制指的是政府将学生的学费以券票形式付给所选学校或父母，家长可以打破学区限制，根据学生的兴趣及学校情况选择合适的私立学校或公立学校。这种做法促进了校际之间的竞争，促进了教育机会的平等，在很大程度上促进了教育公平，同时对教育质量的提升也起到了重要的作用。

（二）高等教育共同治理模式

共同治理的制度初创以1966年美国大学教授协会、美国大学董事会协会和美国教育理事会联合发表的《学院与大学治理的联合声明》（以下简称《声明》）为标志。[①]《声明》中将“共同治理”定义为“基于教师和行政部门双方特长的权力和决策的责任分工，以代表教师和行政人员共同工作的承诺”[②]，主要指大学董事会、教授、学生等各类成员共同参与大学治理。

如前所述，二战前联邦政府对高等教育的干预并没有制度化，更多的是间接干预。二战后，联邦政府设置科研项目，提供经费吸引大学组建专门的团队和力量从事科学研究，将一些重要的国家实验室交由大学管理，大学从

① 彭国华，雷涯邻. 美国大学共同治理规则研究述评——以对《学院与大学治理的联合声明》反思为视角［J］. 高教探索，2011（1）.

② AAUP. Statement on Government of Colleges and Universities［EB/OL］.［2018-11-30］http://www. aaup. org/report/statement-government-colleges-and-universities.

此获得了政府的大力支持，同时其科研方向也受到调控和影响。随着高等教育的大众化，高校内部治理趋向于各利益主体共同参与、共同治理。

1. “政府—大学—社会”形成外部制衡

1957年苏联卫星上天后，美国迅速开展了教育改革。1958年，联邦政府颁布了《国防教育法》，1965年又通过《高等教育法》，以法律的形式将教育置于事关国家安全的重大战略地位。尽管如此，美国联邦政府在高等教育治理中的影响力度还是较小的。地方州政府的影响较大，学院和系在人事和课程等方面有较大发言权。另外，在美国高等教育领域中存在着数量众多、类型多样的协会组织和非政府组织，它们也共同影响着高等教育的发展和治理。美国有全国性的协调机构，许多州一级都建立了类似的协调专业委员会，如美国大学联合会。美国大学联合会一方面通过制订严格的入会标准和院校治理规则来塑造精英大学的组织行为，进而影响成员高校制订院校政策；另一方面，通过报告、信函等方式对联邦政府进行游说，就科技政策、科研资助等重要问题为研究型大学争取资源。[①]由此可见，第三方组织、大学与大学之间、大学与联邦政府、社会机构之间的交流与互动，成为影响美国高等教育治理的重要力量。

总之，国家对高等教育的资助和调控，社会对大学办学的监督和协调，都在影响着美国高等教育的发展与变革，政府、大学、社会共同发挥作用，相互独立又相互影响和制约，构成了高等教育的外部制衡机制。

2. “董事会—校长—教师评议会”形成内部制衡

董事会为学校的发展筹集资金，是大学的财团，同时对各项事务拥有绝对的权力。校长的聘任和评估、学校相关机构的管理、预算审批等都由董事会掌管。校长是董事会利益的执行者，要负责对以上事务的管理来保障董事会投资者的利益最大化。同时，董事会在获得利益的过程中也要确保大学的发展有足够的物质设施，审批有利于社会长远发展利益的规划，监控教育项目，在大学与社会之间发挥着“桥梁”与“缓冲器”的作用，确保大学在社

① 左崇良，潘懋元．美国高等教育治理的核心要义与内外格局［J］. 江苏高教，2016（6）.

会系统中的自治。[①]作为投资者组织的董事会，是美国高校的法人代表，也是最高决策机构，是高校与外部利益相关者以及内部管理层之间关系的保护机制，也是一种内在的监督机制。[②]聘任和评估校长是董事会的首要责任，理想情况下每年评估一次，评估内容主要是校长的工作表现，目的是帮助校长更有效地开展工作，这也是校长对董事会负责的一种表现。

作为董事会代理人的校长，首先要代表董事会对内管理和领导，从本质上来说，校长要确保董事会在大学的利益，确保学校的活动符合董事会的政策，校长对学校绝大部分非学术性活动具有最终管理权并且争取外界对学校的理解与支持，还要负责筹措经费，为学校的战略发展而活动。在校长之下，美国大学设立了完备的行政管理体系。

在高等教育体系内部，高校教师联合成立了教师评议会，代表全体教师参与学校治理，并且发挥重要的咨询、审议和立法职能。教师评议会主要负责课程教学、职称评定，对大学发展事宜具有建议权。教师评议会一般由教授或以教授为主的学术人员组成。校级教师评议会负责制定全校的学术政策，审核学院的教师聘用、考核和职称晋升名单，认可、批准和监督课程；院系教师评议会主要负责学院事务，包括人才培养规格、课程设置、专业审核、教师职称管理、奖学金评审与发放、教师奖励等。

由此可见，美国高等教育治理体系中，从外部而言“政府—大学—社会”组织形成了强大的三方协调力量，共同为高等教育的发展创造了有力的发展条件；在内部治理中，“董事会—校长—教师评议会”在决策权、执行权及监督权上既相互分离也相互独立，既相互制衡也相互合作。这种综合性、系统性的治理体系为美国高等教育的发展提供了良好的管理条件。

（三）政府主导、社会参与的教师教育治理模式

17世纪末到独立战争前，美国还没有形成师资培训的制度保障体系，独立战争后，为了适应形势的需要，美国政府实行了一系列教师教育制度，保

---

① John W. N. The Nature of Trusteeship：The Role and Responsibilities of College and University Boards [M]. Washington D. C. Association of Governing Boards of Universities and Colleges，1982：12-14.

② 王绽蕊．美国高校董事会制度：结构、功能与效率研究［M］. 北京：高等教育出版社，2010：34.

障教育质量。

1. 政府制定各项制度

第一，政府通过师范学院规定了教师准入的条件和考核制度，对师范生的学历要求和综合素质都提出了明确要求。“作为入学的先决条件，报考者必须明确说明他们的目的是成为合格教师。要求没有任何不适合担任教师职务的疾病，还要参加考试以证明其在阅读、英语口语、地理和算术等方面的能力，具有良好的智力、高尚的品德。”[①]在师范生入学考试上对道德品质、语言素质、性格、社会适应能力等方面都提出了较高的要求；联邦教育局还通过卡耐基教学促进基金会对中小学教师教育课程的结构和标准进行了规范，建构了美国教师教育课程体系的基本框架。

比如，1930年—1933年，美国联邦教育局用整整三年的时间组织了全国性的师范教育调查，发现师范学院在培养教师的课程设置上，过于重视教育专业课程，忽视文理知识的教育。于是，敦促各州师范学院调整课程设置，全美各师资培训机构的普通教育课程必须通过国家教师教育认证委员会以及各州的教育部门认可与审定后，方可执行。

第二，政府严格把控教师资格认证制度的制定和执行。①全美经历了从各县、各州分散独立到全国逐步统一标准的过程。独立战争后，教师资格的认定一直由区县把控，随着各州教育局的成立，教育行政部门对教师教育管理更加集中，对教师任职资格的管理也逐渐由县级管理向州统一管理过渡，各州教育主管部门确立了教师资格的门槛，负责考核和证书的颁发。各州教育局主管机构授权当地某一组织制订教师资格及教师教育机构认证标准，然后组织资格认定。但随着教师队伍不断壮大，人口流动频繁，由于各州的标准不同，阻碍了教师流动。1890年，纽约州制定了教师资格证书交换计划，随后各州之间也都制定了互相承认教师资格的相关政策。②在教师工资制度上，统一了按照学历确定入职工资的统一标准。在美国，教师的社会地位一直比较低，收入不高，为了激励教师工作的积极性和学历的提升，美国的教

---

① 王柳生. 教师资格制度：昨天、今天、明天 [J]. 现代教育科学：高教研究，2004（3）：92.

师实行工资单一制，即中小学教师不是按照所教学段区别工资，而是按照学历高低确定入职工资，这激励了高学历人才进入教师职业，也加快了教师提升学历的步伐。

第三，联邦政府要求在全国范围内发展教师在职教育。美国的教师教育开始给予了职前教育更多的关注，20世纪中叶，美国开始全面重视职后教育以及职前职后一体化的问题。1958年《国防教育法》，1965年《初等和中等教育法》《高等教育法》都对教师的在职培训提出了要求，联邦政府依据这些法律划拨资金资助各州和地方学区开展各种形式的教师在职培训活动。

从1967年开始，全美实行“教师许可证制”，取消了教师资格的终身制，对教师的终身学习提出了要求，也提供了支持。联邦政府要求在全国范围内开展“全国教师中心计划”，以全面发展教师在职教育。除了政府层面的教师培训计划以外，美国还推行了校本培训制度，即由学校校长带领优秀教师及学校各部门为教师专业发展提供资源支持和专业指导。这种培训形式更有利于根据教师自身的发展现状和需求提供切身的培训。1982年，为了促进职前职后一体化，美国政府开始大量兴办促进大学和中小学合作的实践基地——教师专业发展学校及类似的实践中心，并在颁布的相关教育政策中支持教师专业发展学校的设立。

综上，从师范院校的课程设置、人才培养规格、教师教育机构资格认证到教师资格认证制度、教师职后教育，政府在其中都扮演着方向指导、过程调控的角色。

2. 专业组织为教师教育机构实施认证和评价

政府提出了教师教育的计划与要求后，相关专业组织按照要求研究实施标准及细则，并对教师教育机构进行认证。在美国教师教育质量的评估过程中，卡耐基基金会以及国家教师教育和专业标准委员会先后进行了五次全国范围内的跟踪调查及教育研讨，对教师教育的现状、问题及改进措施进行了深入的调查与研究，成为美国教师教育认证和评价的实施主体。及至20世纪中叶，美国大部分州都有专业委员会对当地教师教育机构进行资质认证。

为了全面提升教育质量，州教育局和地方性专业组织先对教师教育机构进行认证，而后国家级专业组织再进行认证评估。1946年，美国成立了国家教师教育和专业标准委员会，制定了教师教育标准。1954年，成立了国家教师教育认证委员会，对培养教师的教师教育机构进行资格认证。

国家教师教育认证委员会的成员由在全国有影响力的学术团体、已被认证的机构推荐的专家组成，按照认证标准对培养机构的生源状况、课程设置、教育资源、设施设备等方面进行综合评估。通过国家教师教育认证委员会的认证，就证明了培养机构的权威性，因此全国范围内的教师教育机构都希望通过认证，以争取更高的社会声誉，提升自身竞争力。1951年，福特基金会出资3 000多万美元在全美30多所大学推行了“第五年计划”的教学硕士课程改革试验，开启了大学与中小学合作培养教师的路径。美国专业组织对教师教育机构的发展有着举足轻重的作用。1961年—1963年，科南特带领的团队在卡耐基基金会的资助下，对全美22个州77所不同类型的教师教育机构的教师教育现状尤其是课程设置进行了调查研究，在此基础上提出了师范生五年制的培养培训计划，并提出了“能力本位”的教师教育理念，各师范院校掀起了一场以教师“应备能力”为核心的课程与教学改革，全国掀起了一场以“能力本位”为指导思想的教师教育计划。美国专业组织对教师教育制度变革产生了推动作用。

四、现代管理理论对美国教育治理的影响

美国教育治理体系的形成，在很大程度上受到现代管理理论的影响。在历史不同时期所盛行的管理理论对美国的教育治理产生了非常重要的影响。

（一）新公共管理理论在教育治理中的应用

20世纪70年代美国在经济上出现“滞胀”危机，这引起了各派经济学家们的激烈争论，各派试图找到良方，为政治家们摆脱“滞胀”献计献策。80年代，新公共管理理论率先在英美两国产生并迅速扩展到西方各国。[①]

① 公磊．浅议新公共管理理论及其在西方国家教育改革的实践［J］．外国中小学教育，2009（4）．

新公共管理理论认为，国家经济之所以出现“滞胀”，公共部门的管理体制有着不可推卸的责任。因此建议将企业已经成功验证的有效管理方法运用于公共部门的事务管理中，企业管理中的绩效管理、目标管理、组织发展、人力资源开发等理论都可以为公共事业管理改革提供新思路。当然，研究者们也把这种新思路运用于教育领域改革的思考中。美国著名经济学家米尔顿·弗里德曼认为，要彻底变革目前过于僵化的国家统一管理的教育体制，教育应该走向市场，而不是一味地由政府无条件支持。他在《政府在教育中的作用》一文中也指出，要将教育移交给企业或个人，私有化的道路是教育体制改革的唯一出路。由此可见，新公共管理理论看到了市场对教育的调节作用，提倡国家退出对教育领域的干预，还教育自由和独立，当然，政府也不是完全不参与教育，政府要在教育领域提供必要的保障。新公共管理理论引发了美国教育治理理念的变革：

1. 市场成为教育治理的主体之一

新公共管理理论强调教育的相对自由性，教育要为国家的发展贡献力量。同时，社会通过政治、法律、市场、行政等对教育产生作用。

新公共管理理论认为，教育领域要有充分的自由和独立，但同时也更强调了在教育领域也存在竞争性，而且要“利用”竞争，刺激教育体系的良性运作和发展。新公共管理理论强调明确的责任制、产出导向和绩效评估，以准独立的行政单位为主进行分权，采用私人部门管理的模式、技术和工具，引入市场机制，强调竞争为特征的公共部门管理的新范式。[①]在新公共管理理论的影响下，教育民营化兴起，即国家将教育权力进一步下放给学校，以使学校成为类似于市场竞争中的独立企业一样，拥有可以进行创造性活动的充分的自主权和独立性。允许自由择校，即建立家长自由选校制度，扩大家长替子女自由选择学校的权利与机会，使家长、学生如同市场上的消费者一样，成为教育的消费者，而不再仅仅是受教育者。[②]

---

① 王凤秋，刘俊花．论新公共管理理论视野下我国教育行政体制改革［J］．黑龙江高教研究，2007（11）．

② 高连和，杨莉．高等教育公共产品性与市场化的均衡［J］．职业技术教育：教科版，2005（10）．

新公共管理理论为教育市场化改革奠定了理论基础，试图通过引入市场竞争机制向公众提供自由的市场选择和优质的教育服务。他们认为市场对教育的介入既满足了社会成员对教育的多元需求，又可以最大限度地保障个人的教育自由权利。在教育领域引入市场机制，让市场机制中一些有效的、有利于教育质量提升的管理发挥作用，同时将教育推向市场竞争，让市场机制发挥其独有的作用，市场成为教育治理的主体之一。

2. 推动教育公共治理改革

20 世纪 80 年代中期以来，美国教育发生了一次重大变革——教育公共治理改革运动。1983 年的《国家处于危机之中》报告把美国经济竞争力的下降归结为公立学校的失败，引发了民众对公立学校教育的讨伐，社会对教育的信心下降，政府开始反思教育体制的问题和原因。公共治理理念的多元、民主、平等、合作等特征被引入到教育改革领域，在引入市场机制的同时，更加重视公众力量对教育改革的重要性，形成了多元中心的治理理念。教育公共治理理论强调政府要改变职能和转换角色，退出对教育的直接干预，加强宏观调控，同时制定和完善法律法规与监督机制，保证各参与主体依法有序参与教育治理。

教育公共治理理论强调政府要加强对教育体制改革的反思和革新力度，将市场化机制进一步引入教育体制。美国教育改革确实做出了一系列的改革举措，如实行教育券制、择校制等刺激地方政府、社会公共力量参与教育改革，发挥市场的竞争机制和调节机制，同时通过创造良好的环境制度，使公共教育政策得以实现。在教育机制改革上，形成了多元中心的治理体系，政府和市场两个主体发挥着各自独特的作用。

（二）“公民社会”理念在教育治理中的应用

长期以来，市场与计划、公共部门与私人部门、政治国家与公民社会、民族国家与国际社会这种传统的两分的思维方式就长期存在于社会科学领域，而公共治理认为公民社会与政府是同等重要的合法权力的源泉，两者有机合作才能实现教育领域的有效管理。于是，“公民社会”理念开始进入教育管理的实践。依据“公民社会”理念举办教育，有利于打破政府垄断教育的局面，也有利于避免市场提供教育时的趋利性。“公民社会”理念的这种独特作用，被西方学者形象地称之为教育治理的“第三条道路”。[①]

1. 理念的兴起

在新公共管理理论的影响下，教育领域引入了市场机制，推进了教育改革，市场的竞争机制也促进了教育质量的提升。然而，由于市场资源配置导致的优胜劣汰，各州各学区为赢得教育资源而“各自为政”的状态，导致了国家层面上教育发展的不平衡，教育作为公共事务的特性受到挑战和冲击。这引起了美国联邦政府的高度重视。20世纪80年代开始，政府决心要改变各自为政的“学区自治”管理体制，推行学习内容的标准化，鼓励各州设立专门的立法机构承担教育投入和拨款，建立学校教育评价体系，初步实现教育治理模式的“州控制”。

为克服教育市场治理给教育公共性带来的冲击，美国总统克林顿推行教育治理的“第三条道路”。1995年，“返校运动”在全美逐步推开，政府鼓励父母和社区人士积极到学校参加相关活动，配合和支持学校教育工作；1997年，美国教育部提出了《21世纪社区学习中心计划》，要求延长公立学校时间，让儿童、社区民众在课后能够同样享有教育资源；2000年5月，克林顿颁布《学校为社区中心：规划与设计公民抉择指南》，提出学校要成为社区中心，要为社区教育服务，同时也要有效利用资源。

公共教育治理强调政府、市场和社会等多种因素在教育治理中的作用，各因素发挥其特有的作用，共同促进教育的发展。

2. 基本内容

公共教育的治理不再是单一的政府管理，而是由政府、市场、公民社会三者共同作用于学校管理。

① 吴景松．政府职能转变视野中的公共教育治理范式研究［D］. 上海：华东师范大学，2008：76.

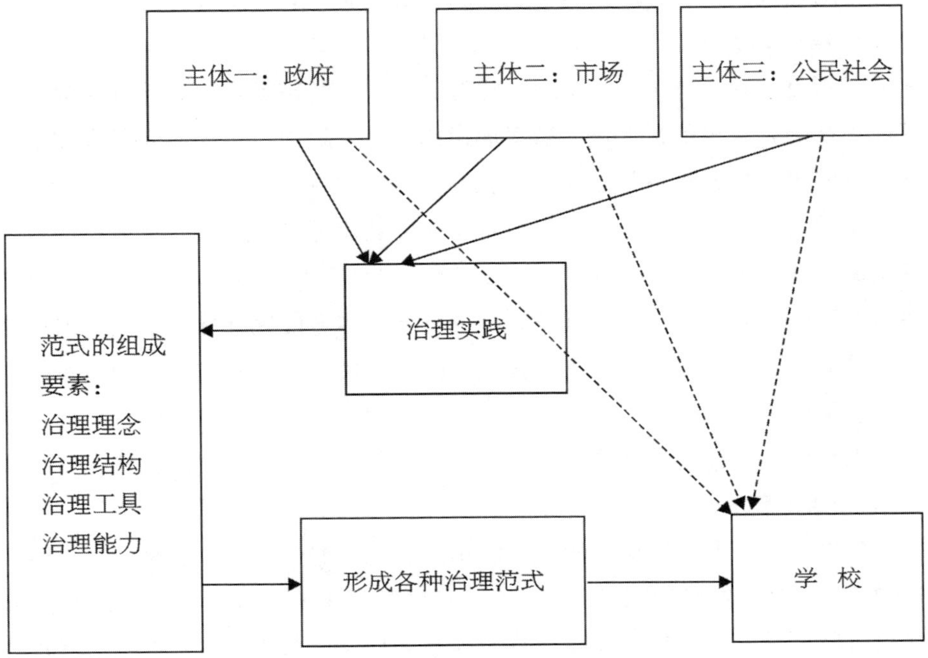

图 1–1　公共教育治理构成要素及其与学校之间的关系图

从图1–1可以看出，三个主体共同作用于学校教育，具体包括治理理念、治理结构、治理工具、治理能力四个方面，这四个方面一脉相承，缺一不可。

（1）治理理念。即治理主体在公共教育领域方面所持的价值观，是公共治理的前提和方向，比如是效率优先还是公平导向优先，是选择行政机制还是市场机制，这直接影响到治理的整个过程，把握准方向至关重要。

（2）治理结构。主要解决治理主体之间关系的问题，即参与治理的各个主体包括政府、社会、市场、学校乃至个人之间的权责分配及其相互关系，这个可以用制度来规范，各个主体各司其职，才能有效合作。

（3）治理工具。即参与治理的各主体尤其是政府或公共部门为了实现公共教育治理目标而采取的行动策略或方式。它将管理理念付诸实践，在实践中提出解决方案，主要解决如何实施管理政策、管理模式的问题。

（4）治理能力。即政府在治理过程中的作用与功能，政府拥有多少公共教育资源、对公共教育权力与信息的掌握、对治理主体之间关系的协调等，都是治理能力的综合体现。

公共教育治理理论研究者认为，“公共”不是政府的同义词，公共管理是与非正规组织、市场范式、技艺、责任、政治与行政相分离、结果等范畴紧密相连的①；治理是各种公共的或私人的机构管理其共同事务的诸多方式的总和②。治理的主体不应仅限于政府，还包括社会公共组织、公民个体等。教育公共治理需要政府、市场与公民三种力量之间的合作治理，强调的是三种力量的互动关系及其形成的框架或模式。

倡导公共教育治理者认为，引入市场机制，实行学校间竞争，可以促使政府和学校改革，赢得声誉和生源，从而提升办学质量；反对者则认为，市场的力量会损害教育的公共性，比如择校制，包括凭单制、特许学校和磁石学校都更有利于家庭富裕或者白人家庭的子女来做选择，这加重了贫富差距和种族冲突，是教育不公平的表现。

（三）“善治”理念在教育治理中的应用

从历史的角度来看，人类政治文明的发展与人类文明的其他部分一样，是一个不断积累和扬弃的过程。20世纪以来，随着政府、市场的相继失灵，也由于非政府组织的局限性，人们逐渐意识到：在政府、市场、社会三分的格局中，对任何主体都不能抱有幻想；同样，对任何主体也不能忽视，政府如何适应时代要求成为世界性话题，各国实践此起彼伏。其中，善治理论成为20世纪90年代兴起的极具影响力和适用性的公共管理理论。

善治是政府与市场、社会的一种新型关系，是公共利益最大化的管理过程，实现了国家—公民之间良好的合作，这是近乎理想的状态。将善治理论

---

① 欧文·E·休斯. 公共管理导论［M］. 张成福，马子博，等，译. 北京：中国人民大学出版社，2001：6.

② 俞可平．治理与善治［M］. 北京：社会科学文献出版社，2000：4.

运用于教育领域，即实现教育治理主体利益相一致的过程，国家权力与公民权利都得以实现。善治组织由民主协商产生，代表各主体的利益，依靠合作网络灵活地表达主体意见，实现合作机制真正的公平、公正、公开。

第二节　教育治理体系形成的动因

美国教育治理体系早期受教会的影响，而后联邦政府加强了对教育的管理和干预，教育政策的实施还需要地方、政府和办学机构的落实，还受到市场调控、社会团体等力量的影响，这些因素以及各股力量之间的关系，共同推动了美国教育治理体系的形成和发展。

一、政治经济体制起决定性作用

教育制度由国家的政治经济体制决定，作为资本主义大国，美国的市场经济体制决定了其教育治理体系。殖民地时期，教育由宗主国的传教士创办，教育的目的是传播宗教教义，宗教主导教育治理体系；独立战争后，联邦政府对教育的干涉较少，高等教育的治理主体是作为投资者的董事会，基础教育的治理主体是州政府和学区；随着全球经济发展的竞争，美国逐渐意识到教育对科技发展、国家兴盛的重要作用，联邦政府给予高等教育拨款资助，间接干预高等院校的运行和发展方向，在基础教育方面掀起了“标准化”运动，加强课程和测评的统一管理，从而实现了教育治理体系中的宏观调控。20世纪90年代以来，教育体制的改革紧锣密鼓，各治理主体间的地位也在调整，从广义而言，美国形成了政府宏观调控、学校相对自治的教育治理体系。

二、教育政策推动

1785年，联邦政府颁布《土地法令》规定西部地区每新建一所公共学院都能得到土地支持。1787年，国会又通过《西北律令》，联邦政府赠500万英亩公地给西北的俄亥俄州用于建立州立大学。这两项政策引起了美国各州兴建高等教育机构的热潮，但是当时政府并未对高等教育进行过多的干预。1887年，联邦政府通过《哈奇法案》（Hatchie Act），规定政府可直接向赠地学院提供财政资助，用于农业科研及成果的传播与推广。由此，政府开始干预高等教育机构的研究方向。如前所述，苏联发射第一颗人造地球卫星后，1958年，美国《国防教育法》颁布，联邦政府以履行国防义务的名义对学生个人资助，旨在鼓励优秀学生在数学、科学等领域进行深入研究。这也是对高等教育宏观调控的一大进步。

美国联邦政府不参与高等教育发展的具体事务，但通过一系列立法和经费资助实现对高等教育机构的宏观调控。联邦政府于1965年颁布《高等教育法》，20世纪80年代之后，又出台了一系列法案，如《高等教育调整法案》等，都极大地促进了高等教育的发展，同时也加强了政府对高等教育的调控，比如对高等教育的教育评估、学生资助等方面都进行了一些规定。

21世纪以来，联邦政府不断加大对高等教育的资金支持，还通过对资助政策和方式的调整，更加公平、全面地促进高等教育发展。如奥巴马政府通过增加教育领域的投资，利用佩尔助学金项目资助学生[①]，如图1–2所示，联邦政府通过增加贫困家庭学生接受高等教育的机会，提高来自贫困家庭学生的竞争力，以此缓解社会矛盾，实现教育机会的均等和公平。

---

① Kelly Field. Even Under Obama’s Plan，Pell Grants Trail Tuition [N]. The Chronicle of Higher Education，2009–04–24.

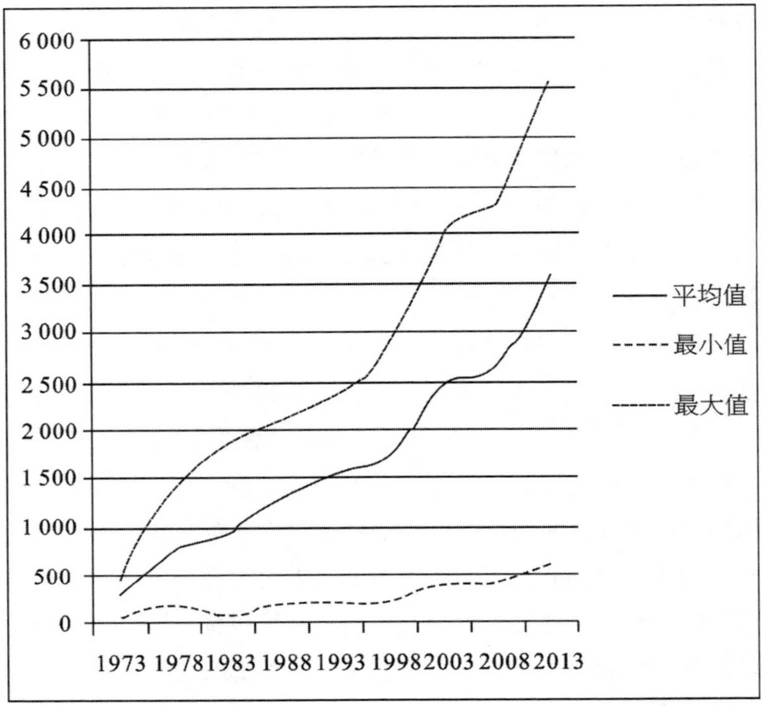

单位：美元

图 1-2　佩尔基金数额变化曲线图（1973—2013）①

由此可以发现，美国教育治理体系的形成在很大程度上受到政府所颁布的教育政策的影响，政府通过教育政策的推行加强了对高等教育的干预和影响，同时，高等教育机构为了能够获得更多的资助，也要不断通过努力来提升教育质量和影响力。

三、治理理论挑战

公共产品理论将微观经济学运用于政治和社会领域，认为如果能够减

① The Federal Pell Grant End of Year Report，2012. 13，http//www. ed. gov/finaid. prof. resources/data/ope. html.

少政府在提供商品和服务方面的作用，市场的灵活性、竞争力都会得到提升，整个社会经济将会获得更高的收益。公共产品理论提出市场比政府或政治市场都更有优越性，应该给予空间让市场力量发挥更大的作用，减少政府的作用。

同时，公共产品理论也是运用企业生产的思想反思行政管理，提出如果将政府权力看作是一种产品，政府恰当地设计出生产权，然后让有相对优势的私人组织去生产，在此过程中政府提供适宜的生产技术和支持，政府就能收到意外的收益：经济效率、公平、租金。

“供应”与“生产”分离的理论同样来源于企业，把产品加工过程用于思考教育治理问题。该理论认为，公共产品的“供应”和“生产”是一个过程的不同环节，政府是公共产品如教育的“供应者”，但是不意味着也是生产者。生产可以由市场来承担，提升产品的质量。

这些理论都强调了市场机制在公共教育治理体系中的作用，也引发了人们对公民社会参与的思考，这些理论在自身的发展变化过程中，对美国的教育治理也产生了一定的影响。

第二章　美国教育治理体系及其结构

政府、董事会和认证组织构成了美国教育的外部治理体系，以校长为主导、行政团体、教师和学生共同参与构成了美国教育的内部治理体系，美国逐步构建了“双轨制”的教育质量保障体系。而后逐步形成了多元化的治理主体、规范化的治理过程、网络化的治理组织、弹性化的治理机制，尤其是以学生为中心的教育质量保障体系，有效推动了美国教育体系的健康发展。

第一节　教育治理体系

在历史长河的演进过程中，美国基础教育、高等教育、教师教育形成了各具特色的治理体系。基础教育一贯受到政府重视，从联邦政府到地方州政府制定了一系列政策保障基础教育质量；高等教育治理体系经历了从董事会法人自治到校长主导管理，再到利益主体共同治理的发展历程，呈现出校长主导、行政人员共同管理、教师与学生参与的管理模式；教师教育一直备受联邦政府重视，国家各项制度强调教师准入的高规格，各州制定了完备的教师资格认证制度和考核评价机制，形成了独具特色的政府主管、专业组织实施、学校参与的教师教育治理体系。

一、基础教育治理体系及特征

在基础教育方面，政府是治理主体，在联邦政府的立法和司法管理制度下，州政府和地方政府行使教育相关法律，形成了联邦、州和地方三级政府治理体系。

（一）美国基础教育治理体系

1.联邦政府掌舵主管

1867年，美国联邦政府成立了联邦教育办公室，其主要职责是帮助州政府改进学校教育质量，收集学校教学方面的信息。1869年，该机构更名为联邦教育局。1980年，国会将教育部明确为内阁级机构，教育部成为制定教育政策和参与基础教育治理的核心机构，联邦政府其他的机构也共同参与基础教育治理。20世纪80年代以来，美国学生在国际学生学业成绩测验中表现平平，促使联邦政府反思基础教育问题，为了确保教育质量和提升国际竞争力，联邦政府开始着手建立全国统一的教育目标和课程标准，同时也扩大了联邦政府对学校的影响力和对教育质量的控制权。20世纪90年代以来，全美掀起了一场新课程标准运动，联邦政府通过各州所制定的教育标准和评价体系及绩效责任制管理引导美国基础教育改革与发展的目标和方向，提升了联邦政府在基础教育改革中的影响力。

联邦教育部通过设置教育项目、经费资助来掌控基础教育的方向。目前为止，联邦政府设置并管理着200多个教育项目和计划以及配套的经费资助。如果学校要申请项目和经费，其3—8年级的学生就必须接受州政府统一的学业评估，10—12年级学生还要参加附加测试。联邦政府通过这种方式加强了对中小学教育的管控和影响。

除了项目管理，联邦教育部在基础教育治理方面也有责任，主要有：督促、评估州和地方政府对教育法律执行的情况；组织全国范围内的学业监测与评估，发布最新的研究成果和数据，全面提升基础教育质量；管理国家教育资金和资助项目，如处境不利儿童补助、安全和无毒品学校项目、班级规模缩减项目、特许学校津贴等，促进教育公平，实现卓越的教育目标。

除教育部外，其他一些联邦机构也参与了基础教育治理，比如“开端计划”的实施就由联邦卫生和人力资源部负责，农业部则负责全国学校午餐项目。作为相关法律争议的最终裁决者，联邦最高法院为教育诉讼案件做出最终的裁决。

2. 州政府是管理主体

州层面的教育治理主体包括州长、州立法机关、州教育委员会、州教育长官、教师认证委员会等。在华盛顿州，州层面公立中小学管理体系有公共教学指导办公室、州教育委员会和学校校长协会，其中，州教育委员会是主管部门，包括15名成员。[①]这些部门各司其职，是教育治理体系的组成机构，为提升美国基础教育的质量而服务。

在州层面众多基础教育治理主体中，州教育委员会是核心。主要履行以下职责：规划本州的教育发展目标，制定本州的教育政策；制定本州的课程标准、教师资格要求、高中毕业要求，组织州层面的各项质量考核，为推动教育公平和提升教育质量而实施一系列措施；实施联邦政府的各项教育项目，向社会各界征求教育建议，并向教育工作者阐述政府和公众的期待等。[②]

州政府是教育政策的重要决策者。长期以来，美国基础教育的教育决策和管理权主要在学区，权力过于分散，教育财政过度依赖财产税，导致了各学区学校之间在教育资源、教育质量等方面的差距不断扩大，这必然会影响到教育质量的均衡和整体提升。所以，自20世纪80年代以来，美国各州都加大了对公立基础教育财政拨款额度，在提高总体教育质量的同时，也促使了学校教育的均衡发展，体现了州政府在教育决策和实施管理方面的主体地位。

3. 学区是实施主体

学区是教育行政区域，是美国的地方基层教育行政单位，主要为学区内的学龄儿童提供公立教育。州政府的教育政策落实到地方政府，必须落实到每个学区。学区内的教育政策实施主要通过地方教育委员会来实现。地方教育委员会是学区的教育决策部门，一般由当地居民选举产生，其职责主要有：依法制定教育政策、执行州给予的学校管理权、征收教育税、编制教育预算、选聘督学等。

地方教育委员会是地方教育政策的制定者，指导学校各项工作，对地方教育质量负责，也是地方公众利益的代表者。每个学区的教育政策落实方案由地方教育委员会执行，地方学区通常有一名地方学监，负责学区内学校预算、资金审批、质量考核等学校日常工作。

---

① Washington State School Directors' Association. Serving on Your Local School Board [R]. Washington：Public Financial Management，Inc，2012：35.

② National Association of State Boards of Education. About State Boards of Education [EB/OL]. [2018-03-18] http://www. nasbe. org/about-us/stateboards-of-education.

（二）基础教育治理体系的主要特征

美国的基础教育治理体系是典型的地方分权制，分为联邦、州和地方三级。地方政府享有高度的自主权，同时也受到社会各界的监督。其总体特征如下：

1. 政府主导性

美国把基础教育作为国家事业，在基础教育治理体系中，各级政府起主导作用。教育的发展受到经济、政治、文化等方面的多重影响，一个国家的教育制度更是由其政治经济体制决定的，美国是资本主义国家，市场经济调配资源配置，但联邦政府在各项政务方面给予了州政府极大的自主权。尽管如此，基础教育并没有被政府抛入市场，而是作为国家的事业在规划实施，因此，尽管各州、各学区的教育实施情况存在差异，联邦政府仍然在加强对基础教育的调控。从20世纪80年代至今，联邦政府通过一系列教育政策的推行提升基础教育质量：以1983年《国家处于危机之中》的发布为契机，美国提出了“新基础课程”的改革，整合课程资源、加强教育投资、提高师资要求、提升教学质量；1985年，针对科学教育的问题，美国促进科学协会公布了《2061计划：为了全体美国人的科学》，构建了美国基础教育体系中科学教育、数学和技术教育改革的设想；1991年，布什政府颁发了《美国2000年：教育战略》，这堪称美国基础教育改革的纲领性文件，文件中明确提出了美国教育改革的4项教育战略和6项国家教育目标；1994年，克林顿政府颁布了全国性的基础教育改革计划《2000年目标：美国教育法》，编订全国的中小学教育标准；2009年以来，奥巴马政府的“力争上游”计划政策的颁布和实施，联邦政府给予了基础教育高度的重视。

为了更好的发展基础教育，提升质量，联邦政府采取了一系列措施调动地方政府、学区、学校的积极性，如增加教育拨款，通过特许学校、磁石学校、学校选择等计划刺激学校提升办学质量，通过提高教师准入标准、消除种族歧视、平衡学区差异等举措，促进教育公平，全面提升教育水平，保障教育质量。在此过程中，也足见政府在基础教育中的绝对领导地位。

2. 地方相对独立性

由于美国政府政治体制分权的特点，其基础教育治理具有地方相对独立性的特点。地方学区拥有很大自主权，地方教育委员会是由民主选举产生的，通过征收学区内居民的财产税，为学校筹集教育经费；地方教育委员会根据自身实际制定本学区的教育政策，如教育预算、课程实施等。地方教育委员会的成员包括校长、教师代表、社区代表、家长代表和工会代表，社会各界的相关利益方都能掌握学校管理的决策权。94%的地方教育委员会成员通过选举产生，[①]接受社会各界监督，对选民负责。

由此可见，美国基础教育治理体制一方面有利于充分发挥地方办学的积极性，因地制宜地发展教育，但同时也因为各地分权治理，导致全美各地在教育政策、教育管理、课程体系上存在很大差异，教育发展呈现不平衡的特点。

二、高等教育治理体系及特征

高等教育的发展受到多方面因素共同影响，既与国家的经济基础、政治体制、文化发展这些外部环境密不可分，同时也与教育管理模式、师资队伍、生源结构等内部因素息息相关。美国的高等教育治理体系中，政府、协会组织和学校三个层面发挥着不同的作用。联邦政府主要从宏观层面把控，涉及高等教育公平、拨款、校园安全等事务，州政府以及协会组织负责落实。高校作为治理主体，拥有高度的自主权，在校内外各项事务管理如招生、专业和课程设置、教师聘任、教学科研项目等方面较少受到外界干涉，近年来，联邦政府通过专项计划经费资助加强了对高等教育的调控，但是也极少干涉大学内部事务。

（一）美国高等教育治理体系

如前所述，美国的高等教育治理离不开“外部”和“内部”双重保障体系的制衡与协作，其治理体系如图2-1所示：

① Leslie S. K., William A. O.. Educational Foundations（2nd）[M]. Stamford, CT: Cengage Learning, 2015: 337.

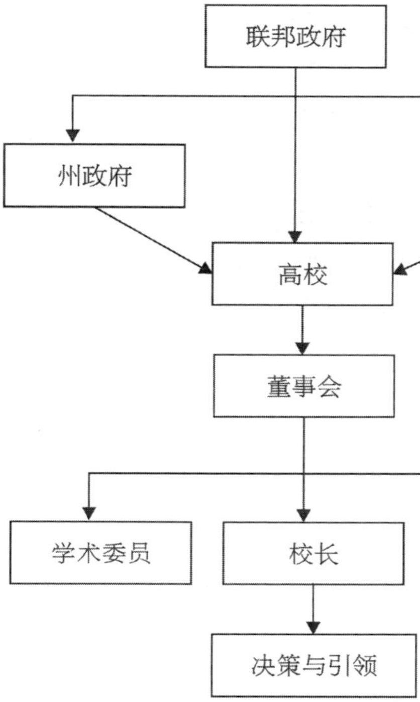

图 2–1　美国高等教育治理体系图

在美国高等教育治理体系中，政府（联邦政府、州政府）、协会组织和高校三者之间权力分割并相互制约。

1. 高等教育外部治理体系

联邦和州政府、认证机构、社会力量三个方面相互独立、相互制衡、综合作用，形成了特定的美国高等教育治理“外部”治理体系。

（1）联邦和各州政府宏观引导

美国的大学拥有高度的自治权。按照美国联邦的宪法规定，大学享有独立法人地位，其权利不容侵犯，因此联邦及各州政府无权直接监督或管理大学的教学活动。但近半个世纪以来，随着世界经济发展和竞争，美国联邦政府意识到高等教育对国家发展的战略地位，开始通过资金项目拨款、专项计划等方式，实现对高等教育的宏观引导。

设置专项经费，刺激高等教育为国家服务。1957年，苏联卫星上天，全美上下为之震动，美国政府将其落后归咎于教育上的失利。1958年颁布了《国防教育法》，以履行国防义务的名义对高等教育资助，资助优秀学生在数学、科学等领域进行深入研究，这是联邦政府对高等教育宏观调控的一大进步。通过资助，美国的国防科技事业取得了跨越式的进步和发展，联邦政府的投资获得了回报，也意识到高等教育为国家服务的重要作用。20世纪90年代以来，联邦政府继续加大对高等教育专项基金项目的设置和拨付，同时利用教育立法和教育经费划拨的权力，加强了高等教育服务国家战略和地方经济社会发展的功能，与此同时，也促进了高等教育质量提升。

调整科研经费评审导向，影响高校科研方向和产出质量。联邦和州政府通过设置专项科研经费，引导着高校专业设置、科研产出方向，督促高校提升教育质量，实现高等教育为国家科研作贡献的宏观引导。2013年，奥巴马建议以教学质量、就业率、科研项目金额、知识产权和成果转化率等为主要指标建立高等教育质量评估的新机制，并且将评估结果作为下拨联邦教育经费的主要参考依据。① 目前，政府拨款已经成为美国公立大学最大的收入来源，尤其是州政府的拨款平均占学校总收入的1/4左右，因此政府的绩效考核指标就在很大程度上影响了公立大学的办学方向和教育质量。如2014年，美国国会的竞争性科研项目经费预算约占美国高校总收入的15%—20%。部分科研实力雄厚的研究型大学，如麻省理工学院从联邦政府申请到的科研经费甚至占其总收入一半以上。② 此外，各州为提升教育质量，也在研制科学的评价指标体系和实施办法，通过对学生学业完成情况、毕业率、学位授予质量等进行检测和评估，以此促进州高校人才培养质量。

① Whitehouse. https://www. whitehouse. gov/sites/default/files/omb/budget/fy2014/assets/education. pdf.

② Dougherty，Kevin J.. Performance Funding for Higher Education：Forms，Origins，Impacts，and Futures [J]. The Annals of the American Academy of Political and Social Science，2014（9）.

（2）第三方认证机构监督评估

高等教育认证制度是保障美国高等教育质量的重要举措。高等教育认证制度，即由专业认证组织制定详细的认证标准和认证程序，对高等教育的招生就业、师资队伍、专业建设、课程教学、学生学业成绩、科学研究等方面进行评估，将认证结果向社会公布，从而促进高校质量提升的一种制度。

认证的机构是非政府的、自愿参加认证的院校协会或专门职业协会下的独立认证机构。19世纪后半叶，新兴资本主义经济的发展迫切要求教育的快速发展。于是美国通过了一系列促进高等教育发展的法案，[①]高等院校大量涌现，但是这些院校教育质量参差不齐，为了能够更好地提升高等教育办学质量，专业认证组织应运而生。至1954年，美国每个州都实行了高等教育认证制度。

高等教育认证过程主要包括认证申请、现场考察、初次认证和后续考察等。参加认证的高校基本每年都会进行自我评估，然后接受认证，这较好地协调了高等教育内部以及高等教育与政府、社会之间的关系，是美国高校自我管理的重要手段和维护学术价值的重要力量，也成为美国高等教育治理体系一个重要的特点。

认证机构的大量涌现，也出现了很多问题，如认证组织各自为政，认证活动也不受任何监督。为了加强联邦政府对高等教育的调控，1952年，美国国会要求联邦政府教育专员公布“全国认可的认证机构名单”，并准予联邦政府对高等教育认证机构实施评估、认可和授权，这一举措为美国高等教育认证制度树立了法律和行政的双重权威，使美国的高等教育认证获得了法律和行政的权威性，使高等教育认证成为一种具有法律意义的质量保障制度。[②]高等教育认证制度成为具有明确法律保障的教育认证制度。如今，认证机制已经成为美国高等教育治理体系的特点之一。美国的高等教育认证机构在数量日趋增多的同时，也在逐步寻求合作与联合。1996年，美国成立的

---

① Kenneth. E. Young，Charles M. Chambers，et al. Understanding Accreditation：Contemporary Perspectives on Issues and Practices in Evaluating Educational Quality [M]. San Francisco：Jossey–Bass Publishers，1983：43.

② 张民选 . 关于高等教育认证机制的研究 [J]. 教育研究，2005（2）：39.

高等教育认证委员会成为美国高等教育认证的总代表。2002年止，美国共形成六大区域的高等院校认证机构，150多个全国或专业性的教育认证机构，对美国近6 500所学历及非学历高等教育机构的20 000多个专业课程进行了认证。[①]全国范围内有数十个全国性、专业性的高等教育认证机构，完善了地区性教育机构认证以及专业性院校、课程认证的相互协作制度。

高等教育分权制的管理体制为认证制度的形成提供了基本模式。州政府希望通过评估来证实教育投资的回报，联邦政府也希望通过评估来权衡联邦经费的投入。政府从二战后就开始介入教育认证，促使教育认证制度化、法定化和社会化。比如对教育认证机构评估的认可，政府对被认可的学校给予财政支持。同时也加强了对高等教育认证机构再评估和再授权的工作。

（3）社会力量评价监督

美国高等教育的外部治理体系中，社会力量评价监督是重要的一环。市场经济对资源配置起决定性作用的条件下，高等教育的发展深受社会的影响，因此社会力量对高等教育的评价对其质量提升起到重要的保障作用。在社会评价主体中各利益相关方均有参与评价的权利和影响力，利益相关方主要有社会机构、家长和学生，这些都直接关系到高等院校的发展。由媒体发布的大学排行榜由于其评价主体的独立性、评价指标的外显性和相对全面性、评价数据统计的可视性，在评价和监督高校办学质量、提升办学水平的过程中作用显著。

2. 高等教育内部治理体系

由于美国高等教育多样化的办学特点，各高校内部机构的设置、管理体系、组织文化尽管各不相同，但大多形成了较为健全的内部治理体系。内部治理包括董事会把控决策、校长主导管理体制、行政团体实施管理制度、教师团体主导学术自治、学生参与治理等。

董事会把控决策。董事会是高等院校的财团，决定着学校的发展走向，对学校各项事务具有最终决策权。校长作为董事会利益的代表管理学校各项事务，学校的专业开办、人事制度管理则由校长报董事会直接决策。例如，

① Accrediting Commission for Community & Junior College（1997）. Handbook for Evaluators.

美国大多数高等院校都建立了比较完备的教师选聘机制。学校招聘新教师，首先由院系和校外专家组共同评估商议，确定招聘需求，由董事会做出招聘决定。

校长主导管理体制。校长的职责体现在对外和对内两个方面，对外主要是为学校获取更多的经费支持，向政府申请批款、社会捐款、校友捐款等，对内是学校各项事务的总主管，指导学校的管理体制和裁决各项事务，定期向董事会汇报学校的运行情况。

行政团体实施管理制度。早期的高校中校长对内管理各项事务，后来随着高校规模的扩大，对行政事务的管理就有了一个团队来协助校长完成。目前绝大多数的美国高校，校长主要负责经费的筹措、主要管理制度的制定，具体工作实施由专门的行政团体来负责。如在教务长办公室下设若干副教务长，分管不同院系的事务，学校还常设临时委员会就专门事项进行指导和决策。如哥伦比亚大学、普林斯顿大学和斯坦福大学在学校事务管理的各个层面均进行针对性极强的目标管理，并以绩效或量化的指标为基础进行战略规划的制定、评估和资源分配。①

教师团体主导学术自治。在美国的高校，教授委员会代表教师的权益，教师团体在学校的课程教学、专业评价等不受学校的约束，享有高度的学术自主权。

学生参与治理。近年来，学生中心的理念已经为美国多数高校所接纳，在高等教育体系中，学生的话语权受到重视，学生会代表学生向学校和董事会发声，争取他们的各项权益，其力量不容小觑。比如，在选课制度上，付费学生对老师的评价直接关系到教师的工资待遇、职称晋升、合同续签等。

（二）高等教育治理体系的主要特征

综上所述，分析美国高等教育治理的外部和内部体系，主要有以下几个方面的特点：

1. 地方分权，模式各异

美国高等教育最大的特点是每个州享有充分的自主权。1791年，美国

① 杨晓波，费爱心．美国高等教育质量保障机制探析［J］．黑龙江高教研究，2008（5）．

宪法的第十修正案中规定：“凡本宪法未确定而又不是各州所明令制止的事权，都属于每个州或其公民。”这一规定说明美国高等教育的管理权在各州而不在联邦政府。在美国高等教育的发展历程中，由于各州“独特的历史、政治、经济和地理文化因素，使得政府制定出各自的高等教育政策和发展策略”。[①]各州之间的高等教育模式尽管有所不同，但是都有一个共同特点，就是州政府在高等教育治理体系中的管理和协调功能有所不同，管理职能主要针对的是公立高校，协调职能则是针对私立高校，以及全州范围内各高校之间的事务。

各州情况也不尽相同，有的州实行的是州政府统一管理模式，州政府成立专门的高等教育管理部门负责州内高等院校管理工作；有的州则放权，高校独立自治或者由法人董事会运行；还有的州建立了高等教育规划或者协调部门，负责高等教育发展规划咨询，但是不直接管理。

2. 认证制度，保障质量

美国高校的质量如何不由教育部直接认定，而是由作为第三方的专业组织来认证和授权，专业组织通过对高等院校或学科专业以同行评审的方式进行检查、评估，根据结果确定是否达到质量控制的最低标准，并将结果向社会公布，以证明被评估院校的实力。高等院校每年都要向认证机构缴纳年费，因此也可以根据自身的学科特点、课程设置、学费标准、师生人数等选择评估机构。因此，资质较高的专业认证机构所公布的结果更容易得到社会的认可，也更能吸引更多的院校选择。

美国高等教育认证委员会和联邦教育部具有最高的权威性，它们负责对全美高等教育认证机构进行认可并授予认证资质。[②]由此可见，美国高等教育认证制度在保证大学办学自主权的同时，将高校办学质量置于政府、公众以及市场的多方监督之下，为促进美国高等教育健康发展发挥了重要作用。

发达的高等教育认证制度对于促进大学提升办学质量和水平作出了巨

① Richard C. Richardson，Kathy Reeves Bracco，Pat Rick M. Callan，et al. Designing State Higher Education Systems for a New Century [M]. Phoenix：Oryx Press，1999：1.

② 吕小梅 . 美国高等教育认证制度研究 [D]. 武汉：武汉理工大学，2006.

大贡献，但同时也由于认证程序过长、认证指标名目繁多等导致院校负担过重。[①]

3. 权责分明，共同治理

美国高等教育的外部和内部治理结构中，各影响因素相互制衡，共同发展。从外部体系而言，政府不直接参与管理，其扮演的主要角色是宏观调控者，董事会是核心决策者，校长代表董事会主导学校的各项管理制度的制定和实施，行政团体负责实施各项管理制度和决议，教师从学术和专业的角度参与学校的各项事务。美国的高校以民主参与为主来解决不同的问题，比如遇到学术方面的问题，就由学术评议会研究决定相关问题或提出专门建议。

近年来，美国的本科教学改革中特别提出了以学生为中心的原则，即学校制度的运行及管理制度均应该以学生为中心而展开。大学的管理制度、课程设置、教育教学、各项活动均以学生的学习、学生的发展、学生的兴趣等为中心来设置和展开。在此过程中，各方力量协调合作，权责分明，达到共同治理。

三、教师教育治理体系及特征

在美国的教师教育治理体系中，政府起到总体调控的作用，通过委托相关专业组织，提供教师教育的数据，制定标准，开展认证评估，最后由政府把关。可以说，美国的教师教育治理是以政府调控，专业组织为实施主体、学校及社会共同参与的方式而运行的。

1. 政府调控

（1）调控教师教育改革方向

联邦政府通过财政拨款对全国范围内教师教育现状展开调查，将数据反馈给师范院校从而进行教育改革。政府把控师范生入学标准和课程设置。例如，美国联邦教育局在1930年—1933年组织了一次全国性的师范教育调查，发现师范学院对教育类课程过于重视而忽视了普通文理知识，随后在全国范

---

① 熊耕．美国高等教育认证制度面临的问题与挑战［J］. 比较教育研究，2006（1）.

围内掀起了一场教师教育课程改革。又如，联邦政府高度重视教师的流失问题，重视入职培训，联邦政府从1998年开始就提供财政资助，支持各州通过立法和具体的措施来推进入职培训的开展。截至今日，美国绝大部分州建立了新教师培训中心等机构，实施州一级的新教师支持体系。

（2）设定教师资格及教师教育机构认证制度

教师资格证的发放由各州教育局控制。19世纪末期，联邦政府在提升教师入职标准方面，将接受正规教育作为获得教师资格的基本条件，这一规定一经提出，就引发了全国范围内的师范教育改革，各州将教师资格认证与正规教育挂钩，提升了教师教育质量。

2. 专业组织为实施主体，学校及社会共同参与

美国的教师教育标准一般由联邦政府或者州教育局授权专业组织研究，提供标准建议，政府主管部门核定和签发标准。由专业组织实施开展认证工作，最后由政府主管部门核定和签发。

早在19世纪初期，为了保证师范生生源质量，美国各州就成立了地区认证协会，评鉴中学的办学水平及教学质量。至19世纪末，一些专业协会或组织开始参与教师教育计划的认证工作。职前职后教育机构的认证都由州教育局和地区专业协会核定，在此基础上才可以申请到国家级协会认证的资格。由于专业组织的权威性，各州都在寻求让本州的教师教育机构接受国家性的教师资格认证及其对办学条件的评估，美国政府在全国范围内遴选和成立了一批有权威、专业性强的专业组织，对教育质量进行评定和测验。

第二节　教育治理的结构

治理结构原是法律用语，运用于企业管理，指的是公司权力机关的设置、运行及权力机关之间的法权关系。美国经济学家威廉姆森是“治理结构”概念的最早提出者，他将“治理结构”定义为“契约关系的稳定性和可靠性在其中得以决定的组织框架”。[①]分析其内在本质，可以发现，“治理结构”的本质就是维持系统内各要素的良性互动关系。引申到教育系统，即教育系统内部各管理要素之间相对稳定的联系方式和比例关系。

一、基础教育治理结构及其职责

如前所述，美国的基础教育是受联邦政府宏观政策的调控，由州教育局主管，学区具体负责，学校共同治理的“垂直型”治理体系，其中，校长是垂直结构中落实各项政策最基层的主体，其履行职责的情况直接关系到学校的发展。如图2-2所示。

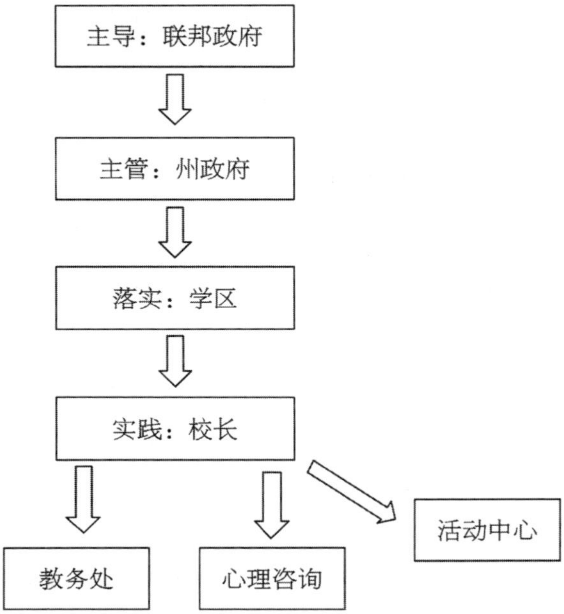

图 2-2　基础教育“垂直型”治理结构图

① 程昔武．非营利组织治理机制研究［M］. 北京：中国人民大学出版社，2008：66.

美国的基础教育有公立与私立之分，由于各区的情况不一样，学校的治理结构也千差万别。私立学校的校长代表董事会的利益，公立学校的校长则代表政府管理学校。

学校校长的职责主要有领导决策、教师评价、学生发展记录，具体的工作包括课程安排、学生管理、后勤管理以及处理与社区的关系等。除了日常的管理工作之外，校长还要确保学校机构安全，有效地管理、运作和利用资源；创造并支持有助于学生学习和教师专业成长的学校文化与教育环境；积极地与家庭和社区成员合作，有效地利用社区资源，并积极地对社区内多样化的兴趣和需求做出积极反应；理解政治、社会、经济、法律和文化环境并用更宽的视野做出反应。①

除了校长，学校还设有教务长、学生活动管理岗位等，专门负责行政事务和师生服务工作。另外，教师委员会、家长委员会也代表各自利益参与学校的各项事务和活动。

二、高等教育治理结构及其职责

“法人董事会”治理结构是美国大学治理的特点，在19世纪以前，美国没有专门的行政机构管理大学事务，一切决策权都集中在董事会手中，作为被聘用的校长和教师必须服从董事会的意志，19世纪80年代以后，随着社会发展对教育的需求不断提升，对校长的能力要求也逐步提高，“他们既是学术精英，又具有广泛的社会关系，能够积极参与社会活动，为学校筹集资金并为学校做宣传”，②在此情况下，校长的权力逐渐增大并在学校管理中占据主导地位。

随着高等教育大众化时代的到来，共同治理的理念逐步成为高等教育治理的主导思想。因此，大学教师参与治理的意识不断提升，尤其是在学术自治、教学管理等方面的权益争取不断增强。

1824年，哈佛大学决定教授必须加入决策机构，“授予教授负责学生考

---

① Document of Council of Chief State School Officers [EB/OL]. http://www. ccsso. org.

② 史伟．伯克利加州大学内部治理结构研究［D］. 长春：吉林大学，2011：6.

试和挑选、学生行为以及与教学有关的权力”。[①]同时，修订后的章程确立了系在大学管理中的地位，每个系必须由正教授组成一个委员会，负责处理课程与教学方面的事宜，“正式确定了教授团体主管教学研究，与学校行政官员和董事会分权的管理制度”。[②]二战后，以学生为中心的理念为大部分大学所接受，教师参与治理成为普遍的趋势，大学内部结构日益复杂，董事会和校长权力逐渐分化，“美国大学的法人董事会制度内部不断发生权力重组，这种内部分权的制度结构保证了教授决策的权力”。[③]

（一）董事会是最高领导

《教育辞典》中对“大学董事会”的解释是：“大学董事会是学校的组织机构。大学董事会管理学校，决定学校的人事、财务、基本建设以至课程设置等重大问题。它的权力很大，校长由校董会聘任，必须执行校董会的决议。”[④]《教育大辞典》中对“大学董事会”的解释为：“美国、加拿大等国的公私立大学，日本的私立高等学校，基督教、天主教会和宗教团体举办的大多数学校及其他某些大学的最高权力机构。”[⑤]董事会是大学的最高权力机构，为大学运行和发展提供资金支持，遴选能够代表其利益的校长并且监督校长，与校长一起制定学校的发展规划、募集资金、确保资金来源的合法性、学校资产的管理及资源分配等。

公立大学的董事会主要由州长在州参议院的建议和同意下进行遴选产生，董事会成员需要州立法机构或者州长来任命，充分体现公立大学董事会的公共性质。州长（副州长）和校长通常是主要成员，此外，还有一些如地方法官、企业家等人员构成。[⑥]公立大学的董事会一种是基于宪法设立的，具有较高的自主权，可以自由地规划大学的发展；另一种是基于州法令设置的，自治权相对较小，受州政府约束较大。

---

① 甘永涛．美国大学共同治理界说及制度演进［J］．外国教育研究，2008（6）：20-24.

② Birnbaum，R. The end of shared governance：looking ahead or back［J］. New Directions for Higher Education，2004（127）：5-22.

③ 甘永涛．美国大学共同治理制度的演进［J］．清华大学教育研究，2009（3）：25-30.

④ 张焕庭．教育辞典［M］．南京：江苏教育出版社，1989：79.

⑤ 顾明远．教育大辞典［M］．上海：上海教育出版社，1990：416.

⑥ 张晓冬．高等学校内部权力制约机制研究［D］．武汉：华中科技大学，2013.

私立大学的董事会一般是通过特许状产生的，基本不受政府干预。董事会成员基本是校外人士，如工商业人士、校友、社会名人等。一般设置主席、副主席、秘书各一名，主席一般由董事会成员选举产生，也有些学校实行董事会成员轮流担任主席的制度，主席的任期有一年制的，也有终身制的，主要依据董事会达成的共同协议而定。董事会是私立大学的最高决策机构，决定着学校的各项方针政策和发展规划，如投资预算、资金使用审计、人事任命、批准校内各项规章，但较少干涉学校的行政管理和学术事务。

1966年，《学院与大学治理的联合声明》提到董事会负责管理捐赠；获取大学运行和发展所需的资本和运营资金；而在最广泛意义上，要集中精力处理好各种内外关系。[①]作为大学法人代表的董事会，需要对大学的整体发展负责。

从对外关系来讲，董事会要处理好与州政府、社会、大学之间的关系，做好资金的筹措工作；从校内来讲，董事会要规划学校的整体发展，听取校长办公会的意见，分配学校的资金及资源。

（二）校长负责校内外行政事务

美国大学教授协会在1966年《学院与大学治理的联合声明》中对校长的职责描述为："作为高等教育机构的首席执行官，校长责任包括制定目标、实施管理、创造学术共同体各方对话交流的机制。校长有责任让公众了解他的学校。"[②]校长代表董事会，尤其是在私立学校，校长就是董事会利益的代表人，因此校长实际上是代表董事会管理学校各项事务，执行各项决议，同时也要在董事会的监督下行使领导权，向董事会负责。

校长是由大学董事会依据大学章程组建校长遴选委员会而定的，遴选委员会负责制定校长遴选标准，主要包括教育背景与学术成就、领导与管理能力、个性特征以及商业化特质等四个方面的要求。首先，大学校长要有过硬的教育背景和较强的学术能力，在学校能够洞察教师的学术研究动向，成为

---

① AAUP. Statement on Government of Colleges and Universities［EB/OL］.［2018-11-30］. https://www. aaup. org/report/statement-government-colleges-and-universities.

② https://www. aaup. org/report/statement-government-colleges-and-universities.

学校学术研究方面的领导者；领导与管理能力是大学校长的核心能力，在竞争激烈、科技发达的当今社会，能够捕捉到时代前沿，抓住关键问题，研究大学进步的着力点，同时又能够善于处理人际关系，在教育事务管理中能够运筹帷幄，为学校的运转制定科学合理的管理思路；同时，校长的人格魅力也是遴选条件之一，一名优秀的校长要能够处理好大学内外各种关系，能够秉公处事，同时又有亲和力；大学校长说到底是董事会在大学的代表，因此要时刻记住董事会的利益至上，同时也要拥有商业头脑，为学校的发展争取资金，并且能够将获得的资助合理分配，获得长足的发展。因此，校长除了负责学校总体规划和管理外，筹资者的角色日渐重要。近年来，校长中来自企业界等教育领域以外的现象有增多趋势。遴选委员会通过社会招聘、征求举荐等方式，按照遴选标准筛选出3—5人，提交给董事会，由董事会执行最终的任命权。校长需要对学术事务负责，对本校的财政、教师发展等负责。[①]

一些大学规模庞大、结构复杂、功能多样，大学校长往往很难独自承担和行使对其的治理权，因此，这些大学的治理职责往往是由许多副校长、教务长等管理人员组成的高级管理团队共同承担。校长主要负责管理和协调校内外各类关系。

（三）教师组织拥有较大自主权

教师是保障教育质量的关键，是学校发展和运行的关键群体，大学教师是学术事务掌权人。大学教师参与学校治理的方式是组建学术评议会或教授评议会，“教授评议会是合法的教师代表团体，其主要任务是处理大学涉及的所有有关教育的事务，并且在大学教育目标达成上，要充当校长的顾问咨询机构。这个团体为教师参与学校政策的制定和表达自己的见解提供了方便”。[②]张德祥认为，“教授评议会是学术管理的专门机构，负责提出和制定学术政策，由教授、副教授等学术人员组成，教师通过这个团体参与学校

---

① University of California. Board of Regents：University Executives [EB/OL]. [2016-07-20]. http://regents. universityofcalifornia. edu/governance/bylaws/.

② American Association of University Professors Shared Governance [EB/OL]. https://www. aaup. org/our-programs/shared-governance.

管理，反映了学术权力在大学管理中的作用”。[①]

美国大学的学术评议会成员有教师，也有行政人员，有的学校由教授组成，有的学校是教师全体都为评议会成员。评议会也由董事会任命，对董事会负责。但是在美国高等教育领域已经形成共识，教师拥有对学术事务的最高发言权，学术权力集中在教师群体手中，学校的行政权力不能凌驾于学术权力之上，院长或其他行政领导与教师不是直接的上下级关系。许多大学的教师评议会是由全体专任教师参与的，他们在评议会内部组建执行机构即评议会执行委员会及其他若干常设委员会，选举教师群体中声名较高、能够代表广大教师利益的教授担任委员会代表。这些委员会成员代表全体教师定期与校长、教务长、其他校级领导、院长等就学校面临的各种问题尤其是与学术事务相关的问题进行协商。

因此，在美国高等教育的治理结构中，董事会是最高领导机构，享有学校各项事务的决策权，而校长在董事会的监督下行使领导权，既要保证学校的运行和发展，维护董事会的利益，同时又接受董事会的监督，作为学校发展主力的教师，其人事任免、工资制度由董事会决定，但是他们享有学术自主权。可见董事会、校长与教师之间相互独立、相互合作，同时在重大决策时，三者都有代表其立场的话语权，而这些权力又非无界限，无论哪方有提议，必须要与另外两方沟通，三者之间是相互制衡的。

三、教师教育治理结构及其职责

美国教师教育治理体系中，政府把握总体要求与政策制定，对全国的教师教育宏观调控，各类专业组织综合政府的要求与市场发展需要，拟定具体的标准与实施细则，并开展指导、评价工作，成为教师教育治理的实施主体，作为基层单位的大学、教师专业发展中心、中小学等共同构成教师教育治理体系。其结构组织如图2–3所示：

---

① 张德祥. 高等学校的学术权力与行政权力［M］. 南京：南京师范大学出版社，2002：106.

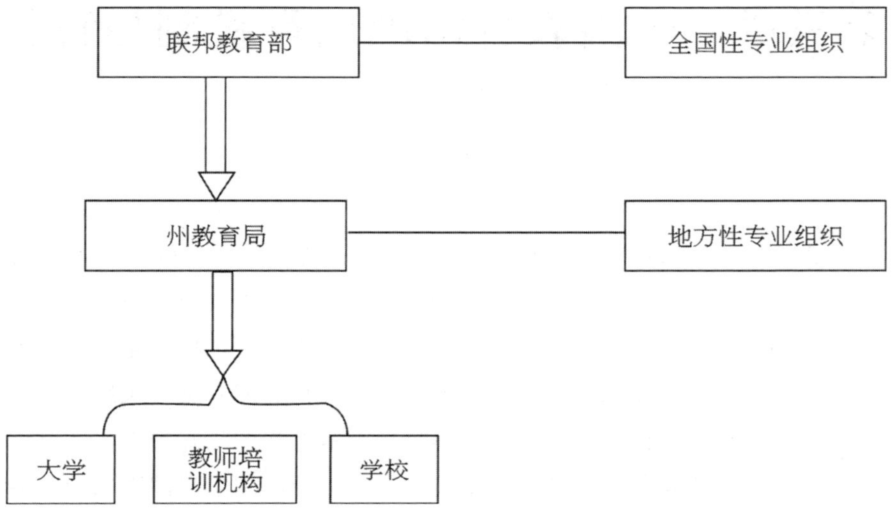

图 2-3 美国教师教育治理结构图

美国联邦政府主要负责把控改革方向，对标准和实施提出要求，制定法律政策及法规，财政拨款；州教育局严格按照国家的要求贯彻实施，如联邦政府出台教师资格认证要求，州教育局要在统一要求的前提下，可以有州内个性化的要求。

专业组织机构按照政府的要求，制定具体的实施标准和细则，对教师教育项目展开认证和评估。如对教师教育机构的认证，地方性教育协会先对培训机构的资质进行审核和认定，形成认证报告，提供该机构的专业权威性指数参考。认证与评价过程均由专业组织协会具体实施。

大学、教师培训机构、教师任教学校要按照要求，制定人才培养方案、教师专业发展方案管理制度等，从基层完成教师教育制度的实施。

第三章　美国教育治理运行机制与特征

在2018年第九版的《牛津词典》中，“机制”就是指机械装置或机体的“结构”和“共同作用”。2000年版的《现代汉语大词典》也将“机制”定义为“机器的构造和工作原理”。2004年版的《剑桥国际英语词典》将“机制”界定为做某事的一种方式，特别指被计划的或者某一系统中的一部分。可见，“机制”的核心要素就是事物各因素之间的相互关系，通过这一关系所达成的事物运行的方式。机制一词现已广泛应用于自然现象和社会现象中，泛指事物内部组织和运行变化规律。刘正周根据系统学的观点将机制界定为系统内各子系统、各要素之间相互作用、相互联系、相互制约的形式和运动原理以及内在的、本质的工作方式。①在教育领域，教育治理运行机制指的是教育治理各主体要素之间相互联系、相互制约、彼此制衡而形成的教育体制维护和运行的一种动态过程。

第一节　教育治理的运行机制

美国宪法没有授予联邦政府教育管理权，国家关于教育的意志主要通过政治的、法律的和经济的手段来体现。②根据美国宪法“凡本宪法未确定而又不是各州所明令制止的事权，都属于每个州或其公民”的规定，教育管理权属于州而不属于联邦，因此美国教育治理运行机制具有地方性和多样性的特点。

---

① 刘正周．管理激励与激励机制［J］．管理世界，1996（5）．

② 符华兴，王建武．世界主要国家高等教育发展研究［M］．长沙：湖南人民出版社，2010：61-63．

一、基础教育治理运行机制

在美国基础教育治理体系中，运行机制就是制定与实施相关教育政策的一系列规则与程序。

（一）以法律法规为治理工具

众所周知，美国是一个高度法治化的国家，各级政府的教育行为必须以法律法规为依据。各级政府在遵循联邦和各州宪法的基础上，制定联邦和州的教育法律、教育政策，各级政府以法律为工具开展教育治理。联邦层面的治理工具包括联邦法令、联邦法院的命令、教育部的报告条例、其他部门的条例等；州层面的治理工具包括州政府提案、州法律、州立法委员会的政策、州教育部门的报告条例、州法院的命令等；地方层面的治理工具包括地方学校委员会的决策、劳动协议、学区办公室的规定、民主投票决议等。

表 3-1　教育治理的工具[①]

治理级别	治理工具的类型
联邦政府	联邦法律条文
	联邦法院的命令
	教育部的报告条例
	教育部的经费条例
	其他部门的条例
州政府	州提案
	关于投票的提案
	法律
	州立法委员会的政策
	州教育部门的报告条例
	州法院的命令
	其他部门的规定

① Dominic J. Brewer，Joanna Smith. A Framework for Understanding Educational Governance：The Case of California [J]. Education Finance and Policy，2008（1）：23-34.

续表

治理级别	治理工具的类型
地方部门	学校委员会的决策
	协商性的劳动协议
	学区办公室的规定
	投票的方式
其他（社团等）	协商性的劳动合同
	改革项目的捐赠

（二）分层落实治理责任

联邦、州、地方三级政府分层治理基础教育体制，联邦政府主要负责全国教育信息的调查、统计、反馈以及向各州分配资源；州政府主要承担州教育规划和经费投入；学区是州对教育进行管理的行政单位，负责辖区内学校日常事务。

近年来，联邦政府和州政府的工作重点放在了教育公平和教育治理保障上，比如对处境不利儿童的资助、制定考核标准等，学区和学校有较高的自主权，享有经费使用、课程教学、职称评定等日常事务的决定权。

保障学生受教育权利、促进教育公平成为美国联邦政府发展基础教育的重要导向。1965年，《初等和中等教育法》获得通过，联邦政府启动一系列项目，用于满足低收入家庭等处境不利儿童的特殊教育需要。2001年，《不让一个孩子掉队法案》要求各州采取措施消除不同族群学生间的学业差距，保障学生公平地接受高质量教育。

在力求保障教育公平的前提下，美国联邦教育部和州政府致力于出台课程标准和绩效考核标准。通过20世纪80年代以来兴起的标准化运动，美国各州都建立了本州的课程标准，强化学校和教师责任，改革课程内容和教学方式，提升教育质量。

（三）充足的经费投入

美国三级政府都有支撑其教育活动的经费来源，且教育经费的来源比较多元。对于联邦政府而言，个人所得税是其最大的收入来源，州和地方政府的主要教育经费来源是消费税和财产税，还有彩票基金、民间教育基金等。

2010—2011学年，美国公立中小学总开支5 193. 24亿美元，全美4 590万中小学生生均开支为11 314美元，总规模仅次于国防开支。[①]较为充足的经费投入为基础教育发展提供了坚实保障。

另外，美国还建立了中小学监测性学业成绩测评的长效机制，“全国教育进展测评”组织本州内的学业成绩测评，“国家评估管理委员会”负责政策制定和框架设计，美国大学入学考试中心、美国教育考试服务中心等专业机构通过竞标方式承担组织实施和统计分析工作，学校的奖励性财政拨款、教师职称晋升等，都与学业测评结果挂钩，以此推动各学校提升教育质量。

二、高等教育治理运行机制

由于文化传统和国情不同，不同的高等教育机构在独立自治与国家控制之间的平衡点是不相同的，有的国家大学自治程度较高，有的国家则对高等教育的控制较多。从学术层面而言，有观点认为大学是无外力干预的纯粹自治组织，这是比较理想化的一种思考。大学自诞生之日起，就与国家的政治经济社会发展浑然一体，密不可分。

美国高等教育治理运行机制的特点主要体现在政府调控机制、协会组织协调机制、认证机制、市场竞争机制、合同机制五个方面。

（一）政府调控机制

联邦政府对高等教育并没直接干预，而是通过提供项目经费资助、专项计划等方式，刺激高等教育机构申请经费，从而间接调控高等教育办学方向。如联邦政府、州政府及其所在地区政府在社区学院的治理上采取分权制：州政府对其有绝对的管辖权，联邦不直接管辖，但是通过宏观政策和法令调控整体的方向；社会参与社区学院治理在美国有悠久的历史传统，社会组织参与社区学院治理，具有同政府参与治理的平等身份，并且受到政府、社会、学校的普遍认可，具有相当的权威性。

---

① National Center for Education Statistics. Digest of Education Statistics 2013 [R]. Washington D. C.: Department of Education, 2015: 355.

（二）协会组织协调机制

高等教育协会组织是美国高等教育治理的一支重要力量。美国教育界有大大小小的各种协会，代表不同主体的利益和不同方面的诉求。其中美国教育理事会、美国大学协会、美国州立学院与大学协会、全国州立大学与赠地学院协会、全国独立学院与大学协会和美国社区学院协会六家协会，分别代表着高等教育领域特定群体的利益，被称为美国高等教育“六巨头”。其中，美国教育理事会在社会和政府面前代表整个高等教育领域的权益，被称为“高等教育界的统一声音”。①

如前所述，美国联邦政府对高等院校并没有直接的中央集权控制，但是高等院校为了赢得政府经费支持、社会支持，谋求更好的生存与发展而组成同盟，即成立各种协会组织以代表相同利益群体发声。高等教育协会组织在政府与社会面前，其角色是高校利益的代表，在政府的各项政策制定、经费资助、社会关系中，理所当然是竭力维护高等教育权益的。而协会更大的作用机制，则是在成员高校内部担当协调、监管的角色。

首先，协会的诞生初衷让协调机制成为可能。美国高等教育长期以来实行的是地方自治的发展政策，这使得高等教育质量参差不齐。在高等教育快速发展的同时也出现了一些恶性竞争，为了在高等教育市场中寻求平衡，各高校强烈要求一种规范化的教育模式，高等教育协会就在这种情况下产生了。所有成员院校参与协会的初衷就是为了公平，协会的标准也是它们一起商定，因此，这种认同让协会的协调机制成为可能。

其次，协会的作用让协调机制得以运行。美国高等教育协会除了让成员院校遵守规范化的教育标准，还有一个很重要的作用就是在联邦政府和社会面前代表高校的利益。各成员院校只有团结一致，达成共识，协会才有可能代表大家的利益，“在协会采取行动之前，我们尽量在成员中达成共识。当内部协同一致时，我们才能更容易成功”②。协会代表了所有成员院校的

---

① ACE. ACE Annual Report 2008 [EB/OL]. [2009-05-12]. http://www. acenet. edu/Content/Navigation Menu/About/Annual Report/2008. htm.

② Constance Ewing Cook. Lobbying for Higher Education：How Colleges and Universities Influence Federal Policy [M]. Nashville and London：Vanderbilt University Press，1998：99.

共同利益，其相关的政策建议也就更容易引起决策者的重视。所以，在美国，协会的协调力量是不容忽视的，其在教育治理运行机制中发挥了很大的作用。

（三）认证机制

对高等教育机构实施认证，提升了美国高等教育的质量，为政府和社会对高等教育机构的评估提供了数据支持。在美国，州政府管辖高等教育机构，但是并不直接干涉其管理与运行，而是通过认证机构对高等院校的质量把关，高等院校为了提升社会声誉，也会积极主动参与权威机构认证，获得社会认可，从而保障生源与声望。高等教育认证机制的运行主要通过认证结果间接影响高等教育质量。

制定并实施认证标准，提高高等教育治理效率。认证机构通常由行业各层面专家组成，共同研制出认证标准，规定院校（专业）在办学质量方面的底线，高等院校自愿选择参与认证，参与认证的院校可对照认证标准办学，然后接受认证。认证一般包括以下步骤：院校（专业）对照认证的各项标准开展自评，形成自评报告；认证机构随机派出专家实地考察，将考察结果及相关建议通报给参与认证院校；做出是否通过认证的初步决定；认证结果经认证机构理事会通过之后正式生效。

间接影响美国政府的高等教育决策。认证机构发布体现教育机构的数据，对政府认识高等教育基本状况具有重要的影响。认证机构还通过游说的方式向政府传递高等教育界及社会的呼声，间接影响政府的高等教育政策的制定。游说是指认证机构的领导人通过会晤国会相关议员和行政官员、发表公开信，或在国会听证会上陈述等形式，就政府提出的教育决策商讨，提出议案，有些甚至影响政府修改教育法案。

（四）市场竞争机制

尽管美国政府加强了对高等教育的宏观调控，但是市场竞争机制仍然是美国政府所期待的高等院校发展的最佳方式，美国高等教育领域至今已形成了比较完善的市场竞争机制。

独立战争以前，美国的高等教育带有浓厚的宗教色彩，教育经费主要来自于教会捐赠、私人募捐等，高等教育基本是免费的，学生学习的课程以古典文学与语言教育为主，主要培养传教牧师、社区领导和政治家，因此在当时的情况下高校之间是不存在市场竞争的。随着社会经济发展，赠地运动兴起，公立高校获得了政府的财政支持，其学费远低于私立高校，私立高校为了获得发展，将关注点放在了提升教育质量上，比如降低师生比，提供个性化服务等，这开启了美国高等教育的市场竞争。随着工业化、信息化的发展，美国社会对人才的需求大大提升，高校学生人数也随之不断增加，形成了激烈的竞争。公立高校获得了政府的资金支持，但是也要承担更多的社会责任，相比之下，私立高校在办学体制上就比较灵活多样。

1972年美国国会重新修订高等教育法，拒绝把根据入学人数向各院校提供公式化的资助的政策写进法律，而是将以往的给院校拨款改成直接拨款给学生个人，由学生选择就读高校的方式，这样就迫使各高等院校不得不更加重视学生的要求和需要。在州一级，州政府对公立高等教育的资助不断倾向于采取“高学费—高资助”的模式。这样，联邦政府既有效地推动了教育机会均等，同时又利用市场力量，提高了高等教育质量。

20世纪80年代以来，美国政府加强了对学生学业成绩与教育资助之间关系的考虑，将竞争机制引入到学生的资助中，并且将学生的学业成绩和就业率直接挂钩，这样促使各院校在获得公共资金后仍然需要提升教育质量。美国政府对教育资助的重点从对过程的规范转向对优异结果的奖励。

因此，在奉行自由市场竞争的美国，高等教育结构变迁的内在逻辑在很大程度上受市场机制的影响：市场需求是美国高等教育结构变迁的风向标，市场竞争是美国高等教育结构变迁的催化剂，市场收益是美国高等教育结构变迁的原动力。①

（五）合同机制

在美国，市场经济较好地应用到了高等教育治理体系中，市场的一个非常重要的特征就是买卖双方在资源的基础上建立交易的关系。对于美国的高等教育而言，政府与院校之间、院校与学生之间、院校与院校之间、院校与企业之间都建立了良性的“合同关系”。

① 韩梦洁，张德祥．美国高等教育结构变迁的市场机制［J］．教育研究，2014（1）．

1. 政府与院校的合同关系

政府与院校之间的合同关系体现在资助和教育质量上，政府向高等院校提供资助，高等院校则向政府提供教学、研究等教育服务和公共服务。

二战之前，美国高等院校的科研规模较小，科研经费也非常有限，战争爆发后，美国意识到科技在战争中所发挥的巨大作用。时任卡耐基研究院院长的万尼瓦尔·布什极力主张政府将科研基金投入到科学家所在的工作机构中，以便他们自主地开展科研工作，科学家向政府提交科研经费申请报告，政府组织同行专家进行评审，最后政府以科研合同的形式提供科研经费，科学家则在规定的时间内完成科研项目。①曾任哈佛大学校长的科南特认为大学与联邦政府以科研合同为载体展开合作，改变了大学与联邦政府间的传统关系，通过合同的形式利用联邦政府的资金来支持大学和科研机构的科研，政府实验室搬到了大学和科研机构，经费也运用到大学的运行和发展中。

政府通过与高校签订合同，加强了高校利用公共资金的责任心，同时通过将政府的资助、补贴与高等院校的业绩结合起来，建立奖优罚劣制度来施加对高等院校的影响。在合同机制的约束下，高校要不断加强发展科研，取得高质量的科研成果，提高学术质量，提高入学率、毕业率等，以获得更多的政府资助。

2. 院校与学生的“合同”关系

院校与学生的合同关系体现在目前美国许多高校纷纷开始实行“购买”课程服务，即院校提供教育服务，学生付费“购买”课程。高校将各种课程明码标价，学生根据自己的专业要求和兴趣爱好选择购买。尽管这并不是真正意义上的合同关系，但是对双方都是一个很好的约束。对于院校及教师而言，如果学生对教育服务极不满意，他们可以要求退费甚至转学，所以督促高校必须提供高质量的教育；对学生自身而言，付费能够更加激励他们认真学习。因此，院校与学生之间的合同关系使各院校不得不重视学生的兴趣与要求，提供高质量的教育服务。

另外，在美国，院校之间还可通过合同或者协作来扩充院校功能，形成

---

① 王英杰．美国高等教育的发展与改革［M］．北京：人民教育出版社，1993：53、55.

经济规模，或者通过共享某些资源而降低运行成本。美国的校企合作也发展得比较完善，约翰·霍普金斯大学前校长密尔顿·艾森豪威尔曾经说过："高等教育和商界基本上是相互依赖的。一个需要资金培养有教养的公民，另一个需要有教养的公民创造财富。"企业与院校之间一般会签订技术开发或者人才培养的合同，这样一来企业商人向教育机构提供财政援助，二来高等院校向企业提供技术，并且双方合作将科技成果商业化，同时解决毕业生的就业问题。有些情况下，高等院校还可以为企业提供在岗培训、继续教育、科技研发等项目。

由此可以看出，通过"合同"关系，政府、学生、企业也都成为高等教育治理机制中的重要因子。

三、教师教育治理运行机制

美国教师教育治理运行机制的特点是政府与专业组织合作治理的机制，政府的教师政策要求通过专业认证机构来贯彻实施，专业组织可以通过申请政府财政拨款完成专项任务。如教师教育机构认证制度，政府划定认证总体要求，专业组织据此制定标准、认证细则及建议。以全美幼教协会对早期教师教育机构认证的程序为例，政府提出了要提升早期教育师资的质量要求，专业组织制定了具体的标准和实施细则以及指导意见，主管部门核定之后，由专业组织即地方幼儿教育协会开展认证，认证合格后就可以接受全国幼教协会的认证了。图3-1为全美幼教协会对早期教师教育机构的认证程序：

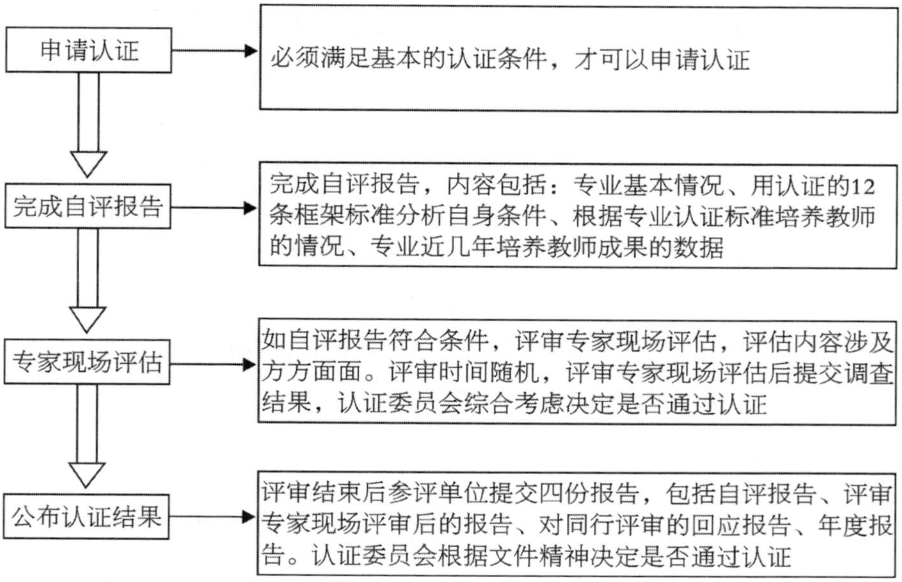

图 3-1　全美幼教协会 NAEYC 早期教师教育机构认证程序图

早期教师教育机构之所以积极申请认证，是因为培养机构得到全美幼教协会的认证后，可以提升其社会声誉，获得更多的政府财政支持，提升学生的就业率等。

在教师教育治理体系中，政府的导向及专业组织的认证，将会促进大学的师范教育专业改革、教师专业发展或学校教育方向的调整，同时，作为教师工作的基层学校所开设的校本教师教育也将在很大程度上保障教师教育的改革与发展。

由此可以发现，美国教师教育治理的机制是政府调控，专业组织为实施主体，大学、教师专业发展学校协同参与的机制。

第二节　教育治理的运行机制特征

教育公共治理系统元素主要包括政府、学校、家庭和社会四个子系统，如前所述，子系统间的关系突出表现为委托代理关系。机制设计的目的是找到一种途径和方法使子系统间的委托代理关系在交互作用、合理制约、相互支持、彼此协调中处于一种动态平衡的帕累托最优（或改进）的状态，促进教育公共利益的实现。系统中最活跃的因素是人，具有一定人格特点和社会需要的人在特定的组织机构中担当某一角色，并按照角色规范或期待表现出某种社会行为，影响系统的协调与发展。

一、责任明确，有序治理

美国的教育治理体系经过多年的探索与发展，形成了各主体责任明确、运行有序的治理体系，在基础教育领域，联邦政府、地方政府和学区之间达成了非常协调的关系网。如前所述，联邦政府为刺激地方加大对基础教育的投入，建立了较为完备的激励和测评体系，各州为保障基础教育质量提供了大量的经费支持。在管理体制上，联邦政府重视对基础教育的管理与评估，地方政府的各项法律条文必须遵守联邦和各州的法律原则，制定行之有效的法令条文及实施方案。三级政府责任明确，有力地保障了基础教育治理的有序运行。

二、多主体的均衡治理

如前所述，在美国的“共同治理”结构中，多主体共同参与造就了均衡的共同治理结构。政府、市场、社会共同构成了教育的外部治理体系，董事会、学校行政机构、教师、家长则共同构成了教育的内部治理体系，外部系统通过内部系统产生作用。这是美国共同教育治理结构的最主要特征。

首先，政府与高校之间权力制衡。主要表现在：联邦政府通过政策支持、法律约束来引导高校行为，并且通过协会组织对高校的活动加以影响；州政府则设有管理协调机构或者通过特定的专业协会对州立高校进行直接治理，通过颁发特许和执照对私立高校进行基本制约；同时高校享有高度的自治权，它们通过协会组织或直接给政府提供意见和建议，参与政策制定过程，从而制约政府权力在高校治理机制中过分的扩张。

其次，政府与协会组织之间权力制衡。主要表现在：联邦政府通过颁布特定的法律、规定协会组织的成立、运作和基本权力等相关事宜参与高等教育治理；与此同时，政府的权力并非无界限，其权力制定也受到协会组织的制约，协会组织通过收集利益相关人、选民及全体公民的意见来影响政府政策导向，使政府不一意孤行，从而约束政府的决策权。

再次，协会组织与高校之间的权力也是相互制衡的。主要表现在：协会组织是高校质量评估的重要主体，通过制定高校的运作标准、要求形成对高校的教育教学管理权的制约，有些协会组织代表高等教育治理结构内的某些主体利益，共同约束高校管理。比如“美国大学教授协会”是为维护教师权利及学术自由而成立的，那么许多涉及教师个体学术自由的案件就首先会诉诸这一民间的解决途径。这类协会组织就成为制约高校行政权力的重要力量；反过来，高校对协会组织也并非一味服从。这些协会组织的评价标准和运作机制必须得到成员高校的认可，也就是说协会的权力是由成员高校让渡而赋权的，如果协会在运作过程中的某些行为让成员单位无法认同，高校可以选择退出，那么协会也就形同虚设了。

三、行之有效的申诉机制

这是美国教师教育治理机制运行的最大特点。

20世纪70年代，关于处理教师不公正待遇的申诉机制开始在美国大学中出现，随即被大多数大学所采纳并予以应用，同时以制度文本的形式记录在教师手册中。[①]美国高校有专职的部门负责设立教师申诉委员会，以专门处理高校教师的申诉。虽然美国各高校负责设立教师申诉委员会的部门是不同的，但较为相似的一点是，负责设立教师申诉委员会的部门大多是与处理高校的学术事务或教员事务相关的部门。美国高校在教师申诉委员会委员的

① 张少华．美国高校教师申诉机制探索——密歇根大学迪尔伯恩分校个案研究［J］. 比较教育研究，2007（2）.

任职资格方面，一般规定委员应为不担任行政职务的教师，有些高校还对来自同一部门或学院的委员人数做出限制。为了保证教师申诉委员会能更为公平、公正地处理教师的申诉，有的高校规定申诉委员会的成员不能与提出申诉的教师来自同一个部门或学院。①

当教师在学校规章、政策、程序的解释及意见不同或学术分歧引起冲突后，可依据联邦及州教育法获得法律援助，申诉制度有较完备的程序，一般包括提出申诉、处理申诉和做出裁决三个过程。首先，申诉人认为发生了侵犯本人的合法权利或对本人实施了不公正待遇的情况，并且此类情况属于教师申诉制度的受理范围时，均可以向学校教师申诉委员会提出申诉。教师申诉委员会在收到书面的申诉申请表后，对申诉进行审核。审核的事项主要包括申诉的内容是否属于学校教师申诉制度的受理范围，申诉人是否及时地提出了申诉，申诉是否确定了适当的被申诉人或组织，申诉人是否对与本人申诉有关的事实进行了合理、充分的陈述等。在审核后，教师申诉委员会将对申诉做出全部受理、部分受理或不受理的决定。在对申诉进行审核并决定是否受理申诉时，有些高校的教师申诉委员会在收到申诉申请书后的规定时间内，会专门召开一个初步的会议进行讨论。做出受理或不受理申诉的决定后，教师申诉委员会将以书面的形式告知申诉人，并说明理由。②申诉人如果对教师申诉委员会的决定不服，有权就该决定向相关部门提出进一步的申诉或上诉。如果教师申诉委员会决定全部或部分受理教师的申诉，申诉人有权要求召开正式的听证会。在听证会结束后规定的时间内，教师申诉委员会将依据听证会的调查发现和建议做出裁决，并且会将其调查发现、建议以及做出的裁决递交给部门负责人，该负责人将依据教师申诉委员会递交的材料做出最后的裁决。当事人如果对裁决不服的，有权提出上诉。

---

① USC. The University Guidelines on Grievance Procedures for Complaints of Discrimination at the University of Illinois [EB/OL]. [2011-03-17]. Http://www. uic. edu/depts/oaa/faculty/FINALVERSION_STUDENT_PROCEDURES.

② UMASS. Faculty Grievance Procedure of the University of Massachusetts at Worcester [EB/OL]. [2011-03-17]. Http://www. umassmed. edu/uploaded Files/grievance. pdf.

第四章　美国教育治理现状

美国是教育治理起步较早的国家。美国教育治理过程呈现出了多样化的治理特征。因为社会制度、文化背景等各方面的影响，在分权式的管理体制之下，美国基础教育治理、高等教育治理、教师教育治理呈现出各自的治理特点。对美国基础教育治理、高等教育治理和教师教育治理现状的把握，有助于了解美国教育治理的现状，增进我们对美国教育治理的理解。

第一节　基础教育治理现状

深化基础教育领域综合改革，离不开治理体系的完善和治理能力的现代化。构建健全完善的教育治理体系，关键在于明晰各治理主体的职能，理清各治理主体的关系，健全各职能运行机制。①

美国基础教育是指幼儿园到高中阶段的教育，即K−12教育。美国基础教育治理体系的发展经历了漫长的过程。美国的政府体系分为联邦政府、州政府和地方政府三级，它们之间关系紧密。作为联邦制的国家，美国中央政府和州政府属于联邦关系，州与其下属地方政府属于单一政府关系。州的下级行政区域分别是市、镇、社区等。市、镇是州在法律和政治上的代理机关，由州建立，从州获得权力，并对州政府负责。建国200多年以来，美国基础教育治理体系经历了三个发展阶段：一、地方政府主导；二、州政府与地方政府共同承担；三、联邦政府、州政府和地方政府三级分层治理。当前，美国基础教育治理体系呈现出联邦政府引导、州政府推动、地方政府主

① 王正青，陈琴．美国联邦、州、地方三级基础教育治理体系与运行机制［J］．教育科学研究，2017（8）．

管、社区家庭参与等特征（如图4-1所示）。因此，在美国基础教育治理体系中，各参与者有其治理主体及职能边界。我们可以通过分析各参与主体在基础教育治理中的职能和关系，了解美国基础教育治理的现状。

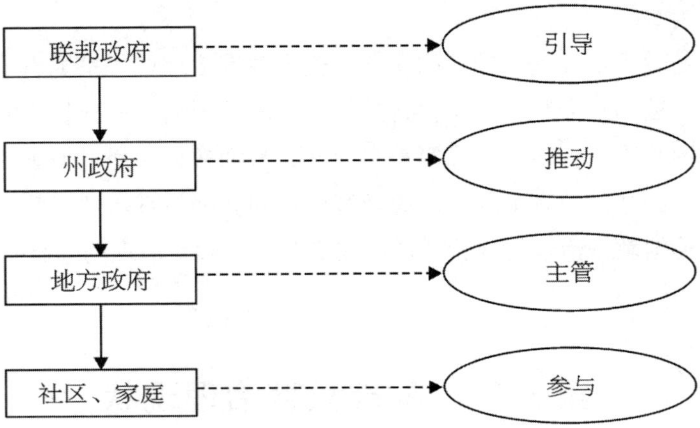

图 4-1　美国基础教育治理结构图

一、联邦政府引导基础教育治理

教育，尤其是基础教育，是一个国家发展的核心要素，也是各国政府长期关注的重点。美国联邦政府一直积极关注基础教育的发展，通过立法、教育改革运动和资金支持等方式不断加强对基础教育的干预。

（一）国家目标主导的治理举措

基础教育作为一国教育发展的基石，必然会受到国家力量的干预。因此，在引导基础教育治理的过程中，联邦政府通常以国家目标为导向和基本准则。在国家目标的主导下，联邦政府的基础教育治理途径包括立法、财政保障以及行政干预等，具体体现在：以提升教育质量为核心，总统支持教育立法；以推进教育公平为准则，改革财政保障制度；以促进教育发展为目标，干预各州教育事务等。

1. 以提升教育质量为核心，总统支持教育立法

20世纪90年代，美国的教育主要面临两个问题，一是科技教育不足，二是公立学校教育质量低下。美国近几届总统都致力于基础教育的改革，希望通过教育立法来提升基础教育质量。

1991年，时任总统布什签署了《美国2000年：教育战略》，此战略被认为是一项“雄心勃勃的影响深远的革命性纲要”，得到了广泛赞同。1994年，克林顿签署了《2000年目标：美国教育法》，这部法案以一种新的视角，提出了八项国家教育目标，在布什签署的《美国2000年：教育战略》所提出的六大教育战略目标之上增加了两个目标。克林顿政府教育改革的独特之处在于，不仅致力于出台新的教育法案，而且还将着力点放在了修订和扩充前政府所签署的法案之上。

进入21世纪以来，美国更是将基础教育的发展作为头等大事来对待。在2000年总统大选期间，当时的候选人布什就承诺自己将要成为一名“教育总统”。当选之后，布什推出了一系列教育改革措施。为了实现教育公平，布什政府于2001年推出了《不让一个孩子掉队法案》，该法案首次以法律的形式确立了美国联邦政府在全国教育事务中的领导作用，极大地提升了联邦政府在公共教育中的地位，“标志着美国全国性教育政策的正式形成”。①这表明，美国政府希望通过此类法案来改善美国中小学教育质量低下的问题。法案中明确指出，联邦政府在教育中的作用不是为体系服务，而是为孩子服务，要转变联邦政府在教育中的作用，不让一个孩子掉队。

布什卸任之后，继任的奥巴马接过了教育改革的“接力棒”。奥巴马上任之初，金融危机所带来的经济衰落浪潮还未完全退去，美国需要寻求新的发展战略来稳固经济。基于教育是经济发展保障的考虑，奥巴马政府将目光锁定在教育的改革上，提出了教育改革的五大支柱：①投资早期教育，提高标准和质量；②终结前政府事实上的“冲底”政策，通过鼓励出台更好的评价标准来实施“角逐卓越”计划；③培养、聘用和奖励优秀教师；④在学校

---

① 单中惠，勾月．试析21世纪初美国基础教育公平政策［J］．外国中小学教育，2011（4）：1-5．

中促进创新和追求卓越；⑤向所有美国公民提供高质量的高等教育。[①]随后的《2009年美国复苏与再投资法》规定，向教育增拨50亿美元资金，[②]接着在2015年12月，奥巴马政府签署了另一项对基础教育有着重大影响的法案，即《让每个孩子都成功法案》（Every Student Succeeds Act），该法案终结了布什政府提出的以测试成绩为标准的问责制，将教育的控制权还给了地方政府。奥巴马政府出台的一系列教育举措展示了美国教育改革的新动向，同时也表明其主张通过教育改革来促进社会经济的全面发展的目的。

2017年，特朗普当选为美国新一任总统。之后，他在白宫官网上公布了未来政府的施政纲要，并提出择校和实现受教育机会均等的治理理念；取消国家统一的核心教学标准，把教育的监管权放还给地方和社区；将高等教育选择变为民众更加能负担得起和更容易进入的模式等议案。特朗普虽还未明确提出任何法案，但也可以看到其对教育的关注。有学者指出，特朗普上台后的教育政策是：增加教育经费，给学生和学校以更多的自主权，加大市场的竞争力度，给公立学校带来竞争从而促进其发展。

综上所述，可以看到美国近几届总统都十分重视教育的发展，这在一定程度上为美国基础教育治理提供了制度保障。美国教育改革均基于一定的国家目标，通过立法给予教育改革法律保障，解决教育发展中存在的问题。

2. 以推进教育公平为准则，改革财政保障制度

在推行义务教育的过程中，世界各国大都面临着教育公平方面的问题。教育公平的实现依赖于健全的学校教育财政支付体系和教育经费分配制度，这是学校教育财政合理有效的鲜明标志。随着社会的不断发展，各国都在积极探索和完善学校教育财政制度，以适应不断发展的社会需求，美国也不例外。

教育财政补助是美国联邦政府促进基础教育发展的手段之一。联邦政府通过拨款或其他援助形式协助地方教育。美国基础教育经费的来源多样化，最初由于美国宪法没有直接赋予联邦政府对教育负责的权力，因此基础教育经费

---

① 张燕军．美国教育战略研究［M］．杭州：浙江教育出版社，2013：168.

② The White House. Remarks by the President to the Hispanic Chamber of Commerce on A Complete and Competitive American Education［R］. Washington Marriott Metro Center，2009，March 10.

大部分来自州政府和地方政府。后联邦政府加强了对基础教育的管理，以及对基础教育质量的日渐重视，开始投入大量资金支持基础教育事业的发展。

专项性补助也是美国联邦政府对基础教育投入的主要路径。联邦政府根据特定的标准和目标将补助分别直接分配给州、学区、学校以及特定的学生群体。从20世纪70年代到21世纪初，美国教育财政政策的重点始终在于解决教育财政的公平性与充足性问题，并取得了一定的成效。各州与学区间教育经费的差异明显缩小，教育过程的公平性大大提高。针对美国基础教育存在的问题，奥巴马政府在2009年通过并实施的“角逐卓越”政策的目标是让所有儿童都成功，并专门设立了一笔43. 5亿美元的经费。2010年，奥巴马政府颁布了《改革蓝皮书：初等和中等教育法再授权》，该蓝皮书最大的特色之一是以奖励为主，强调在教育改革和学生学业成绩提高等方面取得显著进步的州、学区和学校可以获得更多的经费资助，并在资金的使用中获得更大的自主权。从奥巴马政府的改革目标来看，联邦政府教育财政政策以教育结果公平为准则的初衷并没有改变，而是以一种更为务实的态度和措施积极促进教育结果公平。作为当代美国教育财政政策的出发点和新取向，教育公平强调了教育财政投入对教育产出和教育结果公平的作用，强化了联邦政府教育财政资助对学生学业成绩以及学生未来发展的作用，为美国在未来的国家发展和国际竞争中奠定了战略基础。

3. 以促进教育发展为目标，干预各州教育事务

教育治理的主要目标是通过促进教育的发展带动经济的发展。联邦政府参与教育治理的核心机构是联邦教育部，它是联邦层面进行教育政策咨询、研究和制定的机构，主要通过教育立法、经费调拨等方式参与基础教育治理。该机构起源于1867年成立的联邦教育办公室，当时其主要职责是收集学校教学方面的信息，帮助州政府提高学校教育质量。当前美国教育部的基础教育治理举措主要从以下几方面进行：其一，整合各方力量为中小学生提供高质量教育，包括提高公众的教育质量意识，发布最新的研究成果和数据，组织学术评估等；其二，借助对联邦层面系列资助项目的管理，推动教育公平与卓越目标的实现，包括处境不利儿童补助、安全和无毒品学校项目、班级规模缩减项目、特许学校津贴等；其三，督促和评估各州和地方遵循联邦政府相关法律的情况，确保实施成效。[①]

2007年5月，美国联邦教育部颁布了《2007—2012年战略规划》（以下简称《规划》），提出新时期联邦教育部的使命是确保教育机会平等，提高教育质量，在美国建立全面而有竞争力的教育体系，为所有学生参加全球化竞争作准备。《规划》主要阐述了以下观点：①缩小各类学生成绩差距以求共同进步，联邦教育部确保学生顺利完成高中学业，为升学和就业做好准备；②联邦教育部将努力培养和奖励各类优秀教师，不断选任、聘用有经验的老师，同时解雇、淘汰不合格的教师；③为了学生的健康发展，联邦教育部计划投资并支持各种旨在减少学校暴力行为、构建绿色和谐校园、鼓励学生努力成为良好公民的实践活动，倡议政府、社会、学校等多方合作，共同改善育人环境；④教育部为家长提供有关学校绩效和学生学业表现的信息；⑤联邦教育部下设的教育科学研究所将不断努力开展高质量的教育研究，并鼓励应用研究成果提高学生成绩、改善学生表现。[②]

以联邦教育部为核心机构，干预各州的教育以促进教育发展是联邦政府参与教育治理的路径之一。美国联邦教育部干预各州教育事务的具体方式有制定绩效评估指标、进行绩效责任报告和做出绩效评价。但需要注意的是，绩效问责并不是政府在转移责任，而是一种遵从联邦、州、院校和教育领导者之间责任的法定界限的合作方式。

综上所述，可以看到，美国联邦政府一直以来都大力支持基础教育的发展，其采取的各种措施都是美国基础教育治理的风向标。

（二）危机意识下的择校运动

二战之后，受国际形势以及国内经济、政治等方面的影响，美国国内舆论普遍认为美国教育正经历危机，必须对教育进行改革，否则美国将迎来巨大的灾难。在危机意识的引领下，美国对基础教育进行了改革，集中体现在以教育促进科技发展，以及在市场机制的引导下择校制度的变革。

---

① 王正青，陈琴．美国联邦、州、地方三级基础教育治理体系与运行机制［J］．教育科学研究，2017（8）：72-77.

② 丁连普．美国联邦教育部《2007—2012年战略规划》述评［J］．世界教育信息，2008（6）：15-20.

20世纪70年代，美国发生了结构性经济危机，一直以来流行的凯恩斯主义受到了质疑。在此背景下，联邦政府采取紧缩银根、减税、改革税收制度等措施，旨在弱化政府在经济发展中的作用，转而重视市场机制。在这些政策的影响下，美国经济再度繁荣。受此影响，美国以往的“划分学区，就近入学”的做法开始出现松动，择校制度逐步得到认可。1994年，总统克林顿签署的《2000年目标：美国教育法》明确提出鼓励择校计划。2001年，总统布什签署了《不让一个孩子掉队法案》，该法案将择校作为一项重要的改革措施予以实施，其中，主要的择校制有教育券制度、特许学校以及磁石学校。

1. 教育券制度

教育券制度兴起于20世纪80年代，是一种以推行教育券为主要实践模式的教育市场取向改革制度。教育券制度最早由美国经济学家弥尔顿·费里德曼（Milton Friedman）提出，他主张政府改变对公立学校经费自上而下的投入方式，而以教育券的形式直接发放给学生家长，以充抵在政府规定范围内的任何学校的学费或其他教育费用，其目的是避免教育权力过于集中，促进公立学校间的竞争。[①]

教育券作为一种择校的代币券，是美国择校运动的重要手段之一。其具体实施路径是把原本应该投入到教育中的资金经过折算后以教育券的形式分发给学生，学生可以凭券进行自由择校，到政府认可的任何一所学校就读。私立券和有限券是教育券较为常见的形式。私立券通常由慈善家或者机构来筹集资金，主要提供给那些寻求更加优质的教育却受制于现实的学生。有限券允许学生选择公立或者私立学校，但是对申请者或者学校有一定限制。学校可以凭借收到的教育券去政府兑换相应的教育经费。教育券择校让学生有了更多的选择，同时也使学校之间有了更多的竞争，这种良性竞争有利于提高教育的质量。

教育券制度固然有很好的理论基础，但是在实行的过程中，依然不可避

① 丁华，周超，张惠．教育券制度的理论与实践性分析［J］. 现代教育管理，2006（11）：41-42.

免地出现了一系列问题。比如，学校之间存在的竞争使得原先的好学校因为有了更多的优质生源而蒸蒸日上，原先表现不好的学校在择校运动中雪上加霜，它们在失去生源的同时也失去了经费来源。此外，由于私立学校学费昂贵，教育券所能抵扣的费用非常有限，因此很多贫困人群依然被限制在私立学校之外。

研究者在美国提供的教育券群体中做了随机样本研究，结果显示，“教育券只能吸引最有天分的学生，相反，与所有那些符合申请条件的家庭中的孩子相比，这些参与申请的家庭中的孩子更有可能具有学习障碍”①。

2. 特许学校

特许学校是美国特有的学校制度，是美国以提高基础教育质量为目的而开展的有益性尝试。在基础教育体制僵化、基础教育体系不完善以及市场需求日益扩大的背景之下，特许学校应运而生。

特许学校是一种具有公立选择性的非宗教学校。特许学校的倡导者布鲁诺·曼诺（Bruno Manno）将其定义为“在合同期限内（一般5年）按照特许状或合同的规定，根据学校计划教育学生的一种独立的可选择性公立学校。特许学校可以是一切从零开始的新建学校，也可以是转制学校。特许学校必须对特许状中的条款负责，必须按照条款运行，作为选择性学校，允许学生和教师自由选择”②。此外，我国学者赵中建提出：“特许学校是一种新型的公立学校，主要由公共教育经费支持，由教师团体、社区组织、企业集团或教师个人申请开办并管理，在相当程度上独立于学区的领导和管理。”③特许学校体现了多层次主体共同承担教育责任的方式，具体来说，政府、市场、社会与学校四者之间分工明确且相互配合。作为美国教育改革中发展最为迅速的择校制度之一，特许学校得到了美国两党政府和教育机构的大力支持。就特许学校本身而言，其既具备公立学校公平、公正、免费等

① 保罗·E. 彼得森. 平等与自由：学校选择的未来［M］. 刘涛，王佳佳，译. 北京：教育科学出版社，2012：11.

② 杰夫·惠迪，萨莉·鲍尔，大卫·哈尔平. 教育中的放权与择校：学校、政府和市场［M］. 马忠虎，译. 北京：教育科学出版社，2003.

③ 赵中建. 今日美国特许学校［J］. 教育发展研究，2000（7）：69-71.

特点，也具备私立学校重视教学质量的优点，受到学生和家长的欢迎。

目前，美国已经有45个州开展了特许学校运动。2017年，科罗拉多州和佛罗里达州首次公开要求地方学区与特许学校共同分享当地所筹的资金；田纳西州和得克萨斯州开发了新的资金来源，来保证特许学校的运行。

然而，特许学校在提高教育质量的同时，也不可避免地存在一些缺陷。美国学者Frankenberg指出，特许学校的出现不仅没有解决种族分化的问题，反而加重了普通公立学校的种族差异。①

3. 磁石学校

磁石学校，亦是美国的一种特色学校，“磁石”意为吸引力，因而被称为有吸引力的学校。磁石学校吸引不同社会背景、种族和学业水平成就的学生加入，没有学区和入学条件限制，面向所有的学生免费开放，而且每一所学校有其单独的主题课程。

磁石学校在课程设计上的独特性在于针对学生的爱好和兴趣开设特色课程。在学习读写算等基本技能的基础上，磁石学校的学生也可专修一些特殊的学科，如绘画、戏剧、音乐、计算机等。由于弹性的课程设置以及独特的教学方法，磁石学校吸引了不同地区和种族的学生就读，在学校的种族融合方面起到了积极作用。以“促进教育公平、增加教育多样性、发展优质教育”为使命，磁石学校在缓冲学校种族隔离、废除种族歧视、促进教育公平等方面作出了重要贡献。

从某种程度上而言，磁石学校在提升公共教育质量、促进学校种族融合等方面取得了较好的成效。但随着政府财政支持的减少，并受到新型特许学校的冲击，磁石学校的发展也面临一定的挑战。在机遇与挑战并存的背景下，磁石学校需要不断提升自身的竞争力，才能得到更好的发展。

综上所述，美国的择校制度在一定程度上增进了教育公平，提高了教育质量，为弱势群体提供了平等的教育机会。但是，择校制度仍不可避免地存在一些缺陷，对此需要全面认识，客观理解。

---

① 侯宸羽．美国特许学校绩效探究［J］．管理观察，2011（29）：22-23.

二、州政府推动基础教育治理

根据美国宪法第十修正案的精神，美国各州政府可自行负责本州教育的治理。也就是说，在美国教育管理体系中，州政府对教育享有独立的治理权。原则上，地方学区为州政府的目标服务，州政府支持地方自治。在某种意义上，每个州都有自己的教育治理体系，在具体的合作机制和权力分配方面各州之间均不相同。为了提升教育资本，增强美国在国际社会的竞争力，美国各州都在积极进行基础教育改革，以促进学生的学业成就。

（一）学区失衡背景下设立“核心标准”

由于州政府是美国基础教育的重要管理主体，因此，当人们谈论到基础教育的均衡发展问题时通常会将矛头指向各州政府，认为是州政府而不是联邦政府对于促进基础教育均衡发展担负着至关重要的责任。在过去的几十年中，由于缺乏统一的学区标准，学区经济发展水平不同造成了州内学区间教育发展差距悬殊。尽管州政府采取了一系列措施以缩小学区间的差距，但是收效甚微。

地方分权制度下，各州标准不一、教育质量参差不齐等成为美国基础教育治理所面临的严峻考验。近年来，随着对教育治理的逐步关注，建立“共同”的课程标准成为各州政府追求教育公平、驱动基础教育改革的重要工具。2010年6月，美国州首席教育官员理事会和美国州长协会共同颁布了首部《州共同核心标准》，其中明确提出了基于课程标准治理、提高学生学业成就，以及提升基础教育教学质量的目标，以达到促进教育公平的目的。这是继《2000年目标：美国教育法》和《不让一个孩子掉队法案》之后，美国再次将课程标准模式引入基础教育治理，显示出美国基础教育质量改革的实践创新与发展的新趋势。

作为基础教育质量提升的工具，美国《州共同核心标准》主要有以下特点：①以课程标准的设立为基础，清晰地规定了K-12阶段学生在每一学科中所“应知”和“能做”的知识技能；②以学生能力的提升为核心目标，“提升知识的难度及运用知识的技能，促进学生知识学习和能力提升”，目的是“让所有学生做好上大学和就业的准备”，确保美国的国际竞争力、学生的学业成就及能力的提升；③以政府主导为运行保障，《州共同核心标准》是在奥巴马政府的“角逐卓越”刺激性财政机制下产生的。从长远看，奥巴马政府推出如此宏大的教育财政计划，目的就是用经济手段强化政府在教育质量改革中的作用；④注重联合社会力量，从其颁布主体来说，由美国州长协会和州首席教育官员理事会共同颁布，而这两个组织都属于社会民间组织；从其颁布过程来说，起草过程中集思广益，吸取了一线教师、相关学者和研究者的意见。[①]

《州共同核心标准》的设立是美国基础教育改革的新举措，表明美国基础教育治理向标准化改革又近了一步。在这一标准下，各州将制定统一的课程标准以及考核标准，使其教育内容和评价形式标准化，希冀以此为契机，提高学生学业成绩，促进教育公平，改善各学区教育发展不平衡的状况。

（二）责任分工驱动下保证教育质量

在过去的几十年间，各州在教育政策和教育治理等很多方面的角色都发生了重大变化。在一些州内，地方政府的控制力量十分强大，有些州的学校则习惯于接受州政府或州教育部门的领导。州政府与地方政府对教育具有绝对主导权的同时，相应地需要对教育质量负责。因此，州政府与地方政府为了促进教育发展，提高教育质量，推出了一系列改革措施。

1. 州政府“拿走”学区一部分权力

根据美国宪法第十修正案的规定，美国各州自行负责本州教育的组织和管理。因此，一些州根据人口的分布情况划分出了若干较小的教育行政区——学区，而后在各学区内创建了诸多学校。但是，随着社会的发展和变革，在经济发展等各方面条件的影响下，各学区的发展出现了不平衡，而且州内的教育资源无法被充分、有效的利用。在此背景下，一些州提出要进行改革，改革的方向之一就是州政府需要从各个学区拿走一部分权力，以保证各学区的均衡发展。可是如何拿走权力和拿走何种权力是州政府需要考虑

① 王晓燕．从《州共同核心标准》透视美国基础教育质量改革趋势［J］. 世界教育信息，2012（13）：64-67.

的问题。对此，各州通常采取两种方式：一是通过强制性的手段（如政策法规），二是通过学区重组，将小学区变成更大的学区，以提供更完整的教育。

2. 州教育厅制定学校最低标准

为了保证教育质量，促进教育发展，美国各州教育厅均对其州内的中小学制定了学校最低标准，在教师人数（主要指具有州教师执照的教师人数）、班级学生人数、上课时间、教师的薪酬等各个方面都做出了规定。学校最低标准的出台表明学生在州内任何一所学校上学都可以享受到同等的教育条件，在一定程度上保障了教育的公平。但是，这一制度也并不能完全保证学生享受到同等教育条件，由于税收的差异，富裕学区和贫困学区根本无法做到一致，这就需要州财政部门进行税收补助。

3. 州财政部门税收补助

财政支持是州政府参与基础教育治理的有效途径之一。尽管各州教育财政政策有所不同，但为了保证州内基础教育达到最低标准，各州均采取了一些措施来维护本州的教育发展。各州要求州内各学区必须为达到州内基础教育的要求而努力，因此其在教育投入方面的努力程度应该是相同的。但是因为富裕地区和贫困地区在税收收入总额方面存在差异，贫困地区往往不能满足经费需求，州财政部门则以财政补助的形式来弥补经费上的不足部分。因此，州财政部门在教育治理方面的职能体现在财政政策上负有主要的责任，来消除州内教育机会的不平等。[①]通过建立财政扶持制度，可以保证州内所有中小学都能达到最低教育水平。

4. 州教育委员会核心监管

在州一级，基础教育治理的主体包括州长、州立法机关、州教育委员会等，其中州教育委员会是治理的核心主体。州教育委员会主要负责对州内一般教育活动进行监督和审核。它通过制定各种标准和要求、实施州层面的教育考核等措施来保障本州的教育质量，是各州提升教育质量的核心管理部门。

例如，在基础教育教材的选定方面，州教育委员会对最终结果进行审定

---

① 董志学．美国州政府在公立中小学教育中的角色［J］．基础教育参考，2008（12）：18-19.

与监督。由于地方分权制度，美国中小学没有统一的教材，各州需要根据本州实际情况确定教材。教材的初选由州教育质量委员会负责，其后由州教育委员会进行审核，确定最终结果。州教育委员会主要从以下几个方面对教材进行审核：①教材内容的审核。确认教材内容符合各州现行课程标准，其所传递的内容符合美国当代价值观。②对教材的使用方法进行规定，明确教材的作用与教学目标。③对教材所使用的物理材料（如纸张等）进行审核，确保其材料符合标准。因此，州教育委员会主要从教材的整体性和价值观等方面对基础教育教材进行审核，确保其符合各州的标准。

三、地方政府主管基础教育治理

与其他国家不同，美国地方政府具有较强的独特性，即地方政府成立的时间早于联邦政府和州政府。在过去的几十年中，以地方分权为制度保障，美国地方政府在教育治理中拥有较大的权力。在自身事务的管理上，地方政府保持绝对的自主性。虽然近年来联邦政府和州政府通过各种方式不断扩大自己的权力，对基础教育治理进行干预，但是地方政府在基础教育治理中仍然占有一席之地。其中，学区是地方政府进行基础教育治理的工具。此外，随着学校与政治体制相分离的制度弊端的出现，市长接管教育治理成为地方政府参与教育治理的一大特色。

（一）以地方学区为主要治理工具

美国宪法规定教育由州政府管理，地方学区掌握基础教育的治理权，是地方政府教育治理的工具。学区制度在美国基础教育改革运动中发挥了重要的作用，是美国基础教育改革中浓墨重彩的一笔。一般来说，学区是指由各州依法设立为居住在单位区域内的适龄儿童提供公共教育的实体，有一定的决策权，可以直接管理学校。

1. 学区治理主体及其职能

作为地方性的教育网络，美国学区是地方教育事业发展的有力保障。美国学区具有多样性和独立自主性，其治理主体主要有地方教育委员会、学区教育局长和基础学校，主体的职能不同，各司其职，共同参与基础教育的治理过程。

（1）地方教育委员会：决策者

地方教育委员会在各学区的名称有所不同，如学校委员会、学校董事会。地方教育委员会一般由3—9人组成，具体人数因州而异，其成员大多数由当地居民选举产生，在一定程度上体现了地方教育治理的民主性，少数成员则由州或地方政府委任，任期2—6年，教育界普遍提倡4年，大多没有报酬。

地方教育委员会是学区人民的代表，受州委托代理对地方教育的管理。法律规定具备以下资格才能参选：是合法的选举人，年龄必须超过21岁，接受过良好教育，并且是该学区非政府官员的居民。根据《美国教育委员会期刊》的一项调查表明，地方教育委员会成员多数是白人，少数民族成员只占7%，社会经济地位多属于中等或中上阶层（50%为专业人士），多数具有较高文化程度（68%受过4年以上的高等教育）。[①]

从本质上来讲，美国地方教育委员会由个体公民组成，其权力是属于集体的，而非个体。因此，委员会成员在行使权力、履行责任之时，代表的是整个委员会组织，发挥的是集体影响力。而当委员会成员作为个体参与教育事务时，他们只能作为普通公民行使权利。

公开性与透明度是地方教育委员会工作的显著特点。根据相关规章制度，委员会在召开相关会议时，需至少提前两天在学区网站上公布会议的相关日程，以便为学区的学生、家长以及居民服务。此外，地方教育委员会在会议执行决策时还具有另一特色，即任何人士只要是对该会议有兴趣，皆可参与旁听或是申请发表言论。

当然，会议的全过程并不是都对外开放。一般来说教育委员会决策会议将分为内部讨论和对外公开两个基本步骤。首先，为了保证教育决策的专业性和系统性，委员会在对外开放前进行内部集中讨论，形成决策的基本雏形。随后，进入对公众开放的阶段，接受其他群众的问询，在吸收公众对教育发展、学区发展建议的基础上，再将教育信息传达给公众。专业性与公开性的有效结合是地方教育委员会决策模式的一大亮点，在保证委员会权力和责任有效性的同时，将公众纳入了决策过程中，提高了各界人士参与教育事

---

① 杨华．美国基层教育行政体制研究及其对中国基层教育行政体制改革的启示［D］．重庆：西南师范大学，2001.

务的热情和能力。

总的来说，地方教育委员会作为学区治理中的决策机构，参与学生培养的各个环节，在符合州政府和联邦法律相关规定下，具有做出决定、制定法规、发布指令等权力。

（2）学区教育局长：执行者

学区教育局长是学区的发言人和领导者，主要负责将教育委员会的具体决策落实，执行教育委员会的各项决定。学区教育局长也译作“督学”“学监”等，是学区基础教育的首席执行官。

早期的学区教育局长权力较小，在工业革命取得巨大成果、学区规模不断扩大，以及基础教育高速发展后，为满足学区居民的需要，教育局长逐渐取得了更大的监督权和领导权。目前，美国学区教育局长大多是美国教育管理协会的成员。该协会是一个第三方的立法机构，具有一定的公平性，规定了学区教育局长的资格条件、基本职责和评估标准等。1994年，美国教育管理协会和美国校董事协会联合发布了一份报告，强调了美国学区教育局长应具备的八种能力：①领导学区文化的能力，塑造多元多民族的学区文化；②政策领导与管理的能力，与地方教育委员会共同制定与执行学区教育的政策与规章等；③发展社区关系的能力，向社区反馈教育发展的构想与计划，获取学区居民的支持；④组织管理能力，搜集、分析和使用有关政策信息，发现与解决教育治理各环节的问题；⑤课程规划与开发能力，为提高教学而改善课程战略计划，顺应课程改革的趋势；⑥教学管理能力，更新教学策略，实现学生成绩最优化，实施多元化评价；⑦人力资源管理的能力，确立行之有效的教职工评价标准，提高和监督工作效率；⑧引导价值观和伦理观，通过塑造适当的价值观和伦理观，以帮助每一个学生成长和发展为一个有责任、有知识的公民。

此外，该报告也阐述了学校教育局长具有以下权力和责任：为地方教育委员会提供各种信息，反馈学区居民、学生、教师等的意见，为地方教育委员会提供专业性建议，制定相关教育政策，负责执行实施委员会决策。监督相关教职工及管理人员，如校长、教师等；制定学区发展规划，提交教育委员会审核；联系学区居民，作为地方教育委员会和社区沟通的桥梁，有义务向居民解释教育发展的设想和计划，促进公众对教育政策方针的理解与配合；管理学校教学涉及的各项后勤工作，如校车服务、食堂供应和教学设备的采购等；制订教学预算计划，提交地方教育委员会审核，审核通过后按照计划执行；设计具体的课程教学项目计划，发展学生的相应能力。

在小型学区，学区教育局长往往只配备一两名助手来协助他的工作，其工作大多数都是在基层学校校长的配合下来完成。而在大中型学区，则设立了学区中心办公室帮助学区教育局长完成基本工作。美国基层教育行政体制的结构，以中型学区为例，其基本构成如下图4-2所示：

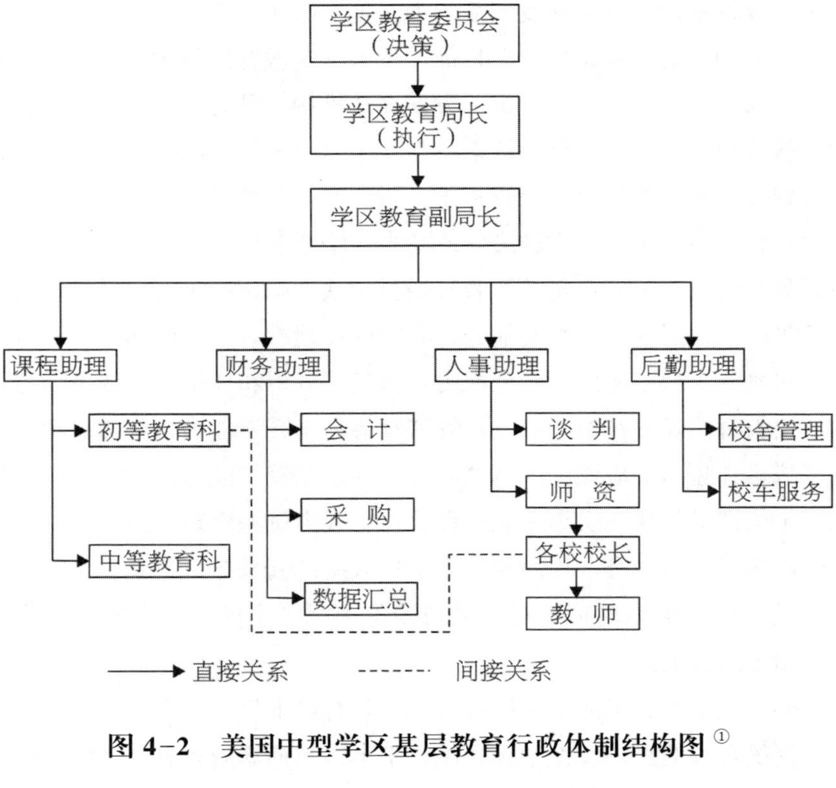

图 4-2　美国中型学区基层教育行政体制结构图[①]

① 杨华．美国基层教育行政体制研究及其对中国基层教育行政体制改革的启示［D］．重庆：西南师范大学，2001.

如图所示，学区教育局长设立副局长来帮助教育局长统领各部门，主要有课程助理、财务助理、人事助理和后勤助理这四个部门。课程助理设初等教育科和中等教育科，负责联络各基层学校的校长，了解学校教育的发展情况与存在的问题；财务助理主要负责学区的财务事宜，还负责各学校教学设备等的采购工作；人事助理负责处理聘用以及考核相关教职工，管理学校师资，处理教育过程中产生的各种纠纷；后勤助理负责学校的后勤工作，如校车服务和校舍管理等。

总的来说，学区教育副局长只有在大中型学区才会设立，其目的是为了辅助学区教育局长完成地方教育委员会以及其他机构要求的任务和工作，是学区教育局长职责和权力的延伸。

2. 学区治理方式及其功能

学区的运行机制主要包括财政保障机制、信息沟通机制以及督导机制三个方面。

（1）财政保障机制

财产税是美国公共教育经费的首要承担者，这也表明财政独立是美国学区自主权的基本标志。在美国，地方通过向学区范围内的居民征收财产税，用于发展教育事业，为公立学校提供基本教育经费，从而为促进学生发展提供财政保障。财产税作为一笔庞大的收入，几乎被地方全部投入到教育事业中，一方面彰显出其对公共教育事业的重视，另一方面则是学区自主权的充分体现。

这种财政机制保障了学区管理不会因事权和财权冲突而产生危机，使得美国学区自筹公共教育经费机制稳健发展。但这种机制也存在较大的缺陷，即富裕学区的教育经费远远高于贫困学区，这种差异也是美国基础教育改革关注的重点。

（2）信息沟通机制

为实现统一的教育质量标准，美国的整个教育体系十分强调信息沟通与资源共享，一般是通过构建公开的资源管理平台分享各类教育资源。基本上，每个学区都会拥有自己的独立公共网站。通过浏览网站信息，学生和家长作为教育的消费者能够获得对学校、学区更深入的了解，选择最合适的产品进行择校。对教师和其他工作人员来说，学区的网站是一个整合的资源平台，可从中获取丰富的教育信息用于教学与其他工作。同时，学区将一定范围内的所有学校联合到一个综合组织中，促进了教学资源、教学设备的流通与分享，大大提高了资源的利用率。因此，对学校而言，资源共享不仅能够将教育经费最大化、最优化，还能在一定程度上提高教学水平，促进教学方式的革新。

（3）督导机制

教育督导制度在美国基础教育治理中有着非常重要的作用，深刻影响着基础教育的质量。督导制度在发展过程中形成了由地方负责的州级分工责任制，并逐渐与教育管理机构合二为一。在州一级，教育督导统领全州范围内的教学督导工作，有权对教育事务进行问责与监督。在学区一级，教育督导被分为普通教学督导和专业教育督导，二者的工作围绕着学区内的教育事务展开，但是又相互独立、相互区别，共同监督各基层学校的教学与管理。在学校一级，督导有责任和权力监督学校内部的教学事务，同时需要对校董事会负责。教育督导工作从州开始，与教育行政单位相契合，被合理分到各个学区、各个学校，监督公共教育事业的运转。同时，基于保证督导效果的目的，这三级结构之间又彼此独立、不可越级，保障了督导工作可以有效进行。

3. 地方学区个案——戴维斯学区

戴维斯学区位于美国犹他州法明顿，是美国较大的学区之一，也是犹他州第二大学区，学生人数约为7万人。学区的教育使命在于教育工作者、家长与社区成员共同努力为每一位学生提供成功的教育体验。戴维斯学区共有59所小学、16所初中、8所高中。2016—2017学年，里德·纽维（Reid Newey）担任戴维斯学区的教育局长。

由于良好的经济条件，戴维斯学区可以为本学区内的学生提供优质的学习资源和学习条件。在学校内，学生可以充分的感受公民的责任感，获得基础技能与知识，为获得良好的高等教育和未来的工作做准备。

戴维斯学区在课程设计方面也别具一格。该学区设有四门第二语言（法语、西班牙语、德语和中文）、音乐、历史以及心理学等13门大学先修课程

（AP课程），13门荣誉课程，以及各类艺术课程。在体育运动方面，根据季节的不同，男生和女生也设有不同的课程。除此之外，戴维斯学区的免费午餐计划也十分完善，凡在戴维斯学区就读的学生均有资格向学区申请免费的午餐或半价午餐，其食材的购买以及菜单的选定都经过了精心设计。

戴维斯学区只是美国众多学区中的一个缩影，鲜明地反映了美国学区制度的特色。

（二）市长参与引导城市学校发展

由于美国一直对中央集权制度持怀疑态度，所以其权力体系大都建立在相互制衡的基础之上。不同于其他的公共服务体系，在历史上，美国的教育体系一直被特殊化。大约有一个半世纪，在美国的教育体系中都存在董事会，董事们被推选出来以便学校可以独立于市政府的控制，使得学校与政治体制分开。但是，这种体系存在诸多弊端，比如，旧的体系不能为市内多数学生提供服务，学生的学习遇到诸多问题，城市公立学校的品质遭到诟病。在这种状况之下，城市学校需要有合适的人来引导，美国公民期待市长治理可以为教育领域带来稳定与和平。因此，市长参与教育治理制度应运而生。

市长参与教育治理主要是指通过选举机制建立绩效问责制，将教育的治理权交到民主票选出的市长手中，从而提高城市公立学校的质量。市长参与教育治理的范式与企业的管理有相似之处，即由一个领导者与其所雇用的团队一起担负运营成败的责任。

1. 市长参与教育治理的多元模式

市长接管教育治理有一个显著特点，即市长指定或选派的董事会成员取代了由民主选举所产生的学校董事会，董事会工作受市长管理。董事会由民主选举转变为由市长委任的治理结构。依据单一责任制的优点以及持续一致的领导力这两方面，一方面，领导下的教育治理模式，市长作为主要责任人，避免了其他利益共同体对权力的争夺，且如果市民对学校教育不满，还可以通过投票来罢免市长。这不但没有削弱民主，反而强化了民主。另一方面，由于地方利益的干扰，董事会成员总是处于变动中，市长委任董事会成员无疑在一定程度上缓解了这一局面，市长为董事会成员提供了稳定的工作，也保证了董事会对学校持续一致的领导力。

市长参与教育治理的模式不是唯一的。根据文化等其他因素的不同，各州的模式有一定的变化，且新的模式不断出现。在不同州或城市，市长指派学校董事会的规则有所不同（详见表4-1）。

表4-1　市长参与教育治理的多种模式[①]

城市	选用标准
波士顿	市长在审查小组指定的名单上选出一个七人小组的学校委员会，然后委员会选出监督人
华盛顿	市长指定监督人，从九位成员中选出四位董事会成员，但是这四位必须被市委员会（剩下的五位成员）承认
纽约	市长从十三个人中选出八位董事会成员，并任命一位校长，校长的职责相当于是监督人和董事会的主席
芝加哥	市长指定所有的董事会成员

2. 市长参与教育治理的成效

市长接管教育治理在美国由来已久。从1991年开始，波士顿和芝加哥就逐渐采用这种模式。2002年，当时的纽约市长迈克尔·布鲁姆伯格（Michal Bloomberg）也得到了学校系统的管理权。市长不仅要支持学校教学，同时也要改善教学环境中的财政和管理体系。其一，市长领导的地区学生的教育资源相比同类地区更多（尽管其原因还有待考究），且生师比较低；其二，相比选举委员会所管理的地区，市长领导教育治理的地区在财政支出方面更具策略性，在资源分配方面更灵活，从而能更好地投资教学。但是，从当前的现状来看，市长参与教育治理呈现一定的双向性，优势与问题并存。

一方面，市长参与教育治理作为一种政治策略，在一定程度上提高了教育治理的有效性。以教育系统最终的衡量标准——学生的学业成就来看，市长参与教育治理的确在一定程度上改善了学生的学业成就。从全美教育进展

① Viteritti J. P. When Mayors Take Charge：School Governance in the City［M］. Washington，D. C.：Brookings Institution Press，2009：5.

评估的结果来看，在市长领导的教育治理模式下，在波士顿精通数学的四年级学生的百分比从12%上升到了33%，同样，华盛顿特区精通阅读的四年级学生从10%上升到了20%。①这其中，少数民族和低收入家庭的学生进步尤为明显。

另一方面，虽然市长参与教育治理的制度在这些城市都得到了正面的评价，然而，没有确切的证据证明这些城市的学生发生了明显的变化。在其他一些城市，如克利夫兰、底特律等，它们也有足够的证据来证明市长参与教育治理不是万能的。在克利夫兰，学生的学业成就进步的平均水平与大城市之间的差距正逐渐扩大，②说明克利夫兰学生的学业成就进步较小或者停滞不前。虽然市长参与教育治理制度不是造成此种局面的唯一因素，但也需要注意，市长参与教育治理可能并不适用于所有地区。

市长参与教育治理是促进教育创新和进步的合理路径。但是，在推行“教育市长”这一制度时，选民和政策制定者应该确保设计一种适用于自身的模式，并考虑不同的“改组”策略以提高其适用性。此外，还需要考虑多方面因素，比如家长、教师或者种族，如果在此过程中没有政策接受者以及相关利益者的参与和政治支持，一些新的政策理念很可能会面临失败。在教学中“什么起作用”和“什么不起作用”，家长和教师则拥有更多的有用信息。如果部分家长、教师以及少数团体的边缘化导致他们向权力部门表达意见的途径减少的话，社会性的代价将会随之而来。

四、基于校本管理的学校治理实施机制

在校本管理制度的支持下，校长、教师和家长以不同形式参与到基础教育治理之中。

（一）基于校本管理的学校治理机制

教育与国家的政治、经济和文化息息相关。教育质量关系到民族的兴衰

①② Herman J. 2013. Tops Things to Know About Mayoral Control of Schools. http://www. americanprogress. org lissues education-k-12/news/2013/03/22/57723/top-s-things-to-know-about-mayroal-control-of-schools/.

与国家的兴亡。评价一个国家的基础教育，一要看其教育质量，二要看其管理效率，管理效率的高低又直接影响教育质量。[①]自20世纪80年代起，美国开始在全国展开校本管理运动，校本管理也作为基础教育改革的一个热点逐渐被研究者们所关注。基层学校在教育治理的过程中既遵循学区管理的原则，又享有一定的自主权，学校有权根据需求选择教育目标和教育计划，有权合理地分配和管理学校资源。在这种学校管理模式下，学校在人事、财政和课程等方面具有更大的自主权，校长、教师以及学校其他工作人员一起参与学校管理。

校本管理，即自主管理。对于校本管理的定义，不同学者有不同的看法。贝蒂·马兰（Betty Malen）等认为："校本管理就是权力的下放，学校作为教育质量和教育效率提高的基本单位，决策权的重新分配可以激发并保持学校的不断进步。"[②]克里夫·迪莫克（Clive Dimmock）认为，校本管理是指将处于学校之外的主管部门在预算、人事和规划等领域的一些决策权下放到基层，进行重新分配，校长、教师和父母可以参加社区委员会关于教育的决策，同时学生和社区的居民也可以直接参与学校的决策。[③]我国学者刘宝存认为，校本管理是一种以权力下放为中心的学校管理思想和模式，其核心就是强调教育管理重心的下移，强调教育行政部门给予学校更大的权力和自由，使中小学成为自我管理、自主发展的主体，并可以根据自身的需要确定发展目标和方向，从而提高学校管理的效率，创办更有效的学校。[④]综上所述，虽然国内外学者对校本管理的定义存在细微差别，但总体来说，他们都认为校本管理强调权力的下放，其核心是以学校为本体，给学校更多的办学自主权。

---

① 张炜．美国校本管理研究［D］. 保定：河北大学，2004.

② Malen B.，Ogrwa R. T.，Kranz J.. What Do We Know about School-based-Mangement? A Case Study of Literature- A Call for Research［A］. Clune W. H.，Whitte J. E. Choice and Control in American Education［C］. Philadelphia：Falmer Press，1990：290.

③ Dimmock C. J.. School-based Management and School Effectiveness［J］. Routledge，1993（1）：35-61.

④ 刘宝存．校本管理：当代西方学校管理的新模式［J］. 比较教育研究，2001（12）：16-19.

美国是最早开始实行校本管理的国家之一。在这种管理模式下，美国对学校管理进行了重大改革，开展了一场自上而下的教育赋权运动。由于各校之间存在背景差异、需求不同等方面的问题，美国的校本管理呈现出多元模式。乔瑟夫·莫菲（Joseph Murphy）和林·贝克（Lynn G. Beck）认为，校本管理主要有三种模式：行政控制模式、专业控制模式和社区控制模式。[①] 在此基础之上，学者们对校本管理的模式进行了扩充，目前学界普遍认可的美国校本管理模式还包括平衡控制模式。

行政控制模式是指教育行政权力下放至学校后，校长作为权力的直接拥有者，不再将权力继续下放给教师和家长。这一模式实质上增加了校长在财政、人事等学校运行事宜上的决策权。教师和家长可以参与学校的管理，但是只能向校长提供咨询，不具有决策权。在这种模式下，学校董事会的设立只是为校长提供咨询，权力并未从学校行政人员手中转移出去。

专业控制模式是指上级机构将教育行政权力下放至学校后，校长与教师共享决定权，共同实施决策。教师作为专业人员，拥有实施决策的相关专业知识，让教师参与到决策的过程中，能够提高教师在决策执行方面的信心和责任感，从而提高教育质量。美国的肯塔基州、迈阿密、旧金山和洛杉矶等地区都是采用这种模式。

社区控制模式在最大程度上满足了家长和社区的需要，家长和社区处于权力的中心，对学校事务具有决策权。该模式的倡导者认为，校长和教师并不一定能够完全反映家长和社区的利益，因此，家长和社区如果能够具备决策权，将提高学校的适应性。当家长和社区成员占学校委员会的多数时，该模式才得以运行。芝加哥市、马萨诸塞州等地区采用了此种模式。

平衡控制模式是试图实行专业控制和社区控制的双重模式，即教师与家长共同决策。具体而言，就是教师利用专业知识做出决策，但需要依靠家长和社区的力量。

校本管理在一定程度上对美国基础教育质量的提高作出了贡献。它与学

① Murphy J.，Beck L. G. School-Based Reform：Taking Stock［M］. Thousand Oaks Ca：Corwin Press，1995.

校效能的结合被看作是一种新的发展机制。校本管理大致可以概括为：由外部控制的管理转变为学校自身的民主化管理；政府在授予学校较大自主权的同时，也让学校肩负了与其对等的责任，并加强了对学校的问责；校本管理的成果应当通过学校效能的提高来反映。[①]校本管理是美国基础教育内部治理民主化的集中体现，是美国基础教育治理的重要制度之一。

（二）校长：权威领导者

中小学校长是校内最为重要的管理者，其对教育的理解和对学校领导管理的风格，深刻地影响着全体师生以及学校发展前景。经过近几十年社会的变革与发展，美国中小学校内部的权力模式发生了一系列深刻的变化，校长的职责范围得到进一步拓展。传统意义上的校长站在学校行政系统的顶端，行使基本的管理权力，而当前的校长角色有着更为丰富的内涵，已经逐步转变为具有多元角色的领导者。他们需要对学校的日常运行以及商业事务等负责，引导学校教学沿着更好的方向发展。

作为学校的领导者，美国中小学校长的选拔必须经过严格的选拔程序[②]（如图4-3所示）：公布校长的职位要求；审查候选人的有关证件，并进行初筛；由校长评估机构对候选人进行全面考核；根据考核结果确定候选人；最终任命校长。

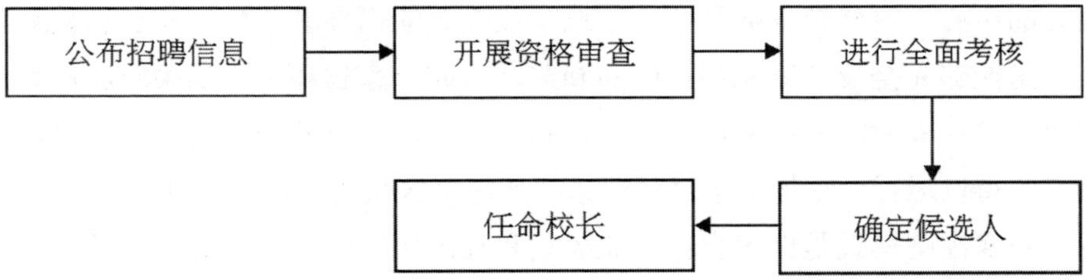

图 4-3　美国中小学校长遴选程序流程图

---

① 贾琳琳，林群．美国教育治理改革运动对我国高等教育改革的启示［J］．沈阳师范大学学报：社会科学版，2006（1）：45-47.

② 赵宇新，王远．美国中小学校长的选拔机制［J］．中小学校长，2008（1）：67-68.

美国政府十分重视校长的质量。美国州教育委员会制定了优秀校长的六项标准：①校长能够带领大家制定一个远大的学习目标，全体人员同舟共济贯彻执行；②校长能够提倡、培养和保持一种建立在最佳教学实践基础上的学校文化和教学模式，有助于学生的学习和教职员的在职发展；③保证学校的构建、运作和资源的管理都致力于建立一个安全、高效、低成本的学习环境；④与家长和社区成员合力协作，满足他们的兴趣和需要，充分利用社区资源；⑤做一个公平、正直并具有职业责任感的校长；⑥了解与学校有关的政治、社会、经济、法律和文化诸方面的信息，能及时作出正确的反应。[①]

美国中小学校长由独立学区聘用，校长权力明确，责任清晰，主要职权是确保学校的正常运行。公立中小学校实行校长负责制，受学区总监领导，向学区当局负责。中小学校长是学校的权威领导者，其权威性主要体现在确定学校的办学方向、课程建设、教学与教师专业发展等各个方面。

因此，除执行学区委员会的各项决策外，美国中小学校长还需要全面参与学校管理的各项工作，以及促进学校和社区居民间的有效沟通等。一方面，校长应让公众了解学校的使命、目的和目标；另一方面，又要听取公众对学校的反应和呼声，获得他们的支持。

综上所述，美国中小学实行校长负责制，校长需要处理学校日常事务，管理课程教学，管理教师工作，维护社区关系。校长在学校、家庭和社区的关系中充当协调者，需要积极维持学校与社区间的合作关系，同时，校长需要对学校负责，是权威的领导者。

（三）教师：民主参与者

教师参与管理与决策已逐渐成为一种世界性的趋势，教育治理中教师的民主参与是影响学校发展的因素之一。许多研究表明，学校鼓励教师参与管理与决策对规范学校管理行为、提高学校管理效率、加强学校民主和科学管

① 周玉龙. 美国中小学校长联盟认定优秀校长的六条标准［J］. 北京教育：普教版，2010（6）：64.

理、促进管理创新和学校发展等多方面都具有积极的作用。[①]教师民主参与学校管理，可以增进其对学校事务决策过程的了解，激发其责任心，是教学改革的有效途径。弗兰克·克罗塞（Frank Crowther）等人认为“教师民主参与是教师与校长们共同合作、发展能力的过程，它包括互相尊重，为了共同的目标齐心协力。教师民主参与尊重个人意见表达，尊重个人贡献”[②]。显然，教师民主地参与学校治理，符合美国和谐、民主、平等合作的治理理念。

在基础教育治理过程中，美国中小学教师逐渐获得了民主参与学校事务管理的权力。以教学评价为例，在以往的中小学教学评价中，校长承担主要责任，对教师的教学情况进行评价，并根据评价结果做出相应的人事决定。[③]但是，中小学校长作为学校的权威领导者，在行政管理等诸多方面承担着重要责任，深入课堂进行细致的调查研究的时间极少。此外，许多美国中小学校长并非都是学科教学专业出身，更多的是作为行政者和管理者。因此，如果仅由校长等学校领导评价，则得出的结论往往较为片面，不能充分反映教师真实的教学情况。教师作为学校的民主参与者，参与教学评价，能够在揭示教师教学中存在问题的同时，增强教学评价的公平性和科学性。

因此，让教师参与到学校治理中，与学校领导一同开展评价，可以避免评价结果不全面等问题。此外，教师民主参与学校事务的决策和管理，能够促进其与校长等学校领导形成良好的合作关系。

（四）家长：亲密合作者

一般人的发展受遗传、环境和教育因素的影响。其中，环境主要是指家庭、学校和社会等不同的结构系统。良好的家庭环境、学校环境和社会环境，能为学生的发展创造良好的条件。学校教育作为现代教育的主要教育形态，有其不可替代的优势，但也有其不可避免的不足。

家庭和学校是学生成长和发展过程中的两大重要场所，发挥着“和而不

① 宋明钧．教师参与：学校成功发展的关键［J］．中国高教研究，2006（4）：53-55.

② Crowther F.，Hann L.，McMaster J.. Parallel Leadership：A New Strategy for Successful School Reform［J］. The Practicing Administrator，2001（4）：12-14.

③ 蔡敏．同行评价：美国中小学教育评价的重要方式［J］．教育科学，2006（4）：81-83.

同”的作用。家校合作教育是当今世界教育改革发展的主要方向，对促进儿童智力因素和非智力因素的平衡发展有着关键的作用和积极的意义。我国家校合作研究学者马忠虎认为，“家校合作，实质上是联合了对学生最具影响的两个社会机构——家庭和学校的力量，对学生进行教育。在教育活动中，家庭和学校相互支持、共同努力。这样一来，学校在教育学生时能得到更多的来自家庭方面的支持，家长在养育子女时也能得到更多的来自学校方面的指导”。[①]因此，在家校合作教育中，家庭和学校之间是相互支持与指导的平等关系，家庭教育和学校教育的双方整合，能够使儿童在成长阶段得到良好的社会教育。

美国的家校合作制度的发展已经较为完善，有较多值得学习和借鉴的地方。在我国，家校合作制度才起步，在很多方面需要完善。

1. 家校合作的理论基础

一种制度或实践活动的出现大都以相关理论为依据，家校合作模式的出现必然少不了理论的支持，美国社会学家爱普斯坦的三种理论模式为家校合作提供了理论基础。爱普斯坦提倡用分离式影响理论模式、嵌入式影响理论模式和重叠式影响理论模式来解释目前所有种族、文化、性别和家庭背景的儿童的学习与发展。[②]

分离式影响理论认为，家长和教育工作者在各自的领域中有自己的行动，有不同的水平和专业培训，他们在儿童的发展中扮演不同的角色。嵌入式影响理论认为，各种社会因素的相互作用对儿童的发展产生了多层次的交互影响，家庭和学校的责任分工存在交互性。重叠式影响理论生动地展示了对儿童教育产生影响的各种因素的相互作用，“该理论认可推动教育和使孩子社会化的机构之间的相关历史，也展示了随着时间发展，家庭、教师、社区合作者及学生之间技能和合作活动的变化”[③]。在该理论思想的指导下，将每个学生视为个体，欢迎家长参与，以及帮助孩子实现其作为学生角色的

① 岳瑛．我国家校合作的现状及影响因素［J］．天津市教科院学报，2002（3）：50-53.

② Joyce L. Epstein，Mavis G. Sanders. 美国家庭、学校与社区合作的历史及理论与实践模式探讨［J］．徐玉珍，译．中国家庭教育，2008（3）：51-55.

③ 杨敏．美国中小学家校合作的实践探析及启示［D］．重庆：西南大学，2007.

“学校式家庭”应运而生。可见，家校合作模式是与爱普斯坦的重叠式影响理论相对应的一种教育实践模式。①

2. 以家长教师联合会为组织依托

在怎样加强家校合作这一问题上，美国的经验丰富。1994年，总统克林顿所签署的《2000年目标：美国教育法》第八个目标就是“家校合作”。此外，成立于19世纪末期的美国家长教师联合会在家长参与学校教育以及家庭、学校、社会合作教育方面积累了很多宝贵的经验。

家长教师联合会是由众多志愿者组成的一个官方组织，也是美国最早的和最大的专为儿童和青少年利益服务的非营利性组织。作为美国学生家长参与学校教育的重要组织机构，联合会内各成员平等，共同合作。它改变了家长单向被动接受学校培训和家教指导、被动参加学校活动的局面，家长可通过联合会主动参与学校教育与管理，从而整合教育资源，形成教育合力，达到共同育人的目的。②

美国家长教师联合会分为国家、州和地方三级，其中全国家长教师联合会为最高级别，起宏观调控和指导作用，制订儿童青少年的项目方案与活动计划。全国家长教师联合会的成员组成如图4–4所示，全国家长教师联合会下设联合董事会和全国理事会两个部门；联合董事会又由当选官员、联合会成员代表、州联合会会员、青少年学生代表和常务委员会组成；全国理事会由州级联合会成员构成。各成员职能各不相同，分工明确，共同合作。

① 赵莹．美国基础教育家校合作研究［D］．长春：东北师范大学，2011.
② 姜志坚．美国家长教师协会研究［D］．成都：四川师范大学，2010.

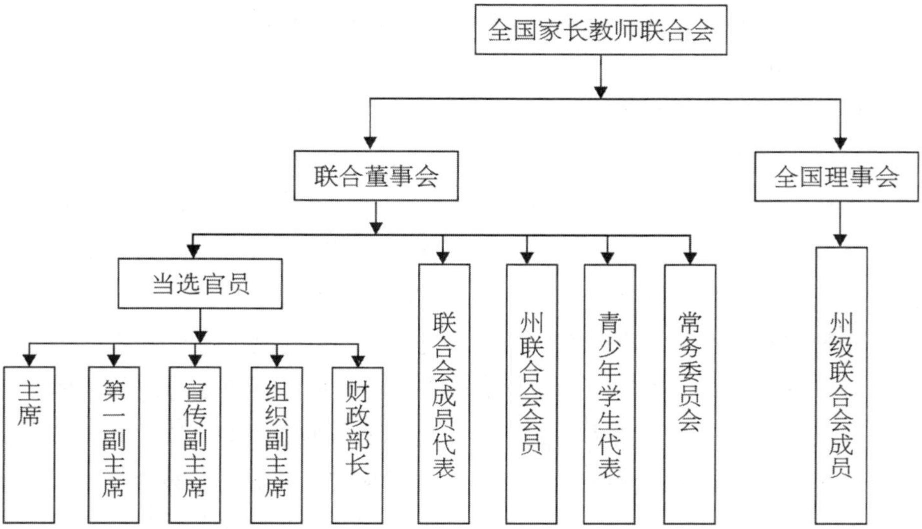

图 4-4　全国家长教师联合会成员组成结构图

全国家长教师联合会领导各州和地方家长教师联合会的所有成员，共同努力维护儿童和青少年的利益，并取得了可喜的成绩。例如，美国联邦政府所颁布的《儿童课后看管计划》《儿童电视分级标准法案》《热午餐》等计划或法案均是依托全国家长教师联合会的力量才得以颁布并贯彻执行。

3. 以政策法规为制度保障

关于家长参与学校教育，美国政府提供了一系列的法律法规保障，有效地保证了家长在学校治理中的话语权。1964年的《经济机会法案》指出，要充分发挥儿童的潜能，家长就必须有机会参与儿童计划的制订与实施。1965年，《初等和中等教育法》使家长参与更加组织化，该法案要求学校和社区建立家长顾问委员会，满足家长参与学校管理的需要。1983年，美国高等教育质量委员会发表的《国家处于危机之中》报告，肯定了家长有权利要求子女受到良好的教育，同时指出家长肩负着积极参与教育子女的责任。1990年，美国国会通过《儿童保育与发展固定拨款法》，其中规定了参与各级政府部门对儿童保育标准和政策的制定是家长义不容辞的道德责任和法律权利，学校、家庭和社区应该建立友好的合作伙伴关系，共同帮助学生取得学业成功。2001年，《不让一个孩子掉队法案》中规定，学区有权利和义务评定考核家长参与政策制定的效果，主要考察家长在学校教育治理中发挥作用的有效性。另外，在评定考核的过程中，家长不仅仅是被考察的对象，还应该是考核者的一份子，共同参与评审各个环节。该法案的出台赋予了家长参与子女教育的基本权利保障，加深了学校教育和家庭教育之间的联系，使一部分家长成功地从学校教育的“局外人”转变为“局内人”。

家长在教育中从“局外人”向“局内人”的身份转变，进一步加强了美国在基础教育学校管理中的民主化取向，学校与家庭不再是分离的个体，而是为了教育好下一代而努力的共同体。正如美国应答教育协会（Institute for Responsive Education）学校与社区联系项目总监斯格特·汤普森所说：“父母参与和社区参与不仅仅是合作，而且意味着相互之间的期望、责任和利益的持续关系。”[①]家长参与到学校治理中，与学校形成合作关系，使学校教育和社会各界建立了广泛的联系，增强了学校发展的活力。

家校合作是社会参与学校教育的一个重要组成部分。作为一种双向互动的模式，家校合作需要家长与学校的相互配合与支持。学校在家校合作中起主导作用，家长是其亲密的合作者，二者共同促进学生的全面发展。因此，家校合作的出发点是学生，家庭和学校的共同服务对象也是学生。

第二节　高等教育治理现状

当今时代，社会将大学看作是培养未来精英的摇篮，众多社会所需要的技术人才、创新人才以及博学的公民也将从这里产生。因此，高等教育应该满足所有公民的需要，而不仅仅是学术圈内的人。美国高等教育在世界范围内颇负盛名。美国高等教育有着丰富的多样性，不仅拥有世界一流的研究型大学，还拥有各具特色的文理学院以及社区学院。据统计，在诺贝尔奖设立

① 孙孝花．从“局外人”到“局内人”[D]．杭州：浙江师范大学，2005.

的一百多年中，美国总共有300多位诺贝尔奖得主[①]，这足以反映其高等教育的优势所在。

从纵向来看，美国高等教育治理体系可分为七个层次（如图4–5所示）。首先，在宏观层面上，高等教育治理体系包括联邦政府、州政府以及高等院校三个层级；在微观层面上，高等院校内部治理包括校、院、系及师生四个层级。因而，在高等教育外部行政治理体系中，联邦政府位于最高层级，州政府次之。在高等教育内部，董事会和校长对校内事务具有决策权，教师参与程度总体较高，在教学方面拥有较大的自主权。此外，美国大学治理较为重视学生利益，学生对自身事务具有发言权，学生组织可以参与大学治理，并行使监督权，有些大学的学生还可以以代表身份进入大学董事会，共同参与学校决策。

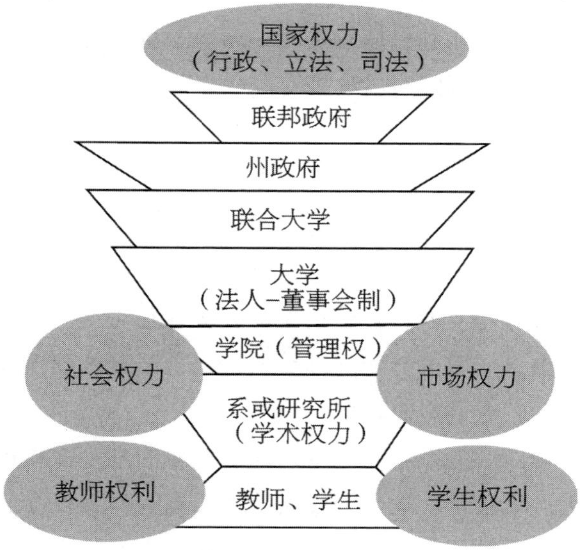

图 4–5　美国高等教育治理体系的纵向结构图[②]

① 全球各国诺贝尔奖获得者人数排行榜！美、英、德三国占总人数70%，http://baijiahao.baidu.com/s?id=1553683392992118.

② 左崇良，胡劲松．美国高等教育治理体系的结构与特征［J］．职业技术教育，2016（34）：69–74.

一、联邦政府宏观引导高等教育治理

美国宪法规定，高等教育的责任主体主要是州级政府，联邦政府在高等教育治理过程中扮演第二位的角色。尽管美国联邦宪法并没有赋予联邦政府直接管理教育的权力，但在美国高等教育史上联邦政府对大学的影响极为深远：“在克拉克·克尔看来，尽管美国私立和公立的高教机构各接近一半，但是导致这些机构在过去130年内发生改变的绝大多数重大政策来自联邦政府。”[①]联邦政府拥有宪法授予的诸如开支、税收等权力，并利用这些权力扩展其管理范围，尽可能地参与到教育事务中。

（一）以政府机构为主体，参与高等教育治理

联邦政府包括行政、立法和司法三大机构。在教育治理过程中，联邦政府依托这三大机构参与到高等教育治理之中。其中，联邦行政机构负责服务和管理高等教育；联邦立法机构负责相关高等教育事务的立法和听证；联邦司法机构负责高等教育事务的司法执行。

1. 联邦行政机构

美国的行政机关包括总统执行办公室、部委（内阁成员机构，相当于我国的政府组成部门）、独立机构、独立监管委员会、政府公司和半官方机构。[②]美国管理教育的行政机关主要是相关部委，其中教育部是教育的行政主管部门。美国设有众多教育行政机关，大多数都与大学有着或多或少的联系，其中高中后教育司服务与管理高等教育，是教育行政机关中高等教育的主治机构，与大学有着紧密的联系。

高中后教育司的职能在于制定联邦高等教育的规划性政策，以及管理满足全国性的重大教育需求、增加公民接受优质高等教育机会的项目。具体而言，高中后教育司帮助所有的美国青少年完成高中后教育，尤其是那些将要成为其家族首位完成高等教育的学生。高中后教育司需要提前帮助他们计划

---

① 陈超，郄海霞．从联邦政府的三次干预透视美国研究型大学的发展［J］．比较教育研究，2008（10）：6.

② The U. S. Government. Federal Executive Branch［EB/OL］.［2017-06-30］. http://www.usa.gov/Agencies/Federal/Executive.shtml#Boards，_Commissions，_and_Committees.

大学生活并提供信息帮助；为本科生提供帮助，主要是指联邦财政援助，以帮助学生更好地完成学业；通过提供财政支持来改善高等教育的设施和完善高等教育的项目；吸纳并训练弱势学生，使其顺利完成高等教育学习计划；促进美国高等教育创新，使学生置身于最好的教育当中；增进国际教育的发展，主要指支持国际教育研究和学生交换等工作。[①]高中后教育司在美国高等教育治理方面有着重要的作用，其职能不限于上述内容。

此外，为了更好地服务和管理高等教育，高中后教育司还提供了诸多的项目支持，如为了帮助所有的美国人完成高中后教育，推出了教育机会中心项目，这一项目旨在为那些准备进入高等教育或者继续接受高等教育的人提供咨询，帮助他们在申请大学或者资金方面给予支持。

2. 联邦立法机构

美国的宪法、政治制度把主要的权力给予了国会，这也成为美国政治制度区别于其他国家的主要特点之一。在美国联邦政府权力的分配中，国会优势明显。因此，在美国高等教育治理过程中，国会也扮演着重要角色。

美国国会分为参议院和众议院两院，其中参议院为国家的最高立法机关。在高等教育治理中，参议院和众议院分别扮演着不同的角色。美国参议院设有16个常设委员会和4个特别委员会。其中，健康、教育、劳工与退休金委员会是美国参议院参与高等教育治理的主要机关。劳工与退休金委员会参与高等教育治理的相关职权主要有高等教育事务的立法动议权、听证权以及审议权等。例如，2018年2月6日，劳工与退休金委员会对高等教育法重新进行了审议[②]，针对美国当前高昂的学费进行了商讨，来自全美的专家和委员们提出了自己的看法和建议。美国众议院设有20个常设委员会和1个特别委员会，其中，美国教育与劳动力委员会是众议院参与高等教育治理的主要机关之一。更确切地讲，教育与劳动力委员会下属的高等教育、终身学习和竞争力小组委员会是众议院参与高等教育治理的对应部门，其主要职能是

① Programs F, Education A T, Improvement I. Office of Postsecondary Education - Program Guide [EB/OL]. 2015. https://www2. ed. gov/about/offices/list/ope/opeprogramguide. html.

② https://www. help. senate. gov/about/issues/.

负责大学生的学费资助和就业服务等。

3. 联邦司法机构

不同于行政和立法机构，美国司法机关没有设立与高等教育直接对应的治理机构，但它仍然是高等教育机构的外部治理主体。有学者坦言，美国司法机关的权力非同一般："西方任何国家司法系统的权力似乎都没有美国那么大，对政治的介入没有美国那么频繁和深入，对政治的影响没有像美国那样大……美国法院在制定公共政策方面所起的作用比任何其他国家的都大。美国司法系统构成美国政治过程的一部分。法官对法律做出解释，他们就成为政治角色——政治机构中的政策制定者。从这一个意义上而言，美国司法系统中最重要的政治力量是美国最高法院。"[①]联邦司法机构通过司法执行的方式参与高等教育治理，从而成为高等教育治理机构的外部治理主体之一。

（二）以政策法规为准则，渗入高等教育治理

美国联邦政府通过颁布各种政策法规来参与高等教育的治理，影响高等教育内部的治理。其政策和法规的颁布主要有两种方式：一种是联邦资金投入所要求的各种责任和义务；另一种是社会立法以及这些立法中总统的行政命令、司法裁定等。因此，除了一些拒绝接受联邦教育经费资助的高校外，大部分高校还是未能摆脱联邦政府高等教育政策的束缚。联邦政府建立各种与国家政策相关的目标和决策，根据这些目标和决策提供资金，接受资金的高校或个人将不得不接受资金所要求的各种条件。

虽然高校或者各种机构组织都在极力地避免联邦政府对高等教育的干涉，竭力回避联邦政府资助项目中的各种附加条件，但是联邦政府仍然对高等教育治理产生了重要的影响。尽管高校在一定程度上保有自治权，但是联邦政府仍通过宪法所授予的有限的权力，制定和运用各种法规来影响高校的工作。联邦政府通过各种资助项目、法规政策等影响美国的高等教育事业，使高等教育服务于国家的各种目标。

---

① 楚树龙，荣予．美国政府和政治［M］．北京：清华大学出版社，2012.

（三）以财政资助为手段，参与高等教育治理

联邦政府的开支权给予其将联邦经费用于国民的权力，开支权是联邦政府众多资助项目的基础。从20世纪初开始，联邦政府打破了由州政府作为媒介介入高等教育的方式，转而直接面向高校。在近几十年中，联邦政府的经费几乎都是直接流入高校。

联邦政府的高等教育资助活动对美国高等教育的影响十分分散，因为这种资助活动不是由联邦教育部统一实施和管理，而是由联邦政府各部门和机构以分散独立的形式实施，往往与其他政策目标混合在一起。[①]1980年，美国国会通过了《教育部改组法》，联邦教育部得以重建。这标志着联邦政府对高等教育的资助有了强有力的组织机构。联邦教育部由行政部门、领导机构和业务机构组成。在其重建后，逐渐形成了从中央到地方的预算、拨款、检查和监督一体化的高等教育资助系统。

但正如上文所提到的一样，美国宪法并没有赋予联邦政府直接参与高等教育治理的权力，美国联邦政府对高等教育的资助主要通过立法拨款的形式进行，且大部分立法直接规定了资助的金额、种类和形式，因此，具有很强的可操作性。[②]如1965年，美国联邦政府颁布的《高等教育法》规定，国会每年拨款6. 5亿美元补助落后的高校及学生，[③]同时，为改善图书设施和本科生教学提供财政资助7 000万美元。[④]作为美国历史上第一部高等教育法，《高等教育法》通过扩大联邦政府在高等教育财政领域的职能范围，使联邦政府介入美国高等教育的发展。此外，为了能够有效地促进高等教育发展，实现教育目标，联邦政府不断完善学生贷款和助学金制度，以更好地服务学生。

美国联邦政府的财政资助促进了美国大学的发展，且随着联邦政府对大学的资助，美国的研究生教育也得到了一定的发展。但联邦政府的财政资助

---

① 杨晓波．美国联邦政府的高等教育政策［J］. 外国教育研究，2003（10）：31-36.

② 黄建伟，喻洁．美国联邦政府高等教育的治理机构及其组织设计［J］. 大学教育科学，2017（5）.

③ Answers. com. Higher Education Act of 1965 ［EB/OL］.［2009-05-11］. http://www. answers. com/topic/higher-education-act-of-1965.

④ 张维平，马立武．美国教育法研究［M］. 北京：中国法制出版社，2004：140，317，142，143.

也为美国大学的发展带来了不利的影响，其中最为直接的表现就是美国大学的学术自由受到了限制，大学的学科发展出现了不平衡的现象。

二、州政府协调指导高等教育治理

在高等教育走向卓越的过程中，美国州政府在高等教育治理中扮演着至关重要的角色。由于各州的历史传统、文化背景、经济社会发展模式以及政治体制等方面的差异，美国各州的高等教育治理体系也各具特色，呈现出百花齐放之势。此外，美国联邦宪法规定，教育是州政府的事情，《教育部法》第103款禁止联邦政府“对任何课程、教育计划、行政或任何教育机构的人力资源进行指导、监督和控制”。①因此，即便是在同一个州，其治理方式也存在差异。这充分体现了美国各州高等教育治理模式的灵活性和多样性。

高等教育内外部环境的差异使美国州级高等教育治理各具特色，但并没有一种“一刀切”的高等教育“善治”模式。②在不同的发展时期和不同的社会环境中，为了满足特定的社会需要，各州高等教育治理体系的整体设计也会有所不同，州政府的权力角色和治理结构也随之发生变化。

（一）联邦制下的多元治理模式

美国是联邦制的国家，由50个州和1个直属特区组成。在特定的历史文化背景以及经济发展模式下，各州政府在高等教育治理体系中所扮演的角色有所不同，形成了多种多样的高等教育治理模式。

根据美国州政府的高等教育管理机制，弗兰克·博文（Frank Bowen）和凯西·布拉科（Kathy Bracco）等在其研究报告《州级高等教育的治理架构》中将各州归为四种类型③，即联邦型管理系统、统一型管理系统、同盟型管理系统和同盟型院校（如表4-2所示）。

---

① 余承海，程晋宽．美国州政府的高等教育治理模式［J］．现代教育管理，2016（7）：18-22.

② Constructing Power in Higher Education Governance Structures：An Analysis of Representation and Roles in Governing Bodies［J］. European Journal of Higher Education，2012（4）：370-388.

③ Frank M. Bowen，et al. State Structures for the Governance of Higher Education：A Comparative Study［R］. San Jose：The California Higher Education Policy Center，1997：1-7.

表 4-2　弗兰克·博文等人的州政府高等教育治理模式分类 [1]

系统类型	代表州	基本特征
联邦型管理系统	伊利诺伊州、得克萨斯州	州级管理机构既非政府部门，亦非高等教育所属，而是两者之中介，无直接管辖权。院校（系统）拥有自身的独立董事会
统一型管理系统	佐治亚州	州设有统一的管理机构，负责管辖州内所有授予学位的院校
同盟型管理系统	加利福尼亚州、佛罗里达州	州设有规划或协调机制，依法拥有信息管理、预算审核、规定制定等咨询和顾问权限，但院校管理权仍归属于院校（系统）的董事会
同盟型院校	密歇根州	院校管理权由院校（系统）董事会行使，缺乏州级协调机构

此外，理查森等人对美国州政府的高等教育治理模式进行了如下分类[2]：分割式、统一式和联邦式（如表4-3所示）。在分割式中，州政府扮演资金提供者和管理协调者的角色；统一式中，州政府扮演资源提供者的角色；联邦式在某些方面类似于统一式，注重统一与合作，州政府在其中扮演调节者的角色。

① 余承海，程晋宽．美国州政府的高等教育治理模式［J］. 现代教育管理，2016（7）.

② Richard C. Richardson，Kathy Reeves Bracco，Pat Rick M. Callan，et al. Designing State Higher Education Systems for a New Century［M］. Phoenix： Oryx Press，1999：184.

表 4-3　理查森等人的州政府高等教育治理模式分类

类型	代表州	基本特征
分割式	加利福尼亚州	多个州级治理董事会并存，负责不同类型高校的治理
统一式	佐治亚州	仅设置一个州级高等教育治理董事会，负责全州高等教育事务，代表高校与州政府进行交涉
联邦式	得克萨斯州	仅有一个州级协调董事会，负责全州高等教育信息的收集和传递、预算咨询、高等教育规划、学生转学等事务

上述几种分类虽然存在差异，但从其本质来看，美国州政府的高等教育治理模式以统一管理或局部管理为主。其中，统一管理模式指由单一的州级治理董事会协调统筹州内所有高等院校的发展，董事会对其决策及运行机制直接负责；局部管理模式指由多个治理董事会管理各高等院校，其职责包括制订计划、预算以及新项目等。因为政策环境、经济发展、人口构成等因素的不同，美国各州根据自身的治理环境而选择适合自己的治理模式。因此，各州政府在高等教育治理中所发挥的作用各不相同，扮演的角色也有所差异。

（二）州政府的角色与功能

在美国高等教育治理过程中，由于利益诉求的变化，州政府所扮演的角色也处于不断地变化之中。在过去的几十年间，美国各州政府在高等教育治理中所扮演的角色一直是学者们研究和讨论的主题。

理查森等人将州政府描绘为资源提供者、规制者、消费者的支持者和掌舵者等四种角色。[①]（如图4-6所示）州政府作为资源提供者，为高等教育发展提供资源与资助；作为规制者，需要运用行政手段来消除影响大学有效

① 吴越．美国州级高等教育治理的权力结构演变与政府角色定位［J］．高等教育研究，2017（4）．

运行的不利因素；作为消费者的支持者，则需要站在保护消费者的立场上参与高等教育治理；作为掌舵者，意味着州政府应把握政策和方向，对大学事务进行宏观调控。根据理查森等人的观点，在低学费、低资助的高等教育政策环境下，州政府必然忽略市场的作用而对州级高等教育系统进行统一规划，进而扮演资源提供者与规制者的角色；而在高学费、高资助的高等教育政策环境下，州政府必须考虑到学生的市场选择对高校行为产生的影响，进而扮演消费者的支持者与掌舵者的角色。

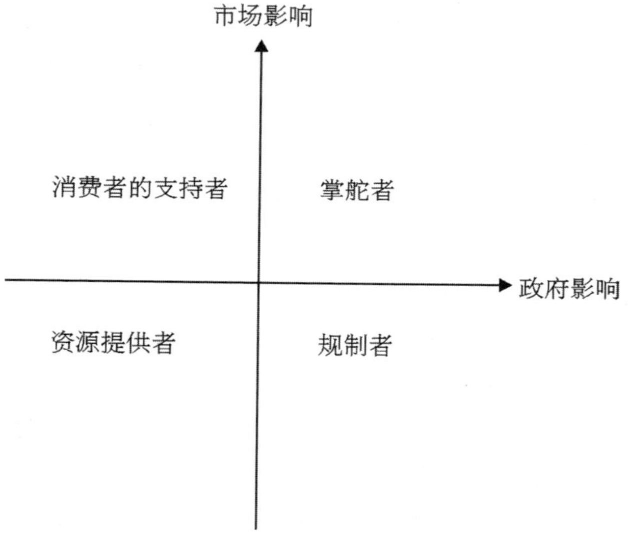

图 4-6　理查森等人的州政府角色象限图

因此，每个州政府在教育治理过程中并非固定地扮演某一种角色，其角色必定与一定的高等教育发展需求相关联。此外，美国各州的高等教育治理组织没有整齐划一的职能。从其共同点来看，大致有以下几个方面：①直接管理和审批学校、学科以及对外办学等；②确立经费分配方案和本州高校发展规划；③进行项目管理；④收集、整理和提供高等教育信息；⑤协调处理本州高校之间以及高校与社会各方面的关系。①

三、市场机制介入高等教育治理

14世纪的文艺复兴运动，16世纪的宗教改革，以及17世纪、18世纪的工业革命，使大学与社会的关系日益紧密。在此背景下，大学世俗化成为无法抵挡的趋势，大学逐渐被卷入社会事务之中。20世纪后，特别是二战以来，世界各国高等教育蓬勃发展。大学作为知识的生产者、批发商和零售商，不仅介入社会生活，而且其边界已经扩展到整个社会。②20世纪60年代以来，高等教育的大众化，为市场参与高等教育治理提供了机会。市场机制介入高等教育治理中的一个关键作用是可以保证各参与主体能够真实地反映自身的利益需求，并进行利益协调。市场介入高等教育治理促进了高等教育体系中竞争机制的形成，有利于高等教育的良性发展。

（一）伯顿·克拉克的"三角协调模式"

20世纪80年代后，世界各国的高等教育治理经历了程度不一的市场化。政府逐渐放宽了对高等教育的管制，将市场逻辑引入高等教育，通过竞争与价格机制引导高等教育机构回应市场的需求，以增强弹性、提升效能。美国教育家伯顿·克拉克（Berton Clark）认为，当今世界各国政府对高等教育的支持不同，因而其高等教育治理的模式也各不相同，而美国的高等教育治理更偏向市场导向。伯顿·克拉克运用社会分工理论和政治学方法对高等教育系统的运行规律和动力学机制进行了研究，为高等教育基础理论研究作出了重要贡献。依据政府、市场和大学的关系，在《高等教育系统——学术组织的跨国研究》一书中，伯顿·克拉克提出了高等教育的"三角协调模式"。③如图4-7所示：

① 符华兴，王建武．世界主要国家高等教育发展研究［M］．长沙：湖南人民出版社，2010：61-63.

② Clark Kerr. 大学的功用［M］．陈学飞，等，译．南昌：江西教育出版社，1993：80.

③ 王宾齐．关于政府、大学和社会三角关系的定量研究假设——对伯顿·克拉克"三角协调模式"的物理学解析［J］．黑龙江高教研究，2011（5）：13-16.

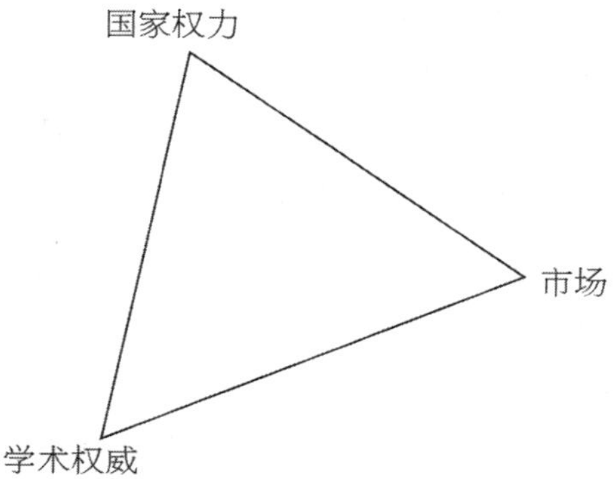

图 4-7　伯顿·克拉克的高等教育系统“三角协调模式”示意图[①]

在他看来，理想的模型应是政府权力、学术权威和市场三者既相互排斥，又互相牵制。[②]在这个“三角关系”中，政府可以采取制定法律法规、实施财政拨款等方式，影响或介入高等教育体系的运转；来自高校的教授、学者则代表着学术权威，通过发挥自身承载的知识和专业性参与教育治理事务，促进教育事业的发展与变革；最后，市场反映了教育消费者——学生的要求和意愿，体现了高等教育服务对象的要求。

伯顿·克拉克的“三角协调模式”符合美国分权式的治理理念，政府、市场和大学所构成的协调三角有助于大学外部治理结构的稳定。与有些国家不同的是，美国高等教育机构主要面向社会或市场，而不是政府，这与伯顿·克拉克“三角协调模式”基本一致。因此，美国高等教育治理体制与有些国家高等教育的政府体制之间存在着显著的差异。高等教育市场化中有多个市场，可以将其划定为教育市场、研究市场和资本市场。这些市场相互渗透、相互作用，并且市场的变化都影响高校的发展方向。高校受到政府、市场和大学三方面的压力，不得不去直面市场中的竞争机制。

---

① 徐辉，袁潇．美国高等教育“问责制三角形”研究［J］．西南大学学报，2015（2）．
② 彭湃．大学、政府与市场：高等教育三角关系模式探析——一个历史与比较的视角［J］．高等教育研究，2006（9）：100-105．

（二）竞争机制保证决策科学

竞争在美国高等教育中无处不在，这在很大程度上改变着高等教育的组织结构和治理机制。在高等教育市场化进程中，学生是消费者，直接决定着高校在激烈竞争中的生存状态，且学费和随之而来的政府补助也是很多高校一笔不菲的财政收入，所以高校在争夺生源上可谓不遗余力。几乎所有的高校都使用企业的营销手段吸引学生，以期在买方市场中能有立足之地。高校在选拔学生时也使用公司化的考试方式，遵循市场化的运作逻辑，按照市场导向下的人才供需要求进行选拔，从而实现社会效益和经济效益的最大化。

美国高等教育市场化促使高等教育治理引入竞争机制，健全高等教育的产权制度，并形成高等教育科层管理制，以实现决策的分权化和科学化。[①]在市场化进程中，充分利用市场的条件，解除上层的控制和束缚，赋予高校一定的自主权，解放高校内在的潜力，提高团队工作的灵活性，进而提高高等教育治理能力。高校离外在的控制越远，其拥有的自主权越大。也即科层制的调控越少，其组织效率就越高。美国高等教育市场化改革使高校更多地进入市场，摆脱束缚，从而拥有更多的自主权，这在很大程度上鼓励了那些有治理能力的经营者。

四、第三方组织机构广泛参与

19世纪法国学者阿莱克斯·列·托克维尔（Alex De Tocqueville）曾指出："各种不同年龄、不同条件、不同性格的美国人都在不断地组成各种协会组织。"[②]随着时间的推移，美国成为拥有大量协会组织的国家，且类型多样，存在于各行各业中。同样，美国高等教育中也存在很多协会组织，如美国大学联合会、美国社区学院协会等。不同于联邦政府与州政府在高等教育治理中具有宪法赋予的权力且拥有自身明确的目标，美国高等教育协会组织并不具备强劲的力量，但是却能够触及美国高等教育治理的各个方面，以一种独特的力量影响着美国高等教育治理。

① 袁利平．美国高等教育外部治理结构分析［J］．现代大学教育，2017（3）．
② 熊耕．美国高等教育协会组织研究［M］．北京：知识产权出版社，2010：1．

（一）协会组织的基本构成和运行模式

协会组织是美国高等教育发展到一定阶段的产物。从社会进化的角度看，它是美国高等教育这个社会的子系统从无序化状态过渡到有序化状态的一个标志。[①]同样，美国高等教育协会组织实质上是在高等教育内部的力量，以及外部的市场和政府力量的影响下产生的。

1. 协会组织的治理主体

虽然美国的高等教育协会为非营利性的组织，但是由于长期以来受到企业、公司等以营利为目的产业的影响，美国高等教育协会组织形成了具有现代组织特征的组织结构，其组织结构主要包括董事会、委员会和官员等。

董事会是美国高等教育协会组织中的主要权力机构。各个协会组织之间存在差异。首先，各个协会组织董事会的成员数量不等。其次，董事会成员的产生方式也多种多样，除了直接选举外，还包括推选和协会组织行政领导担任等。董事会享有协会组织中许多基本事务的决策权。其权力一般包括：修订章程；改动、增补以及取消细则；组建执行委员会以及负责各项任务的常设和召开临时特别委员会；决定职员的聘用和解雇；通过投票的形式决定给予董事、高级职员合理的报酬；决定协会建立区域或州级组织；决定协会的合并、解散以及投资、借贷等财政事务；决定协会成员的会员费、年度大会以及公开出版物等事宜。[②]

委员会是为了完成某一特定任务而专门设立的组织。美国高等教育协会中存在诸多的委员会，如执行委员会、提名委员会、常设委员会和临时委员会等。董事会对这些委员会的组建和取消具有决定权。一般来说，执行委员会是专门负责协会中日常事务的机构，当协会中没有董事会时，执行委员会就会负责协会的一切事务。

协会组织中的官员一般是指主席、副主席、秘书长、财务主任及各个委员会的负责人等。这些人员一般是由协会会员推举，或者由董事会聘用。主席是协会组织的领导者，负责处理协会中的事务，并代表协会组织发表公开声明或信件表达协会组织的意见和立场。

---

①② 熊耕．美国高等教育协会组织研究［M］．北京：知识产权出版社，2010：32、73．

虽然美国高等教育协会组织在组织结构上存在一定差异，但是其功能大同小异，都代表了会员的利益，为高等教育治理增添了浓墨重彩的一笔。

2. 协会组织的运行模式

美国高等教育协会组织历史悠久，在美国独特的政治、经济和文化等社会环境的影响下，形成了颇具美国特色的运行模式。目前，协会组织运行模式主要有以下几类：

（1）典型模式

典型模式是指董事会作为唯一的决策主体，为最高的权力机构，拥有最后的决策权，委员会作为活动的实施机构，负责具体活动的实施。

（2）完全模式

完全模式是在董事会、委员会以及行政人员等的基本构成上增加了议事会。在这种模式中，董事会同样是最高管理和决策机构，但与其他协会不同的是，有关重大事务的处理和重大政策的形成过程不仅有专门委员会参与，还有议事会的参与。委员会和议事会分别对有关事务进行商讨，并向董事会提供咨询和政策建议，最后由董事会正式决策。议事会和委员会实际上都是重要事务处理和重大政策形成的关键机构。

（3）精简模式

在高等教育协会组织中，有些协会规模较小，基于这一特点以及协会的发展传统等原因，这些协会通常采用十分精简的运作模式。这一模式的特点是仅有执行委员会来负责协会的日常管理。执行委员会是协会的决策兼管理机构，主要负责提供建议以供会员考虑，审核协会的财政预算以及配合协会主席完成协会的其他活动等。精简模式涉及的部门、人员等都很少，因而反应迅速，这是其他两种模式所不能比的。

（二）基于合作理念的多层面参与

由于独特的环境和机制，美国高等教育中存在各种性质不同、形式各异的治理主体，且各种治理主体间相互牵制、共同合作，以达到互利互惠的目的。在美国高等教育治理中，作为非政府的治理主体，协会组织在治理机制中扮演着不可或缺的角色。

1. 影响政府决策、协助政府控制高等教育

虽然联邦政府参与高等教育治理面临着诸多法律限制，但是近年来联邦政府渐渐开始以财政拨款和制定政策法规的方式，逐步渗透到高等教育系统之中，并成为了高等教育治理不可或缺的一环。对高校自身来说，虽然联邦政府的干预带来了有力的资金投入和政策保护，但也面临着自主权受到削弱的问题。因此，高校为了维护自身利益，普遍通过协会组织发声，增强自身在制定高等教育政策法规等方面的影响力。

自诞生之日起，一大批协会组织为美国制定高等教育政策贡献了重要的力量，有效地促进了高等教育系统的变革与发展。美国学者金（King）将这些高等教育协会分为三类：一是核心协会，指对美国高等教育政策产生重要影响，可以代表其他专业或地方协会的利益，在政府与会员之间起传递呼声、表达立场的协会，这些协会组织往往以“代言人”的身份影响美国国家高等教育政策的制定；二是专业或卫星协会，由从事某一专业教育的学院或从事同一高等教育职业活动的人员组成。这类协会为数众多，它们主要关注与自身特殊利益相关的政策活动。这类专业协会往往围绕大型协会来运作，所以被称为“卫星协会”；三是地方性的小协会，是指一些地方的单一学院系统的或为私人企业服务的单个高校的协会。此类协会类型繁杂、影响较小。①

协会组织通过多种方式和途径与政府互动，参与政策的制定，成为政策制定过程中一股重要的力量。其中，以七大协会组织为代表，即美国大学联合会、美国教育理事会、全国州立大学和赠地学院协会、美国大学协会、美国州立学院和大学协会、全国独立学院与大学协会、美国社区学院协会。②

美国大学联合会代表研究型大学的利益，关注的是科研和研究生教育方面政策的制定。全国州立大学和赠地学院协会与美国州立学院和大学协会都

---

① 黄敏，杨凤英．第三方治理：美国高等教育协会组织的管理职能[J]. 河北师范大学学报：教育科学版，2014（3）：76-81.

② 杨凤英，袁刚．美国高校影响政府决策的途径和方式——从高等教育协会组织活动管窥[J]. 比较教育研究，2010（3）：50-54.

致力于公立高等教育的发展，关注财政预算、学生资助的问题。但前者还密切注意有关农业和农业教育的立法，而后者则对教师教育、大学自治等相关问题较为关心。美国社区学院协会认为社区学院是美国劳动力大军的首要培养者，它关注的是学生入学、学习结果评价、学术职业标准等高等教育的问责以及政府的学生资助政策等问题。全国独立学院与大学协会是私立的非营利大学组织，其成员主要是传统的文理学院和与宗教有关的大学以及历史上的黑人大学、女子学院等，它关注的焦点是学生资助问题、税收政策问题以及对于私立、独立大学的适度规范问题。美国教育理事会代表整个高等教育界，在高等教育法修订等诸多一般性问题上都能听到它的声音。

协会组织以间接的方式参与高等教育政策的制定，但其在政策制定过程中所发挥的作用不容小觑。各协会组织相互合作，既可以推动政策的发布，又可以组织政策的出台，有时可能还会改变政府机构原有的意图。

2. 促使区域资源共享

在地方分权的教育治理体系之下，美国高等教育治理看似处于“碎片化”的管理之下，实质上跨州的区域性合作广泛存在。这得益于美国非政府高等教育协作组织的建立。借助这些高等教育协作组织，美国各州的高等教育资源得以整合，区域资源得以共享。

这些协作组织的主要目的是希望通过跨州的协作，为该组织所在区域的民众提供更多的高等教育机会。各组织实现上述目标的主要途径有区域内学生互换、网络共享课程等。

3. 参与高校决策，协同监管

从高等教育质量保障方面来说，美国有其独特的高等教育质量认证机制。具体来说，就是由非政府的第三方协会组织来负责高校的质量评估工作。按照美国高等教育认证委员会2013年2月份公布的名单，此类评估认证组织分为3类：一是地区性认证组织，共6个，负责一定区域内高等教育机构和院校的整体认证，所认证的高校98%是具有学位授予权且为非营利的高校；二是全国性认证组织，共6个，负责在全国范围内对高校的认证，但所认证的高校80%是营利性的，大多没有学位授予权，单科性高校较多；三是专业性认证组织，共49个，对高校中的特定专业或学院进行认证。①

此外，协会组织还参与高校的决策，以发挥其协同监管的作用。在这些组织中，校友会的影响力最为明显。哈佛大学前校长艾利奥特（Eliot）曾形容："如果校长和学院董事会在决策中太激进或者有太多实验性分析时，校友会就如同一个刹车装置；但如果他们太过保守而毫无活力，校友会也会对其提供一些必要的刺激。"②

总而言之，非政府高等教育协会组织参与高等教育治理，不仅打破了政府对教育事业的垄断，还有效地减少"政府失灵"和"市场失灵"的现象。协会组织作为非官方部门，长期以来为美国高等教育的积极发展作出了卓越的贡献，是高等教育治理过程中不可忽视的参与力量，与政府力量、市场力量一起共同推动美国高等教育系统走向完善。

五、基于共治原则的高校自治

就高等教育内部而言，美国的高等教育治理结构即美国高等院校的治理结构。美国独立以后，所有学院原有的法人属性及其治理结构得到明晰的法律确认，并在随后的公立大学运动中得到进一步拓展。19世纪60年代以后，美国效仿德国创立研究性大学，自此大学校长逐渐在大学治理中占据主导地位。此外，随着教授数量的增多以及质量的提升，教授也开始在大学治理中占据一席之地。20世纪60年代，美国确立了大学董事会、校长和教授共同治理的格局，并在发展中不断完善。美国大学治理结构蕴含诸多价值取向，可对我国大学治理结构的建构提供一定借鉴。

（一）校外人士主导的董事会

在美国，无论是在公立高校还是私立高校，其合法的法人组织都是学校内部的董事会，董事长是法人代表。一般而言，董事会代表的是公众的利益，其成员大多是由来自校外的社会各界人士组成。因此，美国的大学董事

① 黄敏，杨凤英．第三方治理：美国高等教育协会组织的管理职能［J］．河北师范大学学报：教育科学版，2014（3）：76-81.

② Harvard University. The Charter of the President and Fellows of Harvard College［M］. Cambridge Mass：Harvard University Press，1976：36.

会是由校外人士主导的治理机制。

1. 大学董事会的运行方式

（1）成员构成

成员的组成对一个组织来说至关重要。美国大学董事会的成员组成多种多样，对董事会职责的发挥和绩效的高低有着重要影响。美国大学董事会制度与公司的董事会制度不同，他们代表的是社会的公共利益，其主要成员包括政府官员、企业首脑、社会名流和校友，这些人所具备的条件是对高等教育感兴趣，并具有较高的社会地位和威望。此外，还包括小部分的教职人员以及大学生代表。[①]

美国大学董事会通常设立董事会主席、副主席、秘书和司库[②]四个职位。主席是董事会的象征，代表董事会面向公众；副主席通常是在主席没有出席会议或者因利益冲突回避，以及去世、辞职或者免职时主持董事会议、履行主席的职责；秘书和司库一般由大学内部的行政人员来充任。在一般情况下，当董事会成员任期满后，新一届的董事会成员由现任董事会成员根据《法人法》选举产生，或者由校友选举产生。而且，由现任董事会成员选举产生的新成员通常具有终身任职的权利。

（2）常设委员会监督

在美国，董事会通常通过建立常设委员会监督学校运作的各个方面，也有一些规模较小的大学董事会以整体的形式行使其职能。董事会根据特定的需要确定委员会的数量和类型。美国大学与学院董事会协会在其解释性章程中曾列举美国大学董事会通常下设的十大委员会，即执行委员会、提名委员会、教育事务委员会、教师事务委员会、学生事务委员会、财政委员会、审计委员会、发展委员会、投资委员会、建筑与场地委员会。[③]在上述委员会中，最为核心的是执行委员会。执行委员会的主席通常由董事会主席兼任。

---

① 潘燕．美国高校董事会制度及其启示［J］．教育科学，2004（2）．

② 司库，原指存放或支付汇集资金的地方。现指在集团或机构内负责资金管理职能的称号，一般理解为资金管理、财资管理。

③ 欧阳光华．董事、校长与教授——美国大学治理结构研究［M］．北京：高等教育出版社，2011：137．

一方面，执行委员会通过建议董事会议的日程和评估各委员会工作的质量来促进董事会的有效运作；另一方面，在董事会休会期间，执行委员会代表董事会的意愿协助校长处理一些事务。[①]

（3）董事会会议决策

董事会作为一种会议机关，其职权的行使需要通过会议来实现，通过会议对大学的重大问题进行表决。大学董事会章程一般对董事会会议及其次级委员会会议的召开时间、程序、会议记录等都作了明确规定。据美国大学与学院董事会协会2004年的统计，公立高校董事会通常每年召开10次会议，而私立高校董事会平均每年召开4次会议，有的私立高校甚至每年仅开会1-2次。[②]会议中所探讨的议题由校长或者各委员会提交，由董事会集体进行决策。董事会虽然是由诸多个体所构成的，但是其权力并未被分割成单个的权力，正如伯顿·克拉克所说："作为个人，董事没有任何法律地位。"[③]

2. 大学董事会的使命和职责

1966年，美国大学教授协会、美国教育理事会和美国大学董事会协会联合发表了《学院与大学治理的联合声明》（以下简称《联合声明》），该《联合声明》对董事会的职责做了详尽的说明（如表4-4所示），并指出董事会对其决策负有首要责任。

---

① 任扬．民办高校董事会制度的研究——以J学院为例［D］．扬州：扬州大学，2013．

② 欧阳光华．董事、校长与教授——美国大学治理结构研究［M］．北京：高等教育出版社，2011：139．

③ Clark B. The Encyclopedia Of Higher Education［M］. Oxford：Pergamon Press，1992：1497.

表 4-4　1966 年《联合声明》中董事会职责分配表[①]

<table>
<tr><th>决策类型</th><th>职责分配</th></tr>
<tr><td>有关大学使命的决策</td><td rowspan="6">董事会和行政机构对此种决策负有首要责任，但应该和教师代表协商</td></tr>
<tr><td>战略导向和宏观规划</td></tr>
<tr><td>预算和资金分配</td></tr>
<tr><td>关于建立学部、系、学院（学校层次）或大学的项目</td></tr>
<tr><td>财政紧缩政策</td></tr>
<tr><td>选举与评价校长和院长</td></tr>
</table>

此外，1973年，卡耐基高等教育委员会发表《高等教育的管理：六个优先考虑的问题》报告，指出董事会应履行的六项职能：①为了机构的长远利益，掌握和使用“托管权”；②在社会和学校之间扮演“缓冲器”的角色，以抵制外界的干扰，同时又与社会保持合理的联系；③在行政人员、教师和学生的内部冲突中，扮演仲裁人角色；④提供“变革的动力”，决定进行何种变革和何时变革；⑤在学校的经济利益方面，承担基本责任；⑥负责学校的管理。[②]

1982年，美国著名大学董事会研究者约翰·纳森（John Nason）在其出版的著作——《董事会的本质：学院与大学董事会的角色与职责》一书中将董事会的职能概括为十二个方面：①保持信托的完整；②聘任校长；③确保学校良好的管理；④审批预算；⑤筹集资金；⑥管理捐赠；⑦确保足够的物质设施；⑧监控教育项目；⑨批准长远规划；⑩在大学与社区之间扮演桥梁

① 彭国华，雷涯邻．美国大学共同治理规则研究述评——以对《学院与大学治理的联合声明》反思为视角［J］．高教探索，2011（1）．

② Carnegie Commission on Higher Education. Governance of Higher Education：Six Priority Problems［M］. New York：McGraw-Hill，1973.

与缓冲器的角色；⑪保护大学的自治；⑫扮演上诉法院的角色。[1]

综上所述，美国大学董事会的职责主要集中在以下几个方面：

（1）保持信托的完整

信托作为一种财产管理的制度设计，肇始于英国13世纪的“用益”（Use，又译尤斯）制度，而从其渊源来看，可以追溯至罗马法的信托遗赠制度。[2]人们对信托还未形成一个统一的定义，目前普遍被接受的定义是何宝玉在《英国信托法原理与判例》一书中的界定：“信托是一项衡平法义务，约束一个人（称为受托人）为了一些人（称为受益人，受托人可能是其中之一）的利益处理他所控制的财产（称为信托财产），任何一位受益人都可以强制实施这项义务。受托人的任何行为或疏忽未得到设立信托的文件条款或者法律授权或豁免的，均构成违反信托。”[3]

（2）扮演社会和大学之间的“桥梁”和“缓冲器”角色

桥梁与缓冲器是两种截然相反的作用。桥梁主要是促进运转与交流，而缓冲器主要是阻碍运转与交流。[4]在不同情境下，美国大学董事会扮演这两种不同的角色。

美国大学董事会由校外各界的人士组成，因而具有将学校和社会联系起来的桥梁作用。一方面，大学董事会将社会需要以及信息传递到学校中来，为大学决策提供方向；另一方面，将大学的治学理念传递给社会，向社会证明大学的价值所在。

此外，董事会作为受托人，以信托的形式管理学校的财产，因此其首要职责就是要确保受益人利益的最大化。在各种相互冲突的社会利益与学校的短期利益和长期价值之间，董事会必须扮演缓冲器角色，以保证各方的利益都能得到最大化。

---

① Nason J. The Nature of Trusteeship：The Role and Responsibilities of College and University Boards [J]. Association of Governing Boards of Universities & Colleges，1982：52.

②④ 欧阳光华 . 董事、校长与教授——美国大学治理结构研究［M］. 北京：高等教育出版社，2011：19、131.

③ 何宝玉 . 英国信托法原理与判例［M］. 北京：法律出版社，2001：1.

（3）筹措和管理学校资源

学校资源的筹措和管理是董事会的天然职责，主要体现在确保学校收支的平衡，使学校的资源能够满足各项计划的需求。因此，董事会的重要职责之一就是通过游说等形式对政府的财政拨款施加影响，以保证学校的正常运行。[①]

（4）扮演上诉法院的角色

董事会是美国大学的最高权力机构。“除法院和议会外，没有任何团体能对董事会的决策提出合法性的挑战。尽管教师、学生或学生家长可以对董事会的决策提出抗议，并提出一些新的建议，但如果没有法院的支持或者在州议会游说的机会，他们无法对董事会的决策进行任何修改。”[②]由此可以看到，董事会处于法院或者州议会与学校的正当程序之间，因而有时需要扮演上诉法院的角色。

（5）高校内部的监督作用

在美国大学中，董事会一般会把行政事务交给大学校长，因此，董事会对学校运作的监督首先表现在对大学校长的监管上。这种监管可以是正式的，也可以是非正式的，但前提是董事会不干涉校长的具体管理及学校的日常运行。

（二）大学校长为代表的行政系统

美国大学奉行“共同治理”的理念，但一位出色的大学领导对学校的运作依然起着不容忽视的重要作用。大学校长作为董事会的代理人，拥有很大的权力，他可以根据自己的理念治校，是美国大学治理结构的核心。

1. 校长的遴选

大学校长拥有很大的权力，因而校长的遴选对美国大学来说是极为重要的。美国大学校长遴选的主要机构是董事会。20世纪60年代以前，美国大学校长的遴选主要是由高校董事会掌控。然而，在20世纪60年代《学院与大学治理的联合声明》发表后，为了响应声明中共同治理的理念，美国大学

① 郭为禄，林炊利．美国大学董事会的运行模式［J］．全球教育展望，2011（12）：14-19.

② 罗纳德·G．艾伦伯格．美国的大学治理［M］．沈文钦，译．北京：北京大学出版社，2010：3.

董事会开始让大学的教授、学生以及校友等加入到校长的遴选过程中，并逐渐形成了较为成熟的步骤和程序（如图4-8所示），即组建遴选委员会、确立遴选标准、物色候选人、筛选候选人、决定最终人选等。

一般而言，大学校长在离职的前一年会向学校董事会提出申请，董事会将根据大学章程或者大学校长遴选章程任命一个遴选委员会。遴选委员会花费大量的时间确认遴选下一任校长的标准，即大学所需要的校长的标准是怎样的，校长应该具备哪些素质等。通常，候选人不但要符合遴选标准，还需要对大学的文化、传统等有一定了解。遴选委员会会对上述内容进行评估，对候选人进行筛选，进行综合比较后，形成关于校长候选人的最终报告并递交董事会。然而，虽然遴选委员会对候选人进行了大约一年的考察，但是最终的决定权却不在遴选委员会手中，而是属于大学董事会。董事会根据遴选委员会的报告进行讨论，在讨论的基础上决定最终候选人。至此，大学校长的遴选过程结束。

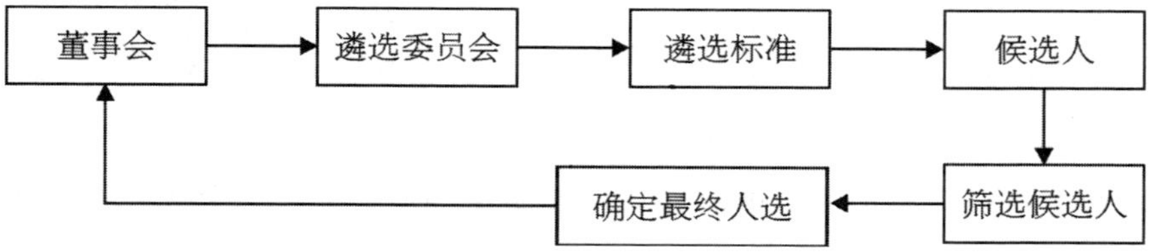

图 4-8　美国大学校长遴选程序图

2. 校长的角色和职责定位

关于美国大学校长的角色定位，克拉克·克尔认为："大学校长是领导者、教育家、创造者、带头人、行使权力者，他也是官员、管理者、继承者、劝说者。但他主要是一个调停者。"[①]大学校长的角色不断变化，在不同的时期、环境下他们会扮演不同的角色，可能是行政者，也可能是政治家或企业家。

① 克拉克·克尔．大学之用［M］．高铦，高戈，汐汐，译．北京：北京大学出版社，2008：21.

（1）行政者

美国大学校长多为董事会的代理人和当然成员（一般指不经选举或批准而产生的成员），其受董事会的委托，对董事会负责。因此，在董事会会议中，大学校长没有表决权，只有执行权，负责执行董事会的行政决策。大学校长作为大学科层组织的首席行政长官，为实现董事会行政决策的目标而存在，协调与控制执行决策的组织机构，确保决策目标的有效达成。

此外，高水平的教师队伍是大学发展的必要条件。大学校长作为首席行政长官，建立一支高水平的教师队伍也是其重要职责之一。事实上，在美国大学的发展历程中，大部分的大学校长都十分注重教师队伍的建设。例如，芝加哥大学校长威廉·哈珀（William Harper）曾凭借石油大亨洛克菲勒所提供的大量财政经费从其他大学吸引科研人才，很大程度上增强了芝加哥大学的综合实力。①

（2）政治家

美国大学与周围的社会有着天然的联系，大学的生存与发展在某种程度上依赖于社会，同时社会也会将其各种不同的利益需求传递给大学。大学不再是单纯的“象牙塔”，而是多种利益相互融合的综合体。因此，大学校长还需要扮演“政治家”的角色，直面众多利益相关者，游走于各种利益团体间。

同时，为了实现特定的政策目标，大学校长必须经常与一些利益相关者结成联盟。因为在政治模式中，权力和影响力既非源于习惯也非源于制度，而是通过协商和谈判获得。②大学校长与其利益相关者结盟的好处在于可以联合多方利益，以获得仅凭自己单独的力量难以获取的权力以及影响力。

（3）企业家

近年来，随着大学规模的不断扩大及其办学成本的提高，经费匮乏成为制约美国大学发展的障碍之一。大学校长逐渐开始以筹资者的形象活跃于各

---

① 欧阳光华．美国大学治理结构中的校长角色分析［J］. 教育研究与实验，2011（3）：68-71.

② 罗伯特·伯恩鲍姆. 大学运行模式：大学组织与领导的控制系统［M］. 别敦荣，译. 青岛：中国海洋大学出版社，2003：124.

利益团体间，因而扮演企业家的角色也成为其职责的重要部分。美国大学的经费筹措竞争十分激烈，因而大学校长不仅需要在筹资政策的确立以及筹资策略等方面发挥领导者的角色，还需要亲自参加筹款行动，利用自身的社会资本为大学筹资。

（三）大学教授为代表的学术评议会

从共同治理的理念出发，美国大学教授在董事会的授权下，取得了学术事务的管理权，同时也对其他非学术性事务施加重要影响。其职责的运作主要是通过学术评议会这一规范性组织来实现。美国学者伯恩鲍姆指出："学术评议会是大学内部正式的具有学术权力的学术管理机构，在有的大学内部，学术评议会是纯粹的学术组织，其成员只包含教授，而有的学术评议会内部不仅包含教师，还包含部分行政人员、学生等，当然教师占很大比例。"[①]学术评议会的主要功能是通过发挥学术权力维护大学的学术发展。

学术评议会是美国大学教师的主要权力机构，管理学术事务是其主要职责。学术评议会所负责的学术事务可以分为以下几类：制订学院的课程计划；制定学生录取与学位标准；管理教学设施；制定人事政策；进行学术规划等。[②]根据自身所担负的职责，学术评议会通常会通过各种常设委员会和特别委员会在美国高校的诸多领域发挥其建议、审议和立法的职能。

加利福尼亚州是美国最为发达的州之一，拥有全美最完整、庞大、高水平的高等教育体系。加州大学是一所拥有伯克利、洛杉矶、旧金山等10个分校的公立大学系统，被誉为公立高等教育的典范。加州大学学术评议会是在共同治理理念的基础之上发展起来的，并且在多年的发展历程中形成了完备的组织制度和章程。

---

① Birnbaum R. The Latent Organizational Functions of the Academic Senate：Why Senates Don't Work but Won't Go Away [J]. Journal of Higher Education，1989（4）：423-443.

② 别敦荣．中美大学学术管理［M］．武汉：华中理工大学出版社，2000：79-124.

加州大学学术评议会的组织架构如图4–9所示[①]，分为总校、分校和学院三个层级，每一层级都有自己相应的层次结构。

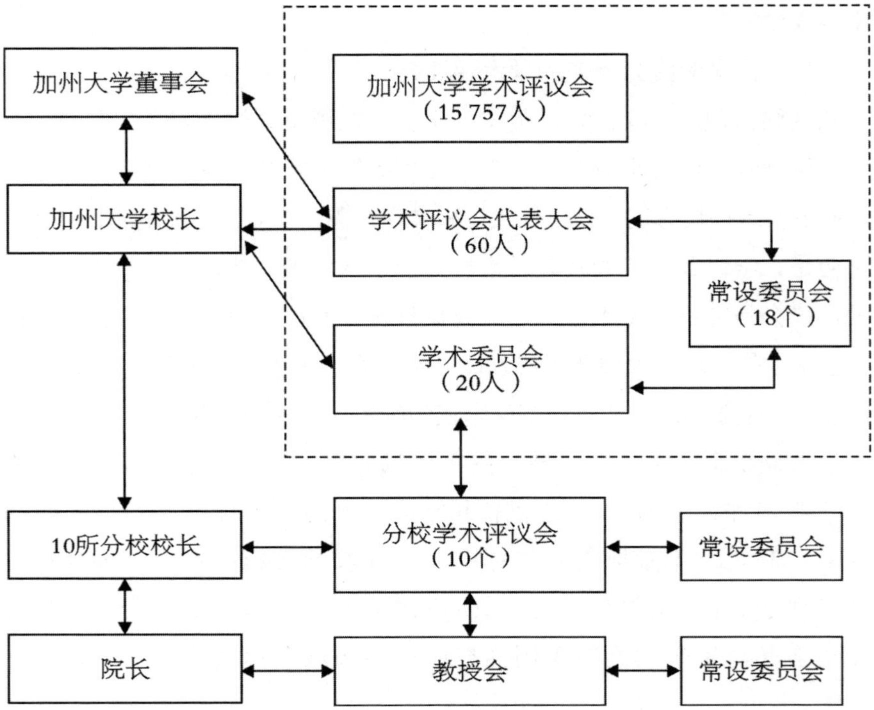

图4–9　加州大学学术评议会组织架构图

就总校而言，学术评议会代表大会是学术评议会的立法或决策机构；学术委员会是评议会代表大会的执行委员会，即立法或决策机构的执行机构；常设委员会是学术评议会的咨询机构。就分校学术评议会而言，加州大学拥有10个分校学术评议会。总校学术评议会的成员由各分校学术评议会的成员组合而成，各学术评议会可以有自己的规章制度，监管各自的常设委员会。

① 张松，刘志民．美国加州大学学术评议会的发展历程、组织构架与运行特点［J］．高教探索，2015（11）：53–58.

此外，就学院而言，教授会拥有加州大学学院的管理权。教授会通过建立自己的规章制度、遴选管理人员来管理学术事务，同时向分校学术评议会和学院院长负责。

（四）学生团体为代表的监督机制

近年来，学生参与高等教育治理成为世界高等教育发展的趋势。联合国教科文组织在《21世纪的高等教育：展望和行动世界宣言》中指出：国家以及大学的决策者应把学生及其需要作为关注的重点，并认同其为高等教育改革的主要参与者和负责人；要让学生参与高等教育问题的讨论与评估，参与高校课程和教学法的改革，并在现行体制范围内参与相关政策的制定以及校内治理工作；学生有成立学生自治组织的权利，校方应保证学生对学生事务工作的参与。[①]学生参与理论的创始人奥斯丁认为："参与对学生个体发展的影响是广泛的，不局限于对学生学习方面产生积极影响，同时，参与学校治理还能促进学生更好地学习。"[②]

在长期的发展中，美国学生团体参与教育治理已经形成了相对完善的体系。1967年，美国大学教授协会发布了一个关于学生自由和权利的文件，其中认为大学是一个学术机构，学生作为这个机构中的一分子，理应对学校的事务发表自己的看法。学生参与大学治理的路径主要有组织参与和个人参与两种（如图4-10所示）。其中，组织参与即为学生组织参与，包括全国性的学生组织和各个高校内部的学生组织。全国性的学生组织代表全国学生发声，帮助学生维护其自身的利益，如1947年成立的美国第一个全国性的学生组织——全美学生协会。此外，在美国的高校中，几乎每所高校都有自己的学生组织，这些组织通过选取学生代表，共同享有参与学校治理的权利，对学校治理产生了一定影响。例如，威廉・玛丽学院的学生会代表全院所有的本科生和研究生，控制着超过50万美元的学生活动基金，充足的经费使他们

---

① 赵中建. 全球教育发展的研究热点——90年代来自联合国教科文组织的报告［M］. 北京：教育科学出版社，2003：410-411.

② Austin A. Student Involvement：A Developmental Theory for Higher Education［J］. Journal of College Student Personnel，1984（4）：297-308.

不依赖于校方的资助，因而更好地为学生服务，代表学生发声。[1]这些学生组织为学生参与大学治理提供了平台，代表学生发声，更好地维护了学生的利益。

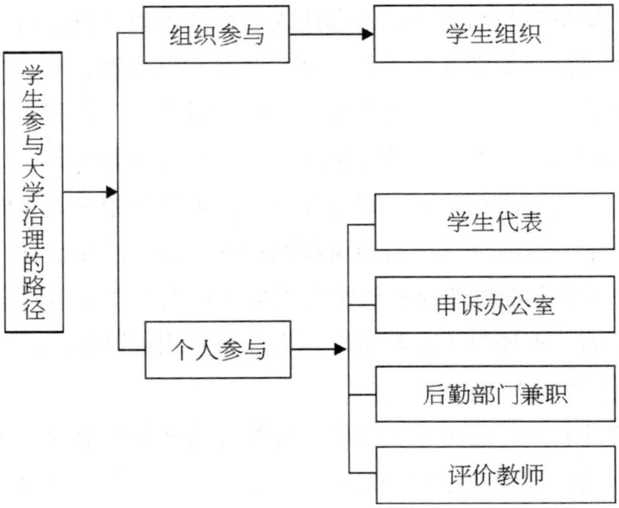

图 4-10　美国大学学生参与大学治理的路径图

此外，个人参与也是学生参与大学治理的重要途径，主要有以下四种形式：①以学生代表的形式加入到学生治理的各委员会中，通过担任学生委员参与大学治理；②可以通过申诉办公室向学校提出意见和建议，从而参与大学治理；③学生参与学校的后勤管理，即在后勤部门兼职，对学校后勤的服务质量做出评价，实现参与学校后勤管理的目的；④学生通过评价教师参与学校治理，有效发挥其在教学管理中的作用。

综上所述，美国学生参与大学治理的途径多样化，且具有合法性依据。学生有效地发挥了自身作用，不仅使大学治理取得了一定成效，也在一定程度上促进了自身能力的发展。

① 李楠．美国大学治理中的学生参与研究［D］．徐州：江苏师范大学，2017：47.

第三节　教师教育治理现状

全球化与信息化的社会背景下，教育需要回应随之而来的新的人才需求，培养新型人才。教师是教育改革的基础，而教师教育作为培养教师的教育活动，在新的背景下，必然也会产生一系列的变革。联合国教科文组织在2000年的《达喀尔行动框架》中专门提出“加强和提高教师的社会地位、道德规范和职业特性”的战略目标。随后又在2015年的《教育2030行动框架》中提出了“确保全纳、公平、有质量的教育，增进全民终身学习机会”的行动目标。教师教育作为实现上述目标的基础，在世界范围内发生了一系列变革，各国都将其作为提升综合国力的重要途径。

教师教育治理，是指将“治理”和“教育治理”应用于教师教育领域。教师教育治理是深化教师教育改革，提升教师教育质量的重要途径，是教育治理现代化的重要组成部分。当前，教师教育在教育甚至是社会经济发展中所起的作用日益凸显，关于教师教育的研究也逐渐增多，教师教育治理成为热点问题。①美国在教师教育治理领域起步较早，其教师教育治理经历了从无到有，从低到高的发展过程，对其教师教育治理现状的把握，将有助于我们更加深入地了解美国经验，对我国教师教育治理所面临现实困境的突破带来一定的启示与借鉴。

一、多元主体通力合作的宏观治理结构

教师教育治理是美国教育宏观治理下的一个重要环节，是改善教育质量、提高学生学业成绩的重要手段。随着社会经济的快速发展和人民生活水平的不断提高，社会公众对高质量教育的需求成为当前教育领域亟须解决的问题，如何提高教师培养质量成为各国重点思考的问题。民主、平等是美国追寻的教育目标和理想，美国教师教育治理也遵循这一目标。美国教师教育治理的主体政府、市场（社会）以及教师教育机构三者各司其职、通力合

---

① 陈蕊，刘晖．近十年来美国教师教育研究热点述评——以美国《教师教育杂志》为例［J］．教师教育研究，2009（3）：71.

作，形成了一种宏观治理结构。（如图4-11所示）三者在教师教育治理中协作，充分调动各主体的积极性和自主性，从而形成了多元合作、民主制衡的教师教育治理结构。其中，政府扮演着指导者的角色，其教师教育治理手段主要体现在立法与拨款支持；市场作为调控者与监督者，将市场机制引入教师教育治理领域可以提高教师教育的质量及资源配置的效率；教师教育机构作为教师教育的生产者和直接执行者，具备自主办学的空间，通过灵活调整人才培养策略为国家培养教育人才。

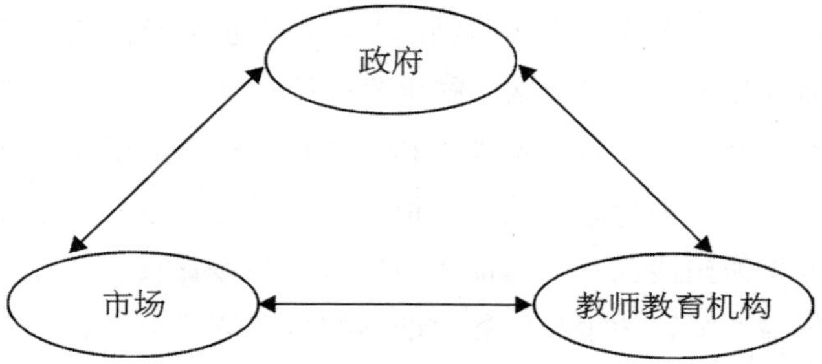

图4-11　美国教师教育宏观治理结构图

（一）以立法与拨款为手段的政府调控

自21世纪以来，教育质量低下问题一直困扰着美国教育界，如何提高教育质量成为其教育治理一直以来所关注的核心与焦点。教育质量取决于教师的质量，教师的质量取决于教师教育的质量，基于此，美国政府将目光锁定在教师教育治理领域，认为完善的教师教育治理体系对提高教师教育质量影响很大。因此，美国政府通过立法和拨款对教师教育进行治理。

1. 立法提供政策保障

二战以后，美国意识到了教育在国家发展中的重要作用，并逐渐开始关注教师教育。但是，联邦宪法中并未对与教师教育相关的事务作出规定，因而教师教育要想取得实质性的进展，政府必须进行立法以促进其实施。20世纪50年代《国防教育法》的颁布奠定了联邦政府干预教师教育的基础。进入21世纪以来，联邦政府在促进教师教育发展中的影响越来越大，角色日益鲜明。以《不让一个孩子掉队法案》的颁布为依据，政府已经全面介入教师教育治理，并利用行政资源，加大法律保障和资金投入，充分发挥政府的作用。

美国政府将教师质量视为提高教育质量的合理路径。联邦政府主要通过修订和颁布法案在教师教育治理中发挥作用，以《高等教育法》等法案及其修订案为主线，在此基础上颁布实施了各种其他法案以保障教师教育改革的有效进行。经过半个多世纪的发展，当前美国法案中关于教师教育的内容得到了极大完善，从零散的内容过渡到了系统的阐述；以目标为导向，相关法律具备一致性和连贯性。由于法律自身的约束性和强制性，从某种意义上而言有助于促进教师教育改革。但需要注意的是，法案的颁布和修订仅仅是一种手段，其实质在于以教师教育的发展为媒介，最终提高教育的质量。

在经济全球化和世界经济一体化的影响下，一流教师对国家发展的重要性已经不言而喻。美国政府在教师教育立法与法案修订的过程中，一直以“教师质量至关重要”为基本理念。2011年，美国联邦教育部发布了《我们的未来，我们的教师》计划，该计划是美国政府为提高教师教育质量而颁布的全面的、综合的教师教育改革战略，其旨在通过教师教育的改革为美国培养高质量教师，进而促进美国公共教育的转型，使每个孩子都能享受优质的教育。从美国教师教育项目的现状来看，有一些教师教育项目在培养教师方面存在盲目性，所培养的教师质量不高。《我们的未来，我们的教师》的发布就是为了解决美国当前所面临的教师培养质量的问题，主要包括三个核心战略，即加强教师培养项目质量的评价，改革教师教育资助项目，以及为培养少数族裔教师队伍的教师教育机构提供支持。《我们的未来，我们的教师》这一改革战略以民主性和灵活性为特点，结合问责与评价机制，为美国教师教育改革带来了重大影响。

此外，面对教学质量的压力以及教师职业满意度不高等问题，2012年，联邦教育部发布了《重新认识教育成功、专业求精和合作教学》计划（以下简称RESPECT计划）。该计划旨在为美国教师队伍培养顶尖人才，促进教师专业发展的可持续性。RESPECT计划的直接目标是要通过教师教育的改革，借由教师和校长来重塑美国教育。且从长远来看，其希望借由该计划所带来的成果让美国人可以比以往更加清晰地认识到教育者对学生以及国家所具备的影响力。无论从命名或是蓝图框架或实施目的的角度来看，RESPECT计划都突出了“尊重教师及教育者”的理念，强化了提升教师地位与教学专业化的重要性。①

以上所提到的政府立法仅为美国教师教育治理领域的冰山一角，但从中也可窥探出美国政府十分重视教师教育的发展，且不断试图利用立法来保障教师教育治理的实施。在这一过程中，政府扮演着领导者和促进者的角色。

2. 拨款提供资金援助

除了修订或颁布相关政策文件外，美国联邦政府为保证教师教育项目的有效开展投入了大量资金。以资金为经济基础，美国开展了一系列的教师教育改革活动，并取得了一定的成效。

（1）多样化的拨款形式

合理的经济支持一直以来都是美国政府参与教育治理的有效手段。在教师教育治理领域，联邦政府也投入了大量的财力。联邦政府对教师教育进行拨款始于20世纪70年代，借由经费支持进行教师教育改革。20世纪80年代以来，美国社会逐步完成了从工业社会向信息社会的转型，开始对教师教育提出了更高的要求，因而美国师范生培养的时间延长到了5年。②在此背景下，联邦政府加大了对教师教育的资助，其教育拨款主要是立法拨款，资助形式一般为：①向个人拨款发放一定数额的奖学金或助学金；②向州政府拨款，支持其教师教育改革；③向教师教育机构或者教师教育项目提供直接的资金支持，以提高教师培养的数量和质量。虽然形式各异，但从根本上来讲，是为了促进教师教育改革。

美国联邦政府的教师教育拨款制度具有法律基础和社会、经济学理论的依据，并以教师教育制度为核心。其教师教育拨款的目的一方面在于提高教

① 孙琪．教学专业化变革：美国RESPECT项目的实施蓝图探析［J］．教育评论，2017（1）：158-161．

② 曹惠容．试论美国教师教育经费来源的特点及其对我国的启示［J］．中国高教研究，2009（1）：33-35．

师质量，另一方面是达到联邦政府折中的政治目的。[①]

（2）信息化的拨款管理方式

近年来，美国联邦政府不断改进其对教师教育拨款的管理。随着信息化的发展，基于信息化的管理手段逐渐被应用于教师教育拨款管理。

首先，就其管理理念而言，大多倡导以信息化为基础的管理和决策，即通过大数据和信息对已有项目进行决策与管理，及时了解其发展动态。其次，就管理工具而言，以信息化为手段，联邦政府制作了一系列的资金报告系统，在此基础上可以获得较为准确的资金信息，并对资金的使用和执行情况进行有效监控。[②]最后，就管理策略而言，“电子政府”是联邦政府对一些拨款项目所实施的管理策略，其主要目标在于提高政府的管理效率。最后，从管理能力方面来看，政府主要通过对雇员进行培训，通过为其设立能力目标等方式来提高管理能力。

除此之外，在“预算和绩效整合方案”的引导下，联邦政府还开发了一项“项目评估等级工具”，其目的在于强化对公共项目的评估，使得评估过程更加透明。在此基础上，政府通过对其项目的评估结果来进行下一财政年度的经费拨款，评估结果为有效的项目会继续得到联邦政府的财政支持，而无效的项目则不再受到资金支持。这实际上也是联邦政府提高资金使用效率的一种手段。

（二）以质量和效率为核心的市场参与

20世纪70年代的经济危机宣告了凯恩斯主义的破产，在此背景下，市场竞争机制广受欢迎，且被应用于各个领域。此后竞争、效率等概念也进入教师教育治理领域，成为引领教师教育改革的重要因素。市场作为教师教育治理的主体之一，其主要职能在于提高教师教育质量及资源配置效率。从美国教师教育市场参与治理的现状来看，其目的主要在于满足未来教师及社会的需求，以及提高教师教育资源配置效率。因此，“质量”和“效率”是其治理的核心所在。

---

①② 周钧，李小薇．当前美国联邦政府的教师教育拨款制度［J］．外国教育研究，2008（7）：61-64.

1. 满足准教师及社会需求

当前，市场化是美国教师教育的一个重要导向，即市场竞争等运行机制逐渐被运用于教师教育治理当中。美国在教师教育治理领域引入市场机制，也是政府的一种选择。美国教师质量难以得到公众认可，且教师流失率居高不下，导致了合格教师的大量短缺，因而需要由市场对其进行调节，以满足准教师及社会的需求，提升教师教育质量，培养合格的教师。

在市场机制的引导下，教师教育的功能发生了转变。受市场供需要求的影响，教师教育要同时满足准教师和社会的需求。从准教师的角度，教师教育需要为其提供未来求职相关的知识与能力，吸引其加入教师行列；从社会层面来讲，教师教育应该满足社会对教师的需求，这种需求体现在数量和质量两个层面。在市场模式的影响下，美国教师教育发展具有活力，教师教育项目之间形成了良好的竞争局面，一方面为培养合格的准教师提供了多样化的服务，另一方面在教师培养质量方面获得了良好的效果。

将市场竞争机制引入教师教育领域，打破了师范学校对教师培养的垄断地位，一些有能力有才华的非师范生拥有了进入教师领域的机会，提高了教师教育机构的竞争力。在竞争机制下，准教师拥有更多专业技能选择，因而当其进入教学领域，能更从容地适应教育教学工作。此外，社会对教师的需求并不是单一的培养模式可以满足的。市场的加入能够有效地促进教师教育机构间形成良好的竞争性，从而为社会培养出更多符合要求的教育人才。然而，需要注意的是，市场竞争机制在满足准教师和社会需求的同时，也会给教师教育机构带来一定的压力，如果未能合理地把握其中的界限，结果将适得其反。

2. 提高教师教育资源配置效率

将市场机制引入教师教育领域，其实质就是促进教师教育领域的有效竞争。哈耶克指出，竞争是实现资源有效利用的最有效和唯一的方法。[①]因此，将市场竞争机制引入教师教育领域可以有效促进资源的流动，实现资源的最

---

① 王佳佳，鞠玉翠．美国教师教育市场化模式评析［J］．外国教育研究，2009（7）：22-27.

优配置。市场竞争机制提高教师教育资源配置效率的基础是市场的评价职能，如：教师教育项目在市场竞争中获得了较好的评价，就能得到政府较多的资助，这实质上就是将资源合理分配给效率更高者，从而实现培养效率的最优化。同时，培养效果显著的教师教育项目可以获得更好的声誉，吸引更优质的生源。

此外，教师教育资源配置还包括教育人力资源的配置，在市场竞争机制的引导下，将大大提高教育人力资源的利用效率。市场机制将发挥基础性调节作用，将师资更好地分配给有需要的教师教育机构，促进师资资源配置的最优化。因此，市场化的经济手段极大地改善了教师教育资源的分配效率，大幅提升了教师教育质量。

（三）以“独立”与“校本”为核心的教师教育机构参与

教师教育机构是教师教育治理中的生产者，以教师培养标准、社会用人单位对教师的要求、学生的发展等为基准，有针对性地培养教师。此外，教师教育机构还是教师教育治理的执行者，依据政府的教师教育政策以及市场对教师教育的需求进行教师的培养工作。随着社会的发展，美国教师教育机构经历了层次提升、整体转型和重心转移三次转型，[①]当前美国教师教育机构参与教师教育治理呈现出以“独立”与“校本”为核心的治理特点，其中“独立”是指其自主化办学的特权，“校本”则指其“校本化培养”的模式。

1. 自主化办学

美国教师教育机构具有办学自主权和独立的法人地位。所谓自主权，是指个体作为独立的实体，享有依法独立行使决策、组织活动的权力，大多不受外在因素的控制，按照自身的规律和特点来处理相关问题。相较于一般政府或市场导向下的教师教育治理结构，美国所实行的是多元主体共治的教师教育治理模式，其教师教育机构具有独立的法人地位，对其教育教学活动负责，受政府与市场的监督。

---

① 茹宗志，邱艳萍，李洁．美国教师教育机构的转型及其启示［J］．宝鸡文理学院学报：社会科学版，2009（6）：102-105.

美国教师教育自主化办学主要体现在招生、专业设置、教学管理等方面。在招生方面，教师教育机构可确定自身的招生标准，保证其生源质量，促进其自身的发展。就专业设置而言，教师教育机构可以根据社会的需求，主动依照社会需要来设置专业，同时进行专业结构调整。从教学管理而言，教师教育机构可以根据其自身的实际情况，设置其教师教育课程，同时对其所开设的课程进行调整，使其所设课程与社会及教师的需求更加吻合，从而培养出具有创新精神和实践能力的高质量人才。

教师教育机构自主化办学是美国教师教育治理的一大特色，教师教育机构办学自主权的扩大和落实，有助于其自身的学术水平与创新能力的开发。在自主化办学的有力推动下，美国教师教育机构努力促成综合性大学与中小学校的合作，以解决教师教育中职前培养与职后教育相脱离的弊端，提高教师的专业化程度，实现教师教育职前职后一体化。

2. 校本化培养

从世界范围来看，教师是影响人类文明传递和发展的最根本的力量，也是影响社会经济发展的重要因素之一。美国教师实行“校本管理”，这也是教师教育专业化发展盛行的依据之一。美国教师校本化培养是美国社会政治、经济、文化等制度因素的结合所产生的一种教师教育培养方式，主要是指教师教育机构立足于教师及学校自身，将学校作为基本的教育教学实践基地，把教师置于校本化的培训氛围中，全方位提升其综合素质。

教师专业发展学校被看作是美国教师教育校本培养方式的典范，它使得校本教师培养具有连续性。教师专业发展学校是大学教育学院与中小学校合作所创办的一种新型的学校，其创建的核心理念是认为教师对教学的认识应该是在学校中形成的，教师教学与实践之间有着密不可分的联系，同时教师教学应该有问题意识，即以问题为导向，在实践中寻求解决的方法。这呈现了教师专业发展学校的培养理念，教师基于学校教学本身对其教学实践进行反思，教师既是教育者，同时也是研究者和学习者。

美国教师教育的校本培养是美国教师教育治理做出的有益尝试，在教师教育改革中注重从人的因素入手，促进人力资源的开发和发展。我国在教师教育领域也强调校本培养，但与美国突出强调的职前培养不同，我国更强调教师的在职培养。

二、课程改革与专业认证取向的治理方式

从美国的现状来看，课程改革与专业认证是其进行教育治理的主要方式。美国教师教育治理的目标在于构建立体式的教师教育课程结构，促进教师教育课程价值的最大化，同时以教师教育专业认证为依据，保障教师教育质量，为国家培养合格的高水平教育人才。其教师教育课程改革呈现出融合与专业本位的倾向，其教师教育专业认证逐渐走向基于证据的认证制度。

（一）融合与专业本位的课程改革

随着教育在社会发展中的作用日益突出，培养专业性的教师，促进教师的专业化发展成为一种时代诉求。在此背景下，许多教育者认为教师教育是实现教师专业化发展的重要环节，而课程正是其中的核心部分。因而，对教师教育课程改革是实现教师专业化发展、提升教师教育质量的关键点。从传统意义上而言，美国教师教育课程由通识教育课程、任教学科课程和教育学科课程三部分构成。在近年的发展中，可以看到教师教育课程改革呈现出融合的趋势。这一趋势的出现，在很大程度上是受美国著名教师教育专家李·舒尔曼（Lee Shulman）所提出的“学科教学知识”的影响，“它是特定的内容与教育学的混合物，是教师独特的领域，是他们专业理解的特殊形式”，[①]这一概念引起了诸多学者的关注，使得学科课程与专业课程逐渐走向融合。

课程融合是美国教师教育课程改革的最大特点，其主要是指教育学科课程与任教学科趋于融合。这一改革举措的理论基础是未来教师不仅要掌握一些文理知识和学科专业知识，也需要了解教育理论，即教师不仅要知道教何种知识给学生，还需要清楚地了解如何教学生学会学习的理论方法。日益复杂的教育任务要求教师要有丰富的知识和相应的技能，要善于把普通的课程目标和学生的经验与需要联系起来，能够了解学生的心理发展规律和学科的知识结构。这将教师和学生置于核心地位，强调其主观参与和自主构建的能

① Griffin，Gary A. The Education of Teachers [M]. Chicago：The University of Chicago Press，1999：194.

力。达令·哈蒙德等人的研究也表明，美国教师教育中学科融合的趋势主要表现在对学生和教师主体地位的关注。

自20世纪50年代起，美国教师教育课程改革实行了一系列专业化措施，极大地推动了美国教师教育的发展。经过半个多世纪的发展，美国教师教育课程改革更加成熟，对提升教师的综合能力作出了重要贡献。首先，美国教师教育课程改革注重“学术性”与“专业性”的融合，即教师不仅要传授知识，也应该成为优秀的学者。在专业化的教师教育课程中既提升了教师的学术性和专业性，也不断提高了他们的综合学术能力和专业能力；其次，知识广泛性与实践性的融合，这一改革主要是基于当前准教师所学知识与教学实际相脱离的问题，即教师不仅需要广博的知识，也需要了解如何将其所学的知识应用于教学实践中，这一融合趋势为准教师的教学实践和发展提供了良好的基础。①

（二）证据本位的专业认证

建立合理的教师教育质量认证体系是有效提升教师质量措施之一。美国教师教育专业认证起源于20世纪50年代，经过半个多世纪的发展，形成了较为完善的教师教育认证体系。教师教育认证的首要目标就是要培养有资质的、合格的教师，从而提高学校教学质量。首先，从认证指标来看，美国教师教育认证指标主要有三项，即所培养教师在学校的学习情况，所培养教师的知识技能水平以及教师在教师教育机构培养过程中的质量情况。美国教师教育委员会以上述三项指标及教师所提供的材料作为依据，结合其实际考察对教师进行认证。其次，从认证程序来看，主要有以下几步：①教师教育委员会对教育认证机构的资质进行评定，由相关教育机构提供自身评定材料，进行申请；②相关教育机构对自身的情况进行说明，教师教育认定机构对其材料进行核实；③教师教育委员会结合教育机构所提交的评定材料以及其实际考察结果和专家意见等对教师教育机构进行合理认证。

教师教育认证制度保障了教师教育专业化发展，为教育发展提供教师队伍质量保障。美国教师教育认证曾出现过认证机构不专业、认证标准不统一

---

① 戴伟芬. 美国教师教育思想30年［M］. 北京：北京师范大学出版社，2012.

等问题，但经历多次变革之后，当前美国教师教育认证机构已广泛吸纳各机构成员和各方利益代表。在认定过程中制定核心原则，为申请认证的机构提供多种途径。美国教师教育专业认证标准经历了“目标本位”“课程本位”“知识本位”“绩效本位”和“证据本位”五个阶段，①这也正说明了培养目标、课程设置、知识基础以及绩效考核等因素均是教师教育认证考虑的关键问题，在此基础上，加以认证证据使其行之有据。这成为促进美国教师教育认证制度趋于完善的关键所在。

三、评价与激励保障的教师教育治理制度

美国教师教育治理机制主要以“评价”和“激励”为保障。其中，评价机制主要体现在通过一系列的教师教育评价标准，保障教师教育质量；激励机制是指通过一系列的外部奖励机制或环境的创设，调动教师的发展积极性，鼓励教师自我提升。

（一）评价制度保证教师教育质量

完善教师质量保障体系是一个系统工程，也是美国教师教育所关注的热点问题。美国当代著名教育家格朗兰德曾说过：“评价是所有成功教学的基础。”②针对美国当前所面临的教师质量问题，政府、地方和学区在政策上合理引导，举措上规范具体，为美国教师质量的提升作出了重要贡献。③在教师教育质量保障体系研究领域，学者们一直致力于改进教师教育评价标准，促进教师的专业发展，保障教师质量。

20世纪90年代以前，美国教师评价机制主要是终结性的评价。这种评价方式在很多学者和教师看来是有诸多弊端的。此后，研究者们一直致力于教师教育评价机制的完善。2011年，美国斯坦福大学和美国教师教育院校协

① 周钧．美国教师教育认证标准的发展历程及对我国的启示［J］．比较教育研究，2007（2）：86-90.

② 刘香东，孙燕．美国教师教育评价能力的研究及启示［J］．教育测量与评价，2013（12）：35-39.

③ 陈蕊，刘晖．近十年来美国教师教育研究热点述评——以美国《教师教育杂志》为例［J］．教师教育研究，2009（3）：71-74.

会联合开发了美国教师表现性评价系统。它是在总结美国25年来教师教学表现评价研究经验的基础上制定的，是美国第一套统一的高质量教师评价系统。①这套评价系统包括专项评估和标准化评估两部分。专项评估指对准教师参加培养过程中的形成性评价，包括一些专门的课程训练，如教育信息技术课程等；标准化评估指能够真实反映准教师课堂表现的档案袋评估。②评价体系通过其详细的检测内容既能有效地监控教学水平、保障教学质量，又能帮助和促进职前教师更深入地理解规范性的教学思想，掌握教学目标、任务、策略以及对学生的评价方式。

此外，在教师教育评价机制方面，美国独具特色的一点是将教师评价和教师团体的发展与学校的发展相融合。从以往的经验也可以看出，教师发展和学校的发展是学生成绩提高的前提和基础，如果没有教师的专业化发展和学校的改进，学生成绩的提高必然成为空谈。以此为前提，美国吸取了传统的教师教育评价机制的教训，将评价与教师团体的发展融入学校的发展当中，以教师群体的素质发展支持学校的发展，同时促使教师在教学和学习上产生有意义的改进。

美国教师教育改革是在改善学生学业成绩、提高学校教育质量的基础上进行的，是通过教师专业发展而实现学生学业成绩提高的发展性教师评价。它充分调动了教师作为教育活动主体的积极性，同时，利用多元化的评价标准和方法，结合教师和学校的实际情况，使教师评价的内容呈现出动态、发展的特征。

（二）激励制度促进教师自我提升

美国十分重视教师教育的发展，希望借由教师教育质量的提升，培养出优秀教师。在此基础上，美国构建了一系列行之有效的激励机制，旨在从物质激励及环境创设等方面诱发教师自我提升，培养高质量的教师队伍。

首先，从政策层面来讲，美国政府将教师培养作为政府的重要工作之

① 穆丽媛，赵娜．美国教师表现性评价的最新进展及其启示[J]. 世界教育信息，2013(3)：27-32.

② 王枫林. 美、英、澳三国教师教育改革新进展及其启示［J］. 成都师范学院学报，2013（8）：19-23.

一。在国家的主导下，政府采取一套高效运转的政策支持机制，以保证教师继续教育工作的顺利进行。①例如，在奥巴马政府期间，联邦政府签署了《美国复苏与再投资法》，划拨1 000多亿美元的资金用于教育改善，利用其中43. 5亿美元来推动“力争上游”教育革新，奖励优秀教师，逐步淘汰低效能教师，建设一支强大的、分布均衡的师资队伍。②这是美国教师教育改革从理念走向实践的重要政策保障。

其次，注重激发教师专业发展内驱力，激发教师的内在发展动力，通过调动教师自我的纵向比较，促进自我不断提升。此外，教师的职业研修与薪资水平和职位晋升挂钩，促使教师为了胜任这个职业而不得不继续学习。

再次，设置合理的物质激励机制，激励教师积极参与学习，提升自身的专业素质。提到物质激励机制，第一必然是薪酬制度。美国建立了竞争性较低、公平性较强的教师薪酬制度，体现了人性化的特点，并且提高了教师专业发展的积极性和主动性。一般来说，如果教师能够积极进修并取得了更高的学位，那么薪资收入也将根据相应标准有所提高。美国教师教育注重专业培养，提倡教师发挥自己的专业优势，因而不同阶段的教师所获得的支持方式不同，其薪资也稍有差别。

最后，包容开放的激励机制，为想成为教师的人创设宽松的教育环境，促进教师提升自我。例如，自2000年起美国兴起了选择性教师教育项目，该项目强调未来教师来源的广泛性和多样性，即教学岗位面向所有具有教学潜力且愿意当教师的人，对具有大学学位又愿意从教的人不设门槛，经过该项目的培养培训成为合格教师。经过数十年的发展，该项目已为美国培养了众多合格教师。

但需要注意的是，尽管美国教师教育激励机制为教师创设了包容开放的发展环境、合理的物质激励机制等，但是美国教师队伍仍然存在诸多问题，如师资短缺、离职率高等。

---

① 席梅红．美国教师教育激励机制及其对我国的启示［J］. 现代基础教育研究，2015（3）：49–55.

② 许洁英，苏丹兰．美国教师教育改革的重心转移及其对我国的启示［J］. 教育科学研究，2009（5）：28–37.

第五章　美国教育治理的成效、问题及原因

第一节　基础教育治理的成效和问题

一、基础教育治理取得的成效

自20世纪50年代以来，美国一直积极进行基础教育改革。20世纪80年代，伴随着“教育危机”的出现，美国展开了一系列的教育变革。随着社会经济的不断发展，以及对教育规律认识的不断深入，美国基础教育治理取得了一定成效，集中体现在：行政改革简化和削弱了政府科层制，学校拥有了更多的自主权；以教育公平为准则，美国中小学学校体系更加民主化，家长和学生可以更多地参与到学校事务中；注重每个学生的全面发展，基础教育发展更加均衡。

（一）政府简政下科层制的简化与削弱

科层制是著名社会学家韦伯在其《社会组织与经济组织理论》一书中构建的一种基于法理的、以实现高效率和合理化为目标的、理想化的组织管理模式。[1]科层制既是一种组织结构，也是一种管理方式。科层制具有高效率、理性等诸多优点，但是，极端的科层组织管理也会限制人们的创造力和自由，造成管理低效、僵化。由于学校系统的特殊性及复杂性，将科层制运用到学校管理中，必然会产生诸多问题。

---

① 张新平．对学校科层制的批判与反思［J］. 教育探索，2003（8）：29-31.

19世纪中叶以来，美国建立了公共教育制度，由州政府和地方政府共同管理教育。20世纪初，美国公共教育制度已粗具规模。20世纪50年代，美国公共教育制度发展已经比较完善，形成了自上而下的科层制教育体系。但在长期的发展过程中，公共教育处于垄断地位，缺乏竞争机制，因此出现了教育体制僵化、质量不高等问题。在此背景下，美国择校运动愈演愈烈。

约翰·丘伯（John Chubb）和泰力·默（Terry Moe）的著作《政治、市场和学校》吹响了美国择校运动的号角。他们从“制度理论”的独特视角对美国学校的治理和运作进行比较分析，认为美国政府对学校教育的管理是由高层到低层、低效且僵化的科层制管理，这是造成美国基础教育问题的根源。面对基础教育出现的种种问题，美国政府积极寻求建立新的教育制度的路径。简化学校管理模式，实现学校自主管理是解决问题的有效方式，即赋予美国公民自由选择学校的权利，同时给予学校更大的自主权。“校本管理”和“教育券制度”是美国教育新制度最好的表现形式，是美国政府为提高教育质量、打破公共教育垄断地位而做的有益尝试。

“校本管理”是美国政府对学校管理模式进行的一次重大改革，是一场自上而下的赋权运动。在这种管理模式下，政府将一部分决策权下放至学校，治理重心下移，使学校拥有了更多的办学自主权。校本管理对科层制的学校管理模式产生了较大冲击，但是校本管理与科层制并不是完全对立的，为了保证学校管理的有序性，适当的科层制管理也是十分必要的。“教育券制度”将家长和学生的择校权利最大化，使其可以在各种学校之间自由选择。这一制度使公立学校、私立学校和教会学校处于平等地位，形成了良性竞争机制，动摇了公共教育在基础教育领域的垄断地位。

在新的教育制度下，美国政府改变了在基础教育领域中控制者的角色，更多地扮演了监督者和协调者的角色，使从州政府到地方学区的自上而下的科层制等级结构得到简化，学校拥有了更多的自主权，学校管理方式也更加科学有效。

（二）市场竞争为公共教育带来发展活力

公共教育制度意味着教育主要是由国家来负责，国家直接管理或指导教育。公共教育制度的建立是现代教育制度产生的重要标志。但是，这种教育制度也存在诸多弊端。正如英国经济学家哈耶克所说，“将整个教育制度置于国家管理或指导之下，切切实实地隐含着种种危险。政府直接管理大多数民众就读的学校，固然可以促使一个国家的经济迅速崛起，可以为所有的公民提供一种共同的文化背景，但也付出极高的代价”。[①]20世纪80年代以来，西方各国都在寻求教育改革之策，将市场机制引入到教育领域成为各国普遍认可的做法。美国是将市场机制引入教育领域的典型代表。市场机制的引入促使公立学校之间、公立学校与私立学校之间形成了良好的竞争机制，加强了美国公共教育的私有化程度，为公立学校教育的发展带来了活力。

特许学校便是这场改革运动的产物。它是一种扩大学校办学自主权的公立学校形式，介于公立学校与私立学校之间，由政府提供经费，由私人团体运营。自20世纪90年代明尼苏达州通过了美国第一部特许学校法以来，美国各州政府陆续通过立法允许特许学校的存在。健全的法律体系的保障使得美国特许学校蓬勃发展。

市场竞争促进教育资源分配合理化和最优化，满足了人们多样化的教育需求，学生有了更多的选择权，这在一定程度上对学生的发展产生了良性影响。公立学校垄断教育的局面被打破，要想巩固其自身的地位，就必须进行变革，努力提高教育教学质量。美国经济学家卡罗琳·霍克斯比的研究也表明：“自从密尔沃基市在1998年扩大了教育券计划的规模以来，该计划已经对公立学校学生的考试成绩产生了一种类似积极的影响……当大量学生使用教育券或就读于特许学校时，周围的公立学校似乎会通过提高教育质量的方式来回应这种竞争，其结果是，公立学校的表现也得到了提高。”[②]

（三）教育公平基准下学校体系民主化

教育公平是教育的一种基本价值观念与准则。它与一定的社会基本制度，尤其是教育制度相联系，并以此为基准，规定着社会成员具体的教育基本权利和义务，规定着教育资源与利益在社会群体之间、社会成员之间的适

① 王宏方，房玉辰．英美两国公共教育私有化比较与分析［J］．上海师范大学学报：基础教育版，2008（3）：44-49.

② 保罗·E．彼得森．平等与自由：学校选择的未来［M］．刘涛，王佳佳，译．北京：教育科学出版社，2012：12.

当安排和合理分配。[①]教育公平一直是美国基础教育的核心，是基础教育改革的重要导向。为了实现教育公平，美国政府采取了一系列措施。其中，将学校作为一个教育场所，对其进行改革是促进教育公平的有效手段。在基础教育治理中，以促进教育公平为重要方向，美国中小学内部发生了巨大变化，集中体现在学校管理更加民主化。

民主管理是指通过各种途径调动校内外力量，使其参与到学校的管理中来。在基础教育治理过程中，美国中小学管理逐渐走向民主化，政府与学校管理者之间的职责有了明确的划分，在善治理论的基础上，创建了以教育公平为基准，以促进学生发展为核心的民主化的学校管理环境，将政府权力下放，实现了校长、教师、家长与学生对学校的共同管理。

民主意味着参与，每个人都有平等而广泛的参与权。在基础教育治理过程中，美国中小学内部形成了校长、教师和家长平等合作的治理关系。首先，校长作为学校的领导者，拥有决策权，包括对学校的统筹和管理、教学的监督与领导等。其次，教师作为学生的培养者，在基础教育中有了更多的话语权。将教师的想法纳入到学校的管理中，在保障教师群体利益的同时，也将对学生的发展产生直接的影响。最后，家长作为学校治理的主体之一，是学校亲密的合作者。学校教育与家庭教育可以做到有机结合，正如联合国教科文组织在《教育——财富蕴藏其中》一书中所言，“对于改进学校教育系统而言，家长参与学校管理既是目标也是手段”，家长参与学校治理是学校体系民主化最有力的体现。

民主化是学校管理方式转变的目标与方向。学校体系的民主化有助于建立互助和谐的校长教师关系；有助于教师话语权的保障，促进教师的发展；有助于建立良好的学校家庭关系，使家庭教育与学校教育无缝对接；有助于每一个学生的个性发展。总之，教育公平基准下所建立的民主化的学校教育体系，是提高教育质量的有力保证。

---

① 戴铁军．高等教育公平内涵探析［J］．太原师范学院学报：社会科学版，2011（1）：122-125.

（四）教育卓越目标下基础教育发展均衡化

在保障教育公平的基础上，追求卓越是美国基础教育治理的又一重要战略。教育卓越是指在提高教育教学质量的基础上，促进每个人的全面发展。换句话说，卓越教育是在每个学生原有的基础上实现最充分发展的教育，宗旨是让每一个学生都能接受平等的教育，并在教育中实现自身的成长。虽然美国各级政府高度重视基础教育的质量提升，但美国学生在总体学业水平、关键学科素养、公民责任与全球意识等方面的表现仍然不尽如人意。[①]在此背景下，美国对基础教育领域进行了改革，尤其是奥巴马政府时期，美国基础教育以“全面卓越”为治理战略，采取了一系列措施。奥巴马政府在《改革蓝图》中明确了“教育全面发展”的目标：到2020年，“不论收入、性别、种族、语言背景和健康状况，每个学生均应该做好高中毕业、升学或就业的准备”[②]。在这一过程中，美国基础教育发展逐渐趋于均衡化。

从教育经济学角度来看，“教育均衡发展包括受教育机会均等，教育资源配置和教育过程均衡，教育质量和教育结果均衡”[③]。从学生发展的角度来看，这里的均衡化是指教育整体的质量有了提升，学生的学业水平提高，学生之间的差距有所缩小等，即我们所说的“全面卓越”。在经济全球化时代，高质量的教育是经济发展的基石。个体的成功是以知识和创新为前提的，高质量教育不仅能为每个美国学生取得成功奠定基础，还能帮助美国提高经济竞争力和实现梦想。[④]

二、基础教育治理存在的问题

为追求“公平”和“卓越”两大目标，美国对基础教育进行了诸多改革，试图解决基础教育中的“差距”和“平庸”问题，以适应教育发展潮

---

① 王正青，徐辉．当前美国基础教育质量现状与改进趋势——“追求卓越”理念引领下的实践［J］．教育研究，2014（9）：121-126.

② U. S. Department of Education，Office of Planning，Evaluation and Policy Development. ESEA Blueprint for Reform［R］. Washington，D. C.，2010：9.

③ 翟博．中国基础教育均衡发展实证分析［J］．教育研究，2007（7）：22.

④ 张燕军．美国教育战略研究［M］．杭州：浙江教育出版社，2013：169.

流。但是，这些改革举措在促进教育公平与卓越的同时，也为美国基础教育带来了新的问题，如美国基础教育治理陷入两难境地；以政府教育集权导向为前提，美国基础教育治理体系出现了集权与分权相冲突的问题；以评估和问责为载体的质量考核机制，使得学校教育出现绩效至上的问题；以标准化课程和教学为基础，学生个性化教育被忽视等。

（一）公平、卓越目标下的两难抉择

在知识经济和全球化的背景下，世界各国的教育已经不再满足一般意义上的公平和质量，“公平而卓越”的教育成为当今世界教育领域新的发展趋势。美国教育治理也在不断向这一目标靠拢，但从其发展过程来看，却面临两难抉择。早在《国家处于危机之中》法案中，美国就提出了要在追求教育质量的同时实现教育公平。此后，布什政府和奥巴马政府继承并发展了这一理念，“公平优先”和“全面卓越”成为美国联邦政府的教育战略。其中，“公平优先”是美国历届政府进行教育治理的核心要素，而“全面卓越”是美国政府教育治理的最高使命。近年来，在美国政府颁布的教育法案中也体现了“公平”和“卓越”的价值取向，如《不让一个孩子掉队法案》和《让每个孩子都成功法案》，它们的颁布和执行都极大地加快了追求公平和卓越的目标的实现。但在取得成效的同时，“卓越”与“公平”也给美国基础教育改革带来了两难的局面。

一方面，从基础教育法律保障机制来看，政策虽然强调对卓越的追求，但实际上对公平的追求超越了卓越。如布什政府在《不让一个孩子掉队法案》中将弥合存在于美国教育的巨大差距作为教育的首要目标定位，要求到2014年公立学校确保所有学生在数学和阅读方面达到熟练程度[①]，其核心在于教育的均衡发展，是促进教育公平的措施之一。此后，奥巴马政府颁布的《让每个孩子都成功法案》再次将教育公平置于核心位置，主要从经济、具体实施、管理模式和评估机制四个方面给予每一个学生最大的支持，并为其

① 张燕军．美国教育战略研究［M］．杭州：浙江教育出版社，2013：95.

成功提供可能性。[①]虽然美国教育部2010年颁布的《改革蓝皮书：初等和中等教育法再授权》强调公平性和追求卓越，但在公平的基础上追求卓越是其突出特征。由此可以看出，美国始终将教育公平视为基础教育的核心理念。

另一方面，从基础教育治理的措施来看，普遍存在片面性问题，即片面地强调公平或卓越。从基础教育成效来看，以教育评估机构和组织所公布的数据为依据，可以看到美国基础教育面临两难的抉择。经济合作与发展组织所组织的PISA考试充分体现了“公平而卓越”的教育理念，但美国在这一测试中表现不佳，其基础教育在实现“公平而卓越”的教育理念上任重而道远。

因此，虽然美国基础教育治理一直以“公平”和“卓越”为两大主题，但在其治理过程中常常容易偏重一方面而忽视了另一方面，导致其基础教育面临两难选择。

（二）集权导向下教育权力的角色冲突

美国联邦宪法有两个重要的构成性要素：一是纵向分权的联邦制要素，也就是它建立在州与联邦的分权制衡基础之上；二是横向分权的三权分立——制衡体制。[②]权力分立和制约制衡是美国政治制度的基础，但从其发展过程来看，联邦政府集权化趋势明显加强，教育领域也不例外。这在一定程度上与美国宪法产生了矛盾，使联邦政府和州政府的教育权力发生了冲突。

自建国以来，美国基础教育一直实行地方分权制，教育权力集中在州和地方政府。然而，自20世纪90年代以来，联邦政府先后采取了一系列措施干预基础教育治理，布什政府和奥巴马政府也都在加强联邦政府对基础教育的治理，美国基础教育治理走向集权化。近年来，受全球经济危机的影响，美国各州政府在教育经费的投入上遇到挑战，缺乏足够的资金来支持基础教育的发展。以此为契机，联邦政府以经费投入为杠杆，开始对教育的集权管

① 程冬冬，冯庚祥．美国《让每个孩子都成功法案》真的能确保“每个孩子成功”？[J]．新教育时代电子杂志学生版，2017（5）：246-247.

② 萧公权．政治多元论[M]．周林刚，译．北京：中国人民大学出版社，2014：24.

理。以奥巴马政府为例，在其执政初期，美国正面临20世纪30年代以来最严重的经济危机，联邦政府巧妙地将经费投入作为教育改革的指挥棒，利用经费投入杠杆，强制各州教育主管部门按照政府的要求积极主动地开展中小学改进活动。这为教育改革的顺利进行奠定了坚实的物质基础、法制基础和问责基础，为社会注入了新的活力。[①]随着联邦政府对教育经费的投入逐渐增多，各州政府和地方学区对联邦财政资助的依赖程度也日渐加强，联邦政府逐渐强化了其在各州政府和地方学区教育事务中的干预权，这也导致了美国教育权力逐渐走向集权。

教育权力逐渐向中央转移，这一变化改变了联邦政府在教育中所扮演的角色。联邦政府的教育权力是从各州让渡出去的，其教育权力在扩大的同时，必然意味着各州政府和地方政府教育权力的缩小，这就与美国历史上分权的管理体制相矛盾，会造成教育权力的角色冲突。在教育集权的发展趋势下，联邦政府和州政府以及地方政府面临权力的冲突，这可能造成各级政府在决策制定和执行过程中的行动差距，为基础教育的发展留下隐患。

（三）评估本位下学校教育绩效至上

建立中小学监测性学业成绩测评的长效机制，开展基础教育质量监测已成为当前各国的共同选择。[②]美国基础教育历来存在学生成绩平平、教育质量不高的问题。为改变这一局面，美国采取了一系列改革措施。其中，建立质量考核机制对学生进行学业测评是其改革的核心。近十年来，美国基础教育一直倾向于问责制度和绩效评价，这就导致学校教育出现了绩效至上、重结果而轻过程的缺陷。

首先，法律保障机制下的绩效问责制度，导致学校教育出现了评估本位的弊端。以21世纪颁布的《不让一个孩子掉队法案》为依据，美国加强了对基础教育的评估和监测。该法案全名为《借助绩效责任、灵活性与选择，保证不让一个儿童掉队》，由此也可以看出，该法案强调通过绩效问责制、弹

---

① 杨志明，孙河川．奥巴马政府对美国基础教育的改革［J］. 世界教育信息，2015（18）：47−51.

② 王正青，陈琴．美国联邦、州、地方三级基础教育治理体系与运行机制［J］. 教育科学研究，2017（8）：72−77.

性化和提供多种选择以弥合学业成就差异，从而不让一个孩子掉队。其中，“弹性化”是指为赢得更大的绩效责任，而赋予州和学区使用联邦教育资金的最大权力。[①]该法案的颁布在一定程度上使得美国各州教育状况有所改善，但严苛的问责制及惩罚机制使得美国基础教育出现了评估本位的弊端，学校聚焦于基于标准化的教学科目和教学方法，学生综合素质下降，难以满足经济发展的需要。

其次，严苛的评估机制和绩效问责阻碍了教师的专业发展。教育大计，教师为本。教师是影响教育质量的核心要素，教师质量的高低是决定学校教育质量的关键因素。然而，以绩效问责为主的评估制度，将教师的晋升置于学生的学业成绩考核之下，在评估压力之下，许多教师为了应付考试，片面追求学习成绩，强调机械性的记忆学习，忽视学生的能力培养以及自身的专业发展，因而容易形成“为考试而教”的教学模式。2003年以来，布什政府和奥巴马政府相继表明可以通过绩效考核制度来奖励那些为提高学生学业成绩作出贡献的老师，即通过学生的学业成绩变化来考核教师的教学绩效，这体现了政府对绩效问责制的支持，教师教学开始以应试教育为主，注重学生知识的获得。此外，“教师专业发展一方面指教师通过在职教师教育或教师培训而获得的发展，另一方面指教师在目标意识、教学能力和与同事的合作能力等方面的发展”，[②]在绩效问责制度之下，教师也不愿花费过多的时间关注自身的专业发展、拓展自身专业内涵、提升专业能力。在终身学习理念被广泛推广的今天，如果教育者自身失去了终身学习以促进自身专业发展的自主性学习意识，这无疑会给学校教育带来隐患。

近年来，学界逐渐出现了对绩效制的批评声音，认为绩效为教育的发展带来了阻碍。绩效至上的发展理念也给美国的基础教育带来了诸多弊端，导致美国基础教育失去了其重视教育过程的鲜明特色，转而以学生学业成绩为主要的评价依据，忽视了学生能力的培养。因而，从本质上讲，绩效至上的

① 张燕军．美国教育战略研究［M］．杭州：浙江教育出版社，2013：90．

② Hargreaves A，Fullan M. Understanding Teacher Development［M］. New York：Teachers College Press，1992.

学校教育使得学生发现问题、解决问题的能力减弱，难以适应国家和社会经济发展。

（四）标准取向下学生个性发展的忽视

个性化教育是引导个体生命独特发展的教育。它以尊重差异为前提，以提供多样化教育资源和自主选择为手段，以促进个体生命自由而充分的发展为目的。[①]因此，个性化教育强调要尊重个体的独特性和差异性，发挥学生的自主性，使其得到自由发展。然而，标准驱动下的美国基础教育改革运动，在追求标准化和统一性的同时，忽视了学生的个性化发展。

美国基础教育以发展学生的“创造力”和“想象力”为出发点。但是，近年来，教育质量低下成为美国基础教育所担忧的问题。大型国际教育评价项目、国际学生评价项目、国际数学和科学教育评价研究趋势都表明，美国学生的学业成绩仅处于中等或以下水平，与美国的综合国力形成较大差距，[②]民众对基础教育的不满使得国家在基础教育治理的问题上不得不以“提高质量”为基点。此外，在世界各国普遍追求“教育公平”的时代潮流下，美国基础教育治理也在不断追求公平。虽然从表面来看，“提高质量”和“追求公平”都符合美国基础教育发展趋势，但过度地追求公平也会使得美国基础教育逐渐趋于标准化和统一化，从而使学生发展失去个性。

以“提高教育质量”为核心目标，美国对原有的基础教育模式进行了改革。首先，学生培养以基础知识的掌握为重点，这导致了应试教育与素质教育之间的矛盾。美国基础教育中良好的传统，如以学生为中心、个性化教学和小组学习，对于学生动机和参与的强调，重视知识的生活意义等在这场基于标准的教育改革中逐渐减少，代之以统一的全国性教育标准和高利害的学业成绩测试。[③]其次，在学习方式上，基于标准的学习过程应该更为个性化，然而，基于标准的教与学在实践过程中往往被庸俗化，绩效的压力也会迫使教师们在课堂上围绕测试进行教学，尽管教学内容更有针对性，但为测试而

---

① 沈超，袁兴国．人才强国战略与高校人才培养模式改革探析——基于高等教育个性化教育改革思路的视角［J］. 黑龙江高教研究，2011（8）：71-73.

②③ 余凯，David Martin Osher. 基于标准的美国基础教育改革的问题和政策启示［J］. 教育科学，2013（3）：91-98.

教使得学生其他的学习机会大大减少。①最后，教育应该发挥为学生服务的功能，但基于标准的教育改革很难做到满足学生的发展需要，统一的标准下，学生之间的个性差异将被人为地消除。另外，学生的个性化教育不仅意味着对学生进行个性化培养，还包括通过独特的形式保护学生原有的个性，使其得到自由发展。

每一个个体都具有其独特的生命发展需求，虽然美国政府颁布了《让每个孩子都成功法案》，但我们知道，成功并没有规律可循，成功之路也是难以复制的。因而，学校教育不应该忽视学生发展的个性化需要，只有在尊重个性化的前提下所培养出的孩子才更有可能走向成功。

第二节　高等教育治理的成效和问题

一、高等教育治理取得的成效

长期以来，美国高等教育实行联邦政府宏观引导、州政府协调指导、第三方组织机构广泛参与以及高等院校自主办学的治理体制。在高等教育治理过程中，参与方各司其职，协调管理。凭借其科学、合理、高效的高等教育治理体制，美国在高等教育领域取得了极大的治理成效，政府、市场与大学力量趋于均衡化，大学治理模式从“自治”走向“共治”，为美国大学营造了良好的发展氛围，世界一流大学建设卓有成效，美国成为世界各国高等教育治理的典范。

（一）政府、市场与大学力量趋于平衡化

在高等教育治理体系中，政府、市场和大学三种力量分别承担不同的责任，存在着此消彼长、相互制衡的关系。在美国高等教育治理体系中，国家力量主要是指以美国联邦政府、州政府、联邦教育部以及州级教育委员会所

① 余凯，David Martin Osher. 基于标准的美国基础教育改革的问题和政策启示［J］. 教育科学，2013（3）：91-98.

构成的高等教育质量保障体系，其代表国家的意志；市场力量是指由供需双方共同形成的一种自主运作系统，是一双“无形的手”；而就高等教育内部而言，大学作为一种学术机构，其自身发展要求必须具有一定的自主权。在美国高等教育治理过程中，政府、市场和大学三种力量之间彼此互动，相互制约，三者的权力在不断地变化之中趋于均衡化。

前面提到了美国教育学家伯顿·克拉克的“三角协调模式”，以此为基础，英国高等教育学家加雷斯·威廉斯（Gareth Williams）将克拉克的理论细化，并图像化为6种具体的“三角协调模式”，如图5-1所示。

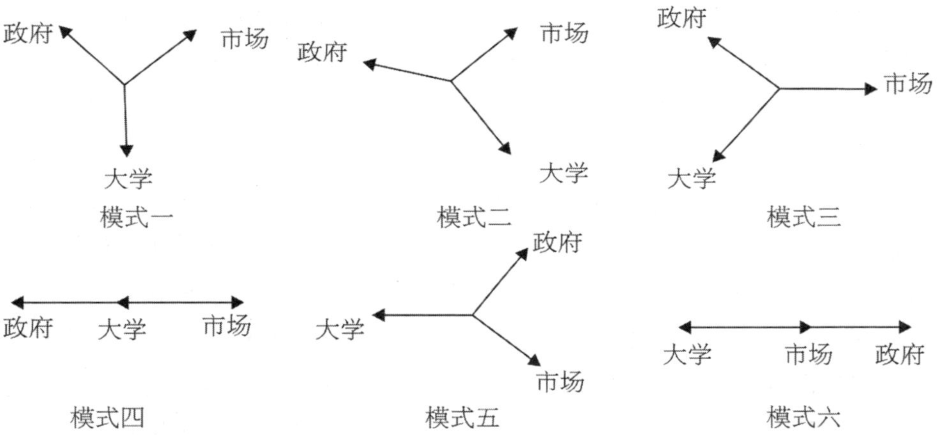

图5-1 加雷斯·威廉斯对“三角协调模式”的图像化示意图[①]

其中，模式一中，政府、市场与大学三足鼎立，其权利关系是平衡的，呈现良性制衡与发展，大学在保持自身学术自由的同时，也可以从政府和社会中获得经费以维持自身发展；模式二中，政府与市场、大学的发展方向不同，政府部门一般是作为监督者，主要通过财政介入的方式给予保障或支持；模式三中，政府和大学的发展方向相近，政府扮演促进者的角色，但与

① 弗兰斯·F·范富格特．国际高等教育政策比较研究［M］．王承绪，等，译．杭州：浙江教育出版社，2001：205.

市场相反，政府和大学合作以发展出制衡市场的力量；模式四中，政府扮演供应者角色，市场与政府和大学的发展方向相反，政府作为高等教育的供应者，满足大学的需求，市场方向的强度减弱；模式五中，政府与市场的发展方向比较相似，为消费者提供支持与帮助，并通过市场的自由竞争机制引导高校向市场化方向发展；模式六中，政府作为消费者与市场的发展方向趋同，通过颁布政策引导市场走向，减少对大学的资助，使大学在自主发展的同时，与国家发展和市场的需求相适应。模式四与模式六较为极端，在高等教育治理体系中较少见。

以加雷斯·威廉斯的“三角协调模式”为理论基础，可以看到在高等教育治理体系中，政府、市场与大学三者之间是并存的动态关系，在不同的发展需求中呈现不同的功能。美国的高等教育治理模式是证明这一理论的范例。尽管从20世纪中叶以来，美国政府逐渐加大了对高等教育的干预，但是也没有突破底线，进而形成政府主导式的高等教育治理模式。此外，就高等教育领域而言，纯粹的市场是不存在的，真正运作的是一种类似于市场或准市场的机制，[①]也就是说国家并未完全把高等教育交给市场。在漫长的发展过程中，美国高等教育治理模式在“模式二”“模式三”“模式五”之间不断变化，并逐渐趋于“模式一”，即以学术力量为发展核心，政府力量和市场力量逐渐渗透，对高等教育质量保障体系的影响不断加深。大学在发展的过程中以国家和市场的需求为基本导向，因而呈现出政府、市场和大学三者之间权力逐渐均衡化的发展态势。

（二）由“法人治理”走向“共同治理”

美国高等教育治理模式最初主要借鉴欧洲。在其治理模式创建之初，正是法人理念兴起之时，美国高等教育治理建立起了与传统欧洲学校不同的董事会制度。[②]这种治理模式的鲜明特点是校外人士对大学实行管理，由其架构起大学与外部社会的桥梁，这对处理好大学与政府、社会之间的关系发挥

---

① 彭湃．大学、政府与市场：高等教育三角关系模式探析——一个历史与比较的视角［J］．高等教育研究，2006（9）：100-105．

② 欧阳光华．从法人治理到共同治理——美国大学治理的历史演进与结构转换［J］．教育研究与实验，2015（2）：53-58．

着稳定的作用。

随着民主观念的兴起以及大学世俗化进程的加快，高校董事会的权力逐渐向外转移，大学校长、教师和学生逐渐获得了各自的治理角色。在1967年发表的《学院与大学治理的联合声明》中，“共同治理”被定义为“基于两者专长，教师和行政部门在共同治理时权力和责任的分工”。这表明大学在进行重大问题的决策时既需要独创能力，也需要全体治理成员的配合和参与，各治理主体在决策中的地位各不相同，但对具体事务负有首要责任的治理主体往往最有发言权。

此外，在大学具体行政事务管理方面，以校长为首的行政权力系统和以大学学术评议会为代表的学术权力系统将行政事务和学术事务独立出来。但是在处理具体事务的时候，有时也会依据现实情况而交织一起，这就需要彼此之间相互协调、沟通。校长在学术系统和行政系统充当关键角色，有助于形成“共同治理”的优良机制。

“共同治理”是美国高等教育的独特产物。以信任的合作关系的建立为前提，它强调多方参与者在决策过程中要实现参与的最大化，并及时承担各自的责任。在多方参与的“共治”模式中，权力的分散为不同利益的表达提供了机会。这些利益相关者不仅包括美国各级政府、市场和社会等，还包括高等教育内部的管理者，如校长、教师和学生等，他们在高等教育治理过程中发挥着各自的作用。

在高等教育体系不断发展的过程中，美国大学内部各主体之间的权力关系得以理顺。大学从“法人治理”转向了“共同治理”，各主体之间权责分明，这在一定程度上保障了决策的民主性。

（三）世界一流大学建设卓有成效

美国拥有为数众多的世界一流大学，2017年泰晤士高等教育以教学（30%）、研究（30%）、引文（30%）、国际展望（7.5%）和产业收入（2.5%）五大指标为依据，调查了各大学在学习环境、论文发表数量、收入和声誉、研究影响、知识转移等方面的影响，发布了2017—2018年度世界大学排名[①]，在来自世界70多个国家和地区的1 000多所学校中，美国加州理工学院、斯坦福大学、麻省理工学院、哈佛大学、普林斯顿大学等位列十强榜单；进入世界前500名的共有125所美国高校。美国世界一流大学建设取得的成效与其高等教育治理体系有着密不可分的联系。

首先，政府通过立法对高等教育进行宏观指导，同时为大学发展提供保障。在地方分权制度下，美国高等教育拥有较高的自主权，但同时政府强调教育立法，且法律条文十分具体。虽然政府对高等教育的直接干预较少，但通过立法为高等教育发展提供了制度依据。

其次，市场导向下高等教育体系以社会需求为基准进行结构调整。市场架起了学校和社会之间沟通的桥梁，美国高等教育体系呈现出与社会人才需求结构相适应的态势，能够更好地适应社会的发展。

再次，地方分权制度下各州高等教育发展具有较高的灵活性和适应性。美国各州可以在保留自身传统的基础上建设独具特色的大学体系，大学发展具有较高的自主性。

最后，从高等教育内部来讲，大学自治制度为美国大学营造了学术自由的氛围。保护学术自由是美国大学自治制度的基本理念，在这种制度的引领下，美国大学才能保持独立思想，坚持不懈追求真理。

美国高等教育治理体系为美国世界一流大学建设创造了良好的发展环境。在联邦、州和地方政府三级分权的高等教育治理体系下，三者既相互配合、彼此联系，又体现出职权分明的特点。此外，在灵活的内部管理机制下，美国大学定位清晰，形成了自己独特的办学特色及一流学科体系，这也为其建设世界一流大学提供了重要保障。

二、高等教育治理存在的问题

美国高等教育治理取得了颇丰的成果，但与此同时，也有许多问题阻碍着高等教育发展，有些问题源自其治理结构本身，而有些则源自外界环境。

---

① Times Higher Education. World University Rankings [EB/OL]. [2018-03-10]. https://www.timeshighereducation. com/world-university-rankings.

这些问题集中表现在以下五个方面，如果能够解决这些问题，美国的高等教育治理将会迈上新的台阶。

（一）共治背景下，教育治理效率受阻

在长期的发展过程中，美国高等教育治理体系逐渐走向共同治理。虽然共同治理有诸多的优势，但是由于权力的分散不可避免地存在约束力弱、治理效率低下的问题。大学共治，要求决策过程要经过所有利益相关者共同讨论。这种集体参与讨论在体现共治原则的同时，也存在一定弊端。由于参与讨论人数众多，且耗时较长，导致决策难以形成，从而加重了大学和社会的负担，使得决策效率低下。正如俞可平所说："民主使一些在非民主条件下很简单的事务变得相对复杂和繁琐，从而增大政治和行政的成本；民主往往需要反反复复的协商和讨论，常常会使一些本来应当及时作出的决定，变得悬而未决，从而降低行政效率。"①

首先，共同治理背景下，参与各方之间协调艰难，难以形成统一的意见。在多主体的治理结构中，各主体的权力可以实现相互制衡。但各主体所代表的利益不同，其观点和立场也必然不同，使得在决策过程中，许多事情很难达成一致。其次，共同治理的高等教育治理体系下，各治理主体责任模糊，造成其治理效率低下。共同治理的特点之一是多元主体的广泛参与，但在实际的治理过程中，多元治理主体所带来的复杂性是难以想象的。政府、大学和第三方组织等治理主体各自应该承担怎样的责任没有明确的规定，导致在治理过程中责任的重叠和逃避，对事务的处理不及时，进而导致教育治理效率低下。最后，从高等教育内部来讲，共同治理背景下大学治理更加制度化。但制度化也有其繁琐的地方，因而导致了微观层面上教育治理效率的降低。例如，得克萨斯大学某分校有关学校购买物品的规定竟达上百页之多。②

以共同治理为基本原则，美国高等教育治理体系有效地制约了各参与主体之间的权力，既做到了权力的制衡，也能够很好地满足各相关利益者的需求。但同时也必须认识到，合理的高等教育治理体系应该是高效率的。因

① 俞可平．民主是个好东西［J］．理论参考，2007（9）：30.

② 闵维方．美国大学崛起的历史进程与管理特点分析［J］．山东高等教育，2015(1)：5-16.

此，美国高等教育治理体系还需不断完善，对各治理主体的职责进行有效划分，防止权力的重叠和扩张，以更好地服务于国家和社会。

（二）资金约束下，财政投入受限

近年来，政府财政补助减少成为世界性的趋势。自20世纪中期以来，美国高校的经费就日趋紧张。21世纪初，金融危机带来的经济衰退，更是给美国高等教育经费筹措雪上加霜。美国学者大卫·科伯（David Kober）的研究表明："美国州立大学的财政状况都非常严峻，不仅州里提供的资金不足，联邦政府的资助也比过去减少了，钱主要以资助或贷款的方式拨给了学生，而不是给了大学。"①

进入21世纪以来，在财政预算的硬性约束下，美国联邦政府或州政府的财政补助随着市场经济的起伏而动荡。在2008年金融危机影响下，美国政府的教育财政补助骤减，大学基金收益遭受重创，不得不寻求其他措施来应对。政府补助是大学资金的重要来源之一。在过去，政府总能为大学提供充足的发展资金，大学只需要象征性地收取少许费用便能维持正常运转。然而现在，美国一些大学却要通过收取学杂费的方式补偿政府在教育财政投入上的不足。

在政府经费投入不足的背景下，大学只能依靠收取一定的费用来维持运转，这就给学生及其家庭带来了一定的经济负担。美国俄亥俄州立大学的一项调查显示，70%的学生对自己的上学费用表示担忧，30%的学生表示自己之所以疏忽学习是因为担心债务问题。许多美国大学生上学的费用大多是通过借款或者贷款，部分学生在毕业时将会背负3万—5万美元的债务。这也从侧面印证了美国大学教育财政投入不足的问题。

美国政府的财政补助是大学尤其是公立大学的主要财政来源。在资金的约束下，政府教育财政出现问题，大学不得不开始寻求政府补助之外的代替途径。因此，市场对大学治理的影响逐渐加大，这就造成了学术价值与经济利益之间的冲突。

---

① 大卫·科伯．高等教育市场化的底线［M］．晓征，译．北京：北京大学出版社，2008：139.

（三）市场诱导下，学术价值与经济利益冲突

高等教育的发展离不开经济的支持和帮助，美国第一所殖民地学院哈佛学院就是依靠私人的捐助建立的。[①]美国高等教育治理过程中，市场力量不断渗入。大学所注重的是自由的学术探索，而市场力量则更关注经济利益。在市场的诱惑下，大学的学术价值受到冲击，与经济利益产生了强烈的冲突。正如我国学者谷贤林所说："工业驱动的积极之处是改变了大学的领导风格，并在大学与社会之间形成了一种互动效应。然而，其消极之处在于它不仅使学术价值受到了经济利益的冲击，也使得大学的管理从学院式的治理模式日益演变为学术的、科层的与企业三者相混合的模式。"[②]

从大学角度来讲，自由和独立是学问的两个基本条件，德国古典大学的创始人洪堡认为，"大学唯有纯粹地追求学问，方能实现它们的目的，它们的主导原则必须是自由和清净"。[③]市场竞争机制限制了大学的学术自由，在经济利益的驱使下，大学的学术研究更偏向于资助者的需要和偏好，而基础研究逐渐减少。

从市场和学生的角度来讲，市场在对学生质量的判断中更倾向于关注短期利益，那些花费时间较长，在未来才能体现的价值往往被学生和企业雇主所忽略。因此，大学在培养学生时，若偏向以市场需求为导向，其教学与科研的短期利益与长远利益冲突会更加凸显。

美国的教育学家们认为，大学的管理、使命和目标与企业不同。企业以营利为主要目标，其管理往往是专制式的。而大学的管理和目标则应以体现学术的根本价值为准则。[④]学术自由对于高等教育至关重要。大学作为学术知识的占有者，学术自由应是其基本的特征，学术研究不应过多地掺杂经济利益。在学术价值与经济利益的冲突下，若大学一味地追求经济利益，学术自由将受到外部环境的限制，与其追寻原理性知识的初衷相背离。

---

① 荀振芳，张妍．美国大学教育捐赠历史研究［J］．中国电力教育，2012（34）：11-12．

② 谷贤林．美国研究型大学管理——国家、市场和学术权力的平衡与制约［M］．北京：教育科学出版社，2008：193．

③ 朱丰良．学术资本主义理论的批判与重构［D］．武汉：华中科技大学，2012：78．

④ 刘鸿鹤．美国大学民主管理的理念和实践［J］．东北财经大学学报，2010（3）：15．

（四）董事会“外行管理”下，共治结构受损

董事会是美国高等教育的治理主体之一，一直以来美国都利用外行管理机构对大学进行管理，以求可以最大范围的保护大学不受政治干预，这也被认为是“公众权力”与大学相联系的有效手段。这一制度的初衷是好的，董事会代表了公众的利益，但在长期的运行过程中，“外行管理”下的董事会开始显现其弊端。例如，在公立高校中，部分学校的董事会缺乏对高等教育的基本理解，因而其更倾向于以企业管理的形式对大学实施控制。一些缺乏经验的董事总是被权力所麻痹，认为制定学校的发展战略以及学校的人事调整便是其全部的职责，而忽视了大学的发展问题。另外，美国公立大学的董事会成员数少于私立大学，这就意味着董事会的决策容易被小部分人的权力所控制，可能被某些因为特殊利益或持有狭隘观点的人所左右。

首先，在董事会成员的选举或任命过程中，大多数董事能够进入大学是因为其政治或者社会关系，而非他们对高等教育的理解或经验。外行治理结构下的董事会成员缺乏经验，因而很难与专业人员（如教师）建立起信任的合作伙伴关系，易产生信任鸿沟。其次，在外行管理的董事会体制下，董事会的角色发生了明显的变化。与传统意义上高等教育的拥护者有所不同，董事会更加强调公共责任以及对大学内部事务的监管，且由于成员选举的政治性和社会性，其更倾向于拥护政治议程，这与大学原本的学术至上的理念相冲突。最后，出于对自身利益的考虑，外行机制下的董事会容易强行将自己的意愿附加于决策中，这违反了教师是教育政策等重要决策制定的参与者的共治传统，破坏了大学内部与学术事务相关的人员参与决策的共治原则。

外行人士构成的董事会可以在很大程度上反映美国公众的利益，但其某些做法也意味着大学内部与学术事务相关的人员参与大学决策权力的丧失，这在大学共治理念下是行不通的。因此，当前美国高等教育内部所面临的挑战之一就是要确保高质量、有经验的管理机构来治理大学，这些机构应该接受公开的监督和评价，同时能够对自己的绩效情况作出合理说明。

（五）终身教职“质疑”下，教师参与不足

终身教职制度的思想肇始于12世纪初，但作为现代意义上的教师聘任制度却形成于20世纪初期。终身教职制度建立在学术自由的理论基础之上，

充分彰显了美国大学教师管理制度的特色。[①]终身教职制度的初衷是保护教师的权益，使其全身心地投入到教学工作中的同时，维护学术自由，吸引优秀人才加入教师行列，从而提升教育质量。然而，经过长期的发展，终身教职制度的弊端也逐渐开始显现，这一制度逐渐受到质疑。一些学者认为，终身教职制度在保护教师权益的同时，也成为一些不思进取的教师的保护伞，阻碍了其职业发展，降低了学校的教学质量，增加了学校的管理成本。

对此，美国高等教育院校逐步开始对终身教职制度进行变革。美国高等院校在实行终身教职制度的基础上推行终身教职后期评审制度，即对已经获得终身教职的教师进行定期评审，以此来评估其职业资格。在高等教育系统内外各治理主体的不断博弈下，终身教职后期评审制度诞生，但其走向存在诸多不确定性。

教师与行政人员等共同参与大学治理是美国大学共治的特点，但是在终身教职制度遭到质疑下，其身份正面临着从“决策者”到“边缘人”的转变。其中最明显的是在教师总人数中占绝大比例的临时教师在大学治理中长期处于边缘化地位，在大学治理结构中属于缺失的一环。

在对终身教职制度质疑的背景下，教师对治理事务的兴趣下降，其在共同治理中的话语权不断弱化，影响力逐渐降低，出现教师参与不足的问题。缺乏教师支持与认可的教育改革一般不会持久，也不会产生重要的影响。[②]

从当前的局势来看，美国高等教育治理过程中出现了一些问题，给高等教育带来了一些冲击。但是我们也必须注意到，这些问题与挑战正是推动美国高等教育持续发展的不竭动力。

① 毛金德．美国大学终身教职制度存废之争及启示［J］．中国高等教育评估，2012（4）：45-49．

② Eckel P D. The Role of Shared Governance in Institutional Hard Decisions：Enabler or Antagonist?［J］. Review of Higher Education，2000（1）：15-39.

第三节　教育治理成效及问题的归因

一、教育治理取得成效的归因

美国教育治理经历了一波又一波的发展与创新，无论是在基础教育领域，还是在高等教育领域，都取得了诸多的成效。纵观其取得的成效，基础教育和高等教育治理取得成效的原因存在共性，比如：以市场为导向的治理环境；以分层治理为基础的治理制度；以善治为核心的治理文化；多元主体参与的教育治理内部结构。由此可见，美国教育治理取得成效并非偶然。

（一）以市场为导向的治理环境

教育治理环境是指整个社会所构成的教育环境。美国的教育治理环境呈现出以下特点：其一，美国教育治理具有自由竞争的市场环境，这为多元治理主体发挥影响提供了先决条件；其二，出于对自由主义的推崇以及集权主义的反感，美国民众不愿依赖政府，往往试图通过第三部门来解决社会问题，这就给市场介入教育治理提供了合理的社会基础。因此，美国形成了以市场为导向的教育治理环境。

在基础教育领域，市场导向的教育治理环境所具有的竞争机制在给基础教育治理带来压力的同时，也激发了其发展的活力，使得教育资源分配合理化和最优化，促进了基础教育的公平发展。此外，在市场导向的教育治理环境中，学生和家长有了更多的选择权，基础教育治理更加趋向于民主化。在高等教育领域，市场化的教育治理环境使得大学的人才培养有了明确的目标，有利于培养出国家和社会真正需要的人才。

以市场为导向的治理环境打破了政府与学校之间领导与被领导的关系，各主体之间逐步转变为以利益追求为基础的利益关系，政府、市场和学校之间形成了良好的协调机制。政府根据市场需要协调与学校的关系，学校教育中也增添了诸多的市场化内容。

（二）以分层治理为基础的治理制度

治理制度是教育治理赖以存在和发展的基础，界定了治理主体在教育领域的活动范围，规范着相关主体的社会关系和社会交往。

美国教育治理制度以分层治理为主要特点，各治理主体在教育治理中的功能各不相同，彼此之间的通力合作是其协调发展的基点。美国基础教育与高等教育治理都遵循分层治理的特点，政府在教育领域起宏观引导的作用，学校发展拥有一定的自主权。

以高等教育治理为例，联邦政府宏观引导高等教育治理，州政府协调指导高等教育治理，高等院校拥有自主办学权。从宏观层面讲，美国是现代法治国家，政府对高等教育的干预是以法制规范为前提的，高等教育组织和教育活动在法制的轨道上运行和开展。美国社会承认政府对大学的干预有其合理性，政府干预大学的范围及方式主要是间接干预和宏观导向。虽然高等院校受到各级政府的影响和监控，但是在完善的法律制度以及大学自治传统的保障下，美国大学依然拥有独立的法人地位。各级政府的职权严格受限，无法跨越法律的界线，因而无法越权管理大学事务。从微观层面讲，美国高等教育院校拥有较大的办学自主权，大学治理遵循契约自由原则的办学章程，其治理主体必须依章办事。美国高校自治和学术自由的实现，以其完备的法律制度为依托，受宪法和法律的保障。

以分层为基础的教育治理制度，规范了各治理主体的治理范围，明确了各自的职责，避免了学校与政府双向控制下矛盾冲突的产生，给美国教育治理带来了良好的制度保障。在此基础上，美国教育得到了稳步发展。

（三）以善治为核心的治理文化

善治是使公共利益最大化的公共管理过程，其本质特征是政府与公民对公共生活的合作管理，是政治国家和市民社会的一种新颖关系。[①]我国学者褚宏启通过对国内外学者的研究进行分析，指出了教育善治的特征：参与度，各治理主体的参与度越深，就越能体现民意，民主程度越高，善治程度越高；回应性，即教育治理需要对公众的教育需求作出及时、负责的反应；透明度，即教育治理信息的公开性，信息透明度高，有助于防治教育腐败，提高治理的廉洁程度；自由度，教育治理本身体现了教育管理的民主性，善

① 俞可平．治理和善治：一种新的政治分析框架［J］．南京社会科学，2001（9）：40-44.

治意味着相关主体依附性的减弱和主体性的增强等。①

善治、共同治理、多层次治理等多种治理类型，都在美国社会中形成和广为传播。然而，任何一种治理类型都不是对其他类型的吞并，而是在共存的状态下对治理能力和治理效率的探寻。美国教育治理处于不断地变化之中，因而具有复杂性、特殊性以及不稳定性等特征。美国教育治理过程体现了以善治为核心的治理文化，在治理过程中呈现出以共治求善治的特点。

治理文化是教育治理的内部根基，为教育变革提供文化支撑。美国教育治理发展过程从未忽视文化因素对治理的影响。近十年来，虽然美国教育治理结构并未发生显著的变化，但其治理文化却受到极大的重视。以善治的治理文化为核心，美国教育治理内涵不断丰富。

善治的教育治理文化在美国教育治理过程中集中体现为“共同治理”和“学校自治”两个方面。其一，共同治理。共同治理的教育治理模式有诸多优势，为实现教育的善治提供了基础。在教育治理中，美国深谙单一主体的政府管理不能完全实现教育的善治，因而长期推行多元主体共同参与的教育治理模式。多元的治理主体意味着利益相关者的多元性，这有利于推进问责制的实行，实现充分协商、达成共识，进而促进教育决策和管理的民主化与科学化。其二，学校自治。学校是教育治理的主体之一，美国学校在教育治理中普遍拥有较高的自主权，因而避免了由于学校办学自主权不足而产生的学校缺乏活力等问题。学校拥有高度自主权，表明学校可以在一定程度上摆脱对政府的依附性，减少政府的干预，逐步形成自主发展的教育治理机制。从某种角度而言，这有助于增进学校办学的专业性，使其更好地满足学生和社会的教育需求，促进教育的发展。

以善治的治理文化为核心，美国教育治理形成了以“共治”求“善治”的治理体系，学校拥有一定的办学自主权。以此为基础，其在宏观层面和微观层面都形成了以多元主体参与为核心的内部治理结构。

（四）多元主体参与的内部治理结构

教育治理的本质是教育利益相关者参与重大事务决策的结构和过程。美

---

① 褚宏启，贾继娥．教育治理与教育善治［J］．中国教育学刊，2014（12）：6-10.

国教育治理遵循“善治”理念，其根本表现为多元主体参与。美国基础教育治理和高等教育治理都遵循这一理念，在治理的过程中逐渐形成了多元主体参与下权责分明的教育治理内部结构。

一方面，在基础教育领域，以校长、教师以及家长社区等利益相关者为主体，形成了多元主体参与的教育治理结构。各利益主体在自身利益的驱动下，协同参与基础教育治理，以实现自身利益的最大化。在政府宏观目标的引领下，以市场竞争机制为内动力，校长、教师以及家长协调合作，形成校长领导、教师参与、家长合作的治理结构。

另一方面，美国高等教育内部治理结构也具有多方治理的特点。美国高校内部形成了以董事会为主的监控系统，以大学校长为代表的行政系统，以大学教授为主体的学术研究系统和以学生团体为代表的监督系统。

多元主体参与下的内部治理结构，能够最大限度地保证各主体间权力的制衡，防止权力的滥用和腐败。在多元主体的治理结构之下，各主体拥有自己的治理团体，权责明确，既相互制衡又相互依靠，从而保证教育治理决策的有效性。多元主体参与下，各种层次与形式的权力形成了相互制约的网络结构，各治理主体间形成了协同合作的内部治理机制，为美国教育的发展提供了支持。

二、教育治理面临危机的原因

美国人十分注重孩子的教育问题，在教育领域具有很强的危机意识，不论是1983年《国家处于危机之中》报告，还是2008年《承担起责任的国家：〈国家处于危机之中〉发布25年》，都指出美国的学校和教育体系处于危机之中。下面将对美国教育治理面临危机的原因进行分析。

（一）教育政策执行不力

理查德·纽斯塔德（Richard Neustadt）在其《总统的权力》一书中曾描述了杜鲁门总统取笑艾森豪威尔从军队领导转变为政府首脑时不知所措，其中指出杜鲁门认为军队和政府完全不同，总统、立法机关和法院颁布了政策，从不意味着老百姓马上就会执行命令，事实上很多政策从来就没有被执行过，另一些政府政策也只是被部分或者歪曲地执行过。[①]在教育治理过程中，美国政府十分重视教育政策的颁布，旨在为教育治理提供制度保障和法律依据，但是这些政策的实施结果也是应该关注的问题。

“教育政策执行是指政策的执行者依据政策的指示和要求，为实现政策目标、取得预期效果，不断采取积极措施的动态行为过程。”[②]2006年，美国华盛顿大学教育学院的研究者米迪瑞斯·霍宁在其《教育政策执行的新方向：直面复杂性》一书中指出：“在当前的美国教育政策实践中，几乎没有一项政策可以在任何时间、地点都得到有效的执行。”[③]美国教育治理过程中颁布了各种政策法案，但这些政策在法案执行过程中都不可避免地出现一系列的问题。

布朗案是美国教育法事件中的一个里程碑式的事件，推翻了此前施行了半个多世纪的“隔离但是平等”的法律，宣告种族隔离的教育制度违宪。然而，这个判决在很长一段时间内都没有得到实施，法院的判决对法律做出了更改，但是民众生活中所保留下来的根深蒂固的观念很难被改变。由此也可以看出，政策在执行过程中会受到其执行客体的影响，而难以达到预期的效果。如果说布朗案具有特殊性的话，那么《不让一个孩子掉队法案》等的实施不力则十分普遍了。以得克萨斯州为例，要想实施《不让一个孩子掉队法案》，至少得耗资15亿美元，但政府提供的配套资金只有5亿美元。[④]这就意味着如果该州不自己筹集剩余的资金，那么政策的执行效果将大打折扣。

教育行政部门和学校是教育政策执行的主要组织机构。我国学者邓旭认为，教育政策执行机构的建立和重组需要充分考虑其执行组织的专业化水

---

① 弗朗西斯·C. 福勒. 教育政策学导论［M］. 许庆豫，译. 南京：江苏教育出版社，2007：247.

② 袁振国. 教育政策学［M］. 南京：江苏教育出版社，2001：286.

③ Honig M. I. Complexity and Policy Implementation：Challenges and Opportunities for the Field［M］// Honig M. I. New Directions in Education Policy Implementation：Confronting Complexity. New York：Suny Press，2006：1–24.

④ 周文叶，兰璇. 批判教育学视野中的美国教育政策——美国威斯康星大学阿普尔教授访谈［J］. 全球教育展望，2009（12）：3.

平，据此提出了专业化的教育政策执行组织模式①（如图5-2所示），即：教育行政部门设置专业组织；学校基层设置教育政策执行组织；社会教育力量形成的外在支持性专业组织，三者之间地位平等。以此模型为理论依据来审视美国教育政策执行的组织机构，可以看到其在执行主体和执行客体等方面均存在问题，且执行组织机构不够专业。

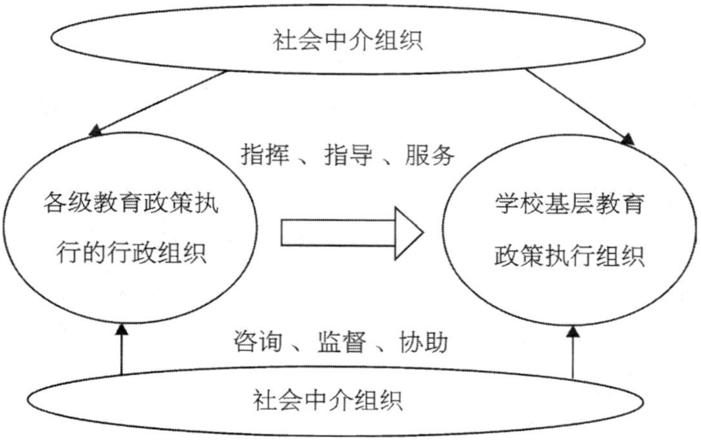

图 5-2　专业化的教育政策执行组织模式图②

（二）教育公平尚未全面实现

在教育领域，我们所说的公平通常指不同性别、种族、阶层、地域的学生获得平等的教育机会和教育资源，即教育结果公平。教育公平是社会公平的一部分。教育公平一直是美国教育治理的一大主题，但从其目前治理的状况来看，美国教育治理过程中教育公平还尚未实现。美国学者马修·林奇曾发表看法称："我们还没有实现教育公平。教育公平对我们来说一直是理想之选。公平是一个难以维持的理想，许多试图维持它的战略在实施中都远远

①② 邓旭．教育政策执行研究：一种制度分析的范式［M］．北京：教育科学出版社，2010：201．

落后。”[①] 从多个角度来看，这一问题都可以得到印证。

首先，就基础教育领域而言，美国面临严重的高中生辍学的问题。美国华文媒体《侨报》曾在2013年报道，美国有600万的青少年既没有上学，也没有工作。[②] 长此以往，必将造成较为严重的社会恶果。美国基础教育领域之所以存在较高的辍学率，除了学生的个人因素外，还受到社会因素的影响。稳定的生源是教育公平的前提，美国基础教育面临的高辍学率问题足以表明其教育公平尚未完全实现。

其次，在高等教育领域，美国也并未真正实现教育公平。诸多美国学者指出，尽管大学入学机会大量增加，但不同种族、社会阶层和性别的学生在获得高等教育机会，尤其是在获得优质高等教育机会上仍然存在着不公平现象。[③]

由此可以判断，教育公平在美国尚未全面实现，这也是其教育面临危机的原因之一。从其本质上来看，对学生的教育投资可以说是一种人力资本投资。学生所面临的教育机会和教育资源公平等问题，在未来将转换为人力资本的竞争。因此，教育的公平问题在教育治理过程中必须得到解决，否则将带来更为严重的后果。

（三）市场竞争机制尚未完善

随着经济的发展，以及全球化的浪潮，市场在教育治理中的力量逐渐增强。正如前文提到的，市场的加入为教育发展带来了活力，但也带来消极的一面。教育的市场化会将知识的价值带向市场，因而会出现综合主义价值观和市场价值观之间的争斗。如表5-1所示，在市场的价值观之下，个人利益被置于集体利益之上，更加强调竞争。

---

① Matthew Lynch. 18 Reasons the U. S. Education System is Failing. [EB/OL]. [2017-04-03] [2018-07-10]. http://www. theedadvocate. org/10-reasons-the-u-s-education-system-is-failing/.

② http://world. huanqiu. com/exclusive/2013-10/4481265. html.

③ 钟景迅．院校分层与学生隔离．美国高等教育不公平现象剖析 [J]. 高等教育研究，2012（3）：95.

表 5-1　综合主义价值观与市场价值观的对比表[①]

综合主义价值观	市场价值观
个人需要（学校和学生）	个人业绩（学校和学生）
共同性（能力混合班，开放入学）	差异性/科层制（筛选/分流/选拔/排斥）
强调将资源分配给能力较弱者	强调将资源分配给能力较强者
集体主义（学校间和学生间的合作）	竞争（学校之间和学生之间的竞争）
基于质量多元的宽泛的价值评判	基于业绩贡献的狭隘的价值评判
因为内在价值的平等向所有儿童提供教育	根据成本和结果来衡量儿童教育的价值

前文也已提过，在教育领域引入市场机制，必然会带来竞争，适度的竞争有利于教育质量的提升，促进学校的发展。但从美国教育治理目前所遇到的问题来看，其市场机制还不完善。在市场的介入下，教育的评价标准偏向市场，也会在一定程度上造成不良竞争。比如，教育券、特许学校以及营利性学校等的出现，给公立学校带来了竞争。但一味地强调教育绩效会带来绩效问责下学校发展的问题，这是市场的弊端。又如，在高等教育治理过程中，教育的市场化在使高校与社会保持亲密的关系、提高高校发展活力的同时，也会带来诸如高等院校之间以及各院校内部学科之间发展不平衡、挫伤学术自由与学术价值等弊端。某些文科课程由于不能给学校带来现实的利益而被砍掉，例如，芝加哥大学和艾莫立大学关闭了图书馆学院。[②]由此可见，市场自由竞争机制还存在诸多弊端，需要对其进行完善。

教育市场化是世界性的潮流，是美国教育治理现在和未来都不能回避的

① 斯蒂芬·J·鲍尔．教育改革——批判和后结构主义的视角［M］．侯定凯，译．上海：华东师范大学出版社，2002：90.

② 马健生．公平与效率的抉择：美国教育市场化改革研究［M］．北京：教育科学出版社，2008：304.

话题。面对教育市场化中的弊端，各国都应加强监管，将其弊端降到最低。

（四）学校发展遭遇阻碍

随着社会的发展以及国际形势的变化，美国对教育进行改革，学校的教育格局也在不断发生变革。然而，变革并不总是积极的，一些变革可能会带来消极的影响，成为学校发展的障碍。

在基础教育领域，教师是学生的培养者，是学生在学校最亲密的伙伴，其专业水平决定着学生的学业成就水平。因此，保证教师的任期可以使学生和教师都受益。教师合同中最有争议的一点也是任期问题，强硬派教育改革者认为，任期可以保护表现不佳的教师，将其恶果附加于学生之上。教师工会则认为保留教师任期是对教师的保护。此外，学生在学校的时间是有限的，有限的教学实践并不能促使教师照顾到每一个学生，教会他们需要的所有知识。因此，学校外的干预是十分必要的。

在高等教育领域，由于资金的约束以及政府的干预，大学学术自由受到威胁，学校不得不为了相关利益与市场和社会保持一致，因而做出与其学术利益相悖的决策，而学术自由是大学发展的根基，学术自由受损将成为大学发展的障碍。此外，大学教师“非升即走”的政策也会影响其科研与教学热情，产生功利性，阻碍大学发展。

教育的问题并不容易解决，其中涉及不同责任要求和期望的利益相关者的利益。不同的意识形态差异使问题更加复杂化。美国学校发展面临重重阻碍，只有在教育体系中界定和确定学校发展的问题，积极探索解决方法，才能更接近其教育理念，教育才能稳步发展。

第六章　美国教育治理现代化及其发展趋势

在社会转型的大背景下，美国教育治理呈现现代化的发展轨迹。市场因素及社会主体的介入推动多元制衡的治理结构的形成，多元主体在政治制度价值理念的引导下，借助多样化的治理工具和方式治理教育。随着教育对国家利益重要性的凸显以及出于维护教育公平的目的，联邦政府和州政府对教育的宏观监管职能增强。在加强集权化的同时，市场因素作为教育治理的重要参与力量，在教育中的渗透力持续加大。具体到高校这一主体，除了政府和市场等外在影响因素外，高校内部的参与主体亦不断多样化。

第一节　教育治理的现代化

教育治理现代化包括教育治理体系的现代化与教育治理能力的现代化。

教育治理体系指的是教育治理体制及政策制定。教育治理体系现代化的衡量标准是：过程民主化、运行制度化、环境法治化。教育治理能力指治理主体运行教育治理体系的方式、能力。教育治理能力的现代化指的是在学校教育不断变革的情境下，教育利益相关者在教育治理体系的框架下参与教育治理的能力的现代化。其具体体现为依托政策规制的法治化、利益相关者广泛参与的民主化、治理工具的多元化、治理方式的信息化等。教育治理能力的现代化与教育治理体系现代化相辅相成。因此，对美国教育治理现代化的分析离不开对治理体系现代化与治理能力现代化的审视。美国教育治理的现代化具体体现为：以法治思维和法治方式构建教育治理的法制环境；由政府、市场、学校、社会等多元主体通过权力制衡形成多元共治的治理结构；

以标准问责为质量保障的监管范式；以数据信息为教育运行的治理工具。

一、以政策法律为法治基石的统筹机制

教育治理法治化指的是以法治思维和法治方式推进教育变革。法治化既是教育发展的重要方式，又是教育发展的衡量指标；既是教育治理现代化的基本目标，又是教育治理现代化的重要路径。[①]本着民主共治的治理理念，法治是一种有效的治理保障机制。在教育自由与教育秩序的双重目标下，法治化的教育治理环境，有利于利益相关者在法治框架下共同参与教育治理，发挥合力致力于实现政策目标，逐渐形成多元主体共治的和谐格局，最终实现依法治理、民主治理、科学治理和公正治理。美国具备良好的教育法治环境，这离不开其完善的教育政策制定系统；与此同时，教育政策制定者的价值倾向又是教育政策的隐含目标。此外，多样化的政策实施工具是教育政策发挥作用的方式，这些因素从制定主体、价值理念、实施工具三个方面共同实现了美国教育治理的法治化。

（一）三级教育政策制定系统

美国是世界上法治化程度较高的国家，其涉及教育系统的法律条文众多，这不仅影响了教育工作者的行为方式，而且也是管理教育系统的重要手段。政策指的是治理系统所选择产生的一系列举措、计划、法律、法规和规则。[②]在政策话语中，参与政策制定、实施和评估的个人和团体被称为政策行动者。在美国政治体制下，政策行动者主要存在于联邦、州和地方三级教育政策制定系统中。

1. 联邦教育政策制定系统

美国教育管理的地方主义色彩浓厚，联邦政府在教育事务中的角色和作用一直是十分敏感的话题。事实上，联邦政府无法直接干预地方教育的改革和发展，其在教育中的作用是通过制定法律法规以及给予资金援助来体现

---

① 李祥．教育治理现代化的法治逻辑［J］．现代教育管理，2017（7）：73.

② P. Manna，P. J. McGuinn. Education Governance for The Twenty-first Century：Overcoming the Structural Barriers to School Reform［M］. Washington，D. C.：Brookings Institution，2013：9.

的。在联邦教育政策的制定中，国会、总统和最高法院是重要的政策制定者，三者各司其职。联邦一级的政策制定参与者主要包括：

（1）国会。国会是美国教育政策最重要的制定机构，美国国会享有立法权，负责提案、审议和通过法案。国会中负责教育立法工作的主要是众议院的教育与劳工委员会，参议院中的健康、教育、劳动和养老委员会。这些部门在调查研究和分析调查数据的基础上形成提案，提交国会。此外，参众两院预算委员会及国会预算办公室，也是教育政策的重要决策机构，主要负责教育资助方面的立法。

（2）总统。随着总统政治与教育的联系日趋密切，教育政策逐渐成为总统政治的核心，其教育政策权力主要体现在：①立法倡议，即向国会提出有关教育立法的议案或在提交给国会的咨文中发表有关教育政策主张，总统的议案和政策主张一般会得到国会重视。②立法否决权，即国会通过的法案须经总统签署才能生效，总统可行使否决权。③委托立法，即国会在特殊时期可针对特殊问题直接授权总统行使立法权。④行政命令，是由总统作为联邦最高行政首长对联邦所属机构发布的具有法律效应的指示。[①]

（3）最高法院。美国是制定法和判例法混合的国家，根据判例法，寓于某一判决书中的法律原则不仅适用于该案，而且往往成为一种先例，成为以后法院必须遵循的判例，即“遵守先例”的原则。美国教育法中许多很重要的原则是最高法院通过判例确定的，例如，确认私立高校自治权的“达特茅斯诉讼案”、促进教育平等的“布朗诉托皮卡教育管理委员会案”。

事实上，联邦教育部作为直接负责教育事务的联邦行政机构，不仅为国会提供所需教育信息，协助总统制定教育规划，还实施和监督法案，几乎参与教育政策全过程。[②]

2. 州级教育政策制定系统

美国教育政策的宪政体制关键依赖于州，这是由宪法规定各州具有管理

---

① 周世厚．利益集团与美国高等教育治理——联邦决策中的利益表达与整合［M］．北京：中央编译出版社，2012：235-236.

② PA PSON MD. Power and Politics：Federal Higher Education Policy Making in the 1990’s［M］. New York：State University of New York Press，1997：88.

教育的权力所决定的。最初，各州除了发布空洞宏大的教育目标和提供非常有限的财政和资源支持外，没有其他实质性的贡献。在这种行为受到公众的强烈反对后，各州开始改变对学校教育放任的态度，着手设置具体的可执行的教育目标，并通过监视学校的详细状况来保持与地方学校的密切联系。州级教育政策制定既呈现出一致性，同时也存在差异性。一致性指的是各州教育政策制定的过程是相似的，即某个教育问题在倡导者及改革者的号召下，引起广泛关注并成为民众议论的焦点后，进入立法者的政策议程中，再在利益相关者的积极参与下提出问题的解决方案。差异性指的是各州对同一个教育问题的应对措施是不同的，这既可能是因为各州历史文化及价值观不同，也可能是受州财政限制等现实因素的制约。当前，各州已形成较为完整的教育政策制定体系。州一级的教育政策参与者主要包括：

（1）立法部门。各州均设立法部门，其最主要的职能是在政策制定前举行听证会，听取专家关于公共事务的意见，在此基础上制定与通过法令。立法机关中，承担绝大多数实际工作的是其下属的委员会。例如，专门监管教育领域政策制定的教育委员会，负责社会福利的福利委员会等。立法机关作为一个整体，在教育政策制定过程中有着重要的影响，实际上，立法机关的一些个人在立法机关中的影响更大。[①]对教育政策制定影响较大的个人有教育委员会主席及委员会其他成员、财政委员会主席等，他们能够直接影响教育政策的制定和实施。

（2）行政部门。州长对教育政策的影响主要体现在两个方面，一是重视教育焦点问题，将其列入政府的政策议程中。二是引发公众和立法机关的高度关注，推动问题得以解决。州教育委员会主要负责制定、批准或完善与立法机关制定的教育政策配套的规章制度；为K-12教师和教育管理者制定认证要求；批准和监督教育评估项目；决定高中毕业生最低能力要求和学校教育领域的认证标准等。州教育厅也为教育委员会提供有关政策制定以及政策实施结果的意见。此外，在新法案通过后，州教育厅还需负责制定配套实

① 弗朗西斯·C. 福勒. 教育政策学导论［M］. 许庆豫，译. 南京：江苏教育出版社，2007：134.

施的法则，法律实施后监督学区政策执行并为学区提供援助。

（3）司法部门。美国多数中小学教育案件是在州司法系统提出诉讼的。在州法院系统中，11个州具有两级法院系统（审判法院、高级法院），39个州具有三级法院系统（审判法院、上诉法院、高级法院），当审判法院判决的终审案件需要上诉时，将由上诉法院或高级法院受理。这种具备多层组织机构的司法系统充分保障了教育诉讼案件的公平、公正。

3. 地方教育政策制定系统

地方主义的价值观在美国教育治理历史中已得到充分体现。地方通常反对州过多的政策限制和不适宜地方实际的政策内容，希望由自己制定适合本地学校状况的教育政策。在地方教育政策系统中，地方学校委员会及督学发挥着重要作用。地方一级的教育政策参与者主要包括：

（1）地方学校委员会。其权力来源于州宪法，是从属于州的行政机构，主要负责执行州发布的教育政策。如果州立法机关或州教育厅的政策太过宏观，地方学校委员会可以在州政策框架下制定适应本学区的详细的教育政策，并作出适当的调整。如果州发布明确的政策要求，地方学校委员会将采取相应的措施实施州颁布的政策。由此可以看出，地方学校委员会在具体落实州教育政策方面具有一定的自主权，并且在很大程度上影响州教育政策的成效。

（2）督学。督学是地方学区的主要行政官员，几乎所有的督学都由地方学校委员会任命，正是由于和州有着间接的关系，督学受到州政府不断施加的压力。督学的主要工作是实施州政府的教育政策。当前，越来越多的督学以个人身份或通过加入专业组织参与州政府的教育政策制定，积极向州政府的官员提供政策制定和政策评估的建议。①

除了上述三级教育政策制定系统中存在教育政策制定者之外，其他利益相关者，比如公众、教师及社会组织，也会参与到教育政策的制定过程中。由于政策的制定与实施涉及权力和利益的分配与再分配，因此在教育系统内运用政策调整利益关系时，为维护自身的地位和权利，具有共同利益的个体

① 姚佳胜．并校问题政策学反思［D］．重庆：西南大学，2014：78．

组成利益集团，共同对联邦和州政府教育政策施加影响。美国教育政策制定中存在多种类型的教育利益集团，它们通过多方渠道，并采取多种策略来表达本团体的利益要求和意愿，影响政府立法者及社会公众，力求使本团体所关注的教育问题成为政策问题。

（二）公平卓越的教育政策价值取向

公平与质量是美国教育变革的永恒主题，在教育政策中具体体现为对自由、平等的民主价值和效率、问责的经济价值的追求。

政策的价值取向指的是政策制定主体基于自己的价值观在面对或处理各种矛盾、冲突、关系时所持的基本价值立场和价值态度。[①]各级教育政策制定系统的运作过程中不可避免地存在政治意识形态的作用，公共政策得以产生的观念体系和价值体系影响着教育政策问题的界定和解决方式。弗朗西斯·C. 福勒认为教育政策背后的公共价值包括一般社会价值、民主价值和经济价值，这些因素同时存在于教育政策中，只不过比重不同且不同时期占主导地位的价值取向可能存在差异。同时需要注意的是，不同价值取向之间可能存在冲突。这里重点分析美国教育政策中表现突出的民主价值和经济价值。

1. 教育政策中的民主价值取向

美国教育政策中的民主价值体现为自由、平等，其最终目的在于实现教育公平。这些观念根植于美国自由主义的土壤，是美国社会普遍认可和捍卫的基本原则。美国教育政策的制定与实施强调教育治理主体的民主性与平等性，鼓励多主体的参与。教育政策制定本身体现着利益主体协同参与教育公共治理的理念，即政府基于对教育投资效益的期待，拥有监管权；公众基于对教育的热情，拥有知情权和选择权；利益团体基于对教育问题的关注，积极参与教育政策的制定。

教育自由的思想在政策中的体现是非常明显的。20世纪90年代开始的基础教育择校运动改变了就近入学的规定，让学生和家长自由选择适合学生

---

① 孔令帅. 新世纪以来美国基础教育政策价值取向的演变［J］. 西南大学学报：社会科学版，2016（5）：93.

的学校。此后，美国联邦政府于2001年颁布了《不让一个孩子掉队法案》，明确规定公立学校要及时公布学生学业成绩和学校绩效表现，以为学生和家长自主择校提供方便。择校制度旨在改革传统公立教育的体制和管理方式，在为广大父母和学生提供自由选校权利的同时，也在一定程度上为弱势群体和处境不利的儿童提供了平等的受教育机会。

美国教育政策中的平等观念包括机会平等和结果平等。美国公立学校体制起源于19世纪30年代的公立学校运动，该运动为全体儿童提供了接受公立初等教育的机会，加速了义务教育的普及，奠定了美国公共教育体制的基础。在20世纪初，美国致力于为所有学生提供接受高中教育的机会，到50年代基本普及高中教育。20世纪60年代以来，美国联邦政府开始关注弱势群体并着手制定与弱势群体相关的补偿教育政策。[①]1965年《初等和中等教育法》颁布，其第一条款规定，将大量联邦政府教育资金投入到“处境不利儿童”的教育项目中，尽量满足处境不利儿童的特殊教育需求。这些政策主张主要通过重点关注低收入家庭的学生、有色人种学生、残障学生以及移民学生的受教育权，有力地促进了教育机会的平等。有学者认为，“2001年美国国会通过的《不让一个孩子掉队法案》，以及2009年奥巴马政府“力争上游”政策的实施，标志着美国教育财政政策从追求教育机会公平转向追求教育结果公平”[②]。《不让一个孩子掉队法案》通过向成绩较差的学生提供额外的辅导项目以达到相对平等的学业成绩，通过培训教师教学技能为学校提供高质量的师资等，以实现“消除差距、促进平等”的目标。“力争上游”政策通过加大教育经费投入等措施实现教育结果公平，其目标是“人人都能成功”。

教育公平的实现在很大程度上取决于师资的均衡。教师群体存在的问题在一定程度上暴露和加重了教育不公平的问题。为弥合教育差距，维护社会公平，美国实施的一些教师教育政策力图平衡各阶级和多文化之间的权力。

---

① 李娟．美国弱势群体补偿教育立法的历史研究——基于教育公平的视角［J］．外国教育研究，2016（1）：71.

② 栗玉香，冯国有．结果公平：美国联邦政府教育财政政策取向与策略［J］．华中师范大学学报：人文社会科学版，2015（1）：161.

当前，美国师资不均衡的状况主要表现在：一方面，偏远落后地区教师群体存在质量较低、招聘困难、专业发展受限以及流失严重等问题；另一方面，美国文化的多元性与教师同质性之间存在冲突，当前以白人和中产阶级为主的女性教师无法满足多种族、多语言、多文化的受教育者，致使非主流文化群体的受教育者无法得到平等的教育资源和发展机会。

基于以上问题，奥巴马政府提出“不仅要在资金上支持这些发展欠佳的学校，还应逐步让一些优秀的教师在这些高需求的学校里任职，从而更好地、公平地分配优质教育资源”[①]，美国政府颁布一系列政策并开展教师教育项目，旨在扩充师资来源，关注多元文化教师培养，满足对高质量和文化回应型教师的需求。诸如，“农村教育成就项目”以实现城乡教育公平为根本目标，致力于为农村教育发展提供一系列补偿对策。“自我生长”项目以吸收农村本地生源为目标，致力于为农村地区培养合格教师。城市教师驻校模式致力于为落后的城市公立学校培养、招聘和留住优秀教师。多元文化主义影响美国社会生活的方方面面，为了满足种族和族裔日益多样性学生的文化需求，需要一些具备社会文化意识，并且能够融入多元文化的“文化回应型”教师。例如，联邦政府实施的“土著民教师教育项目”，以培养土著民教师为目标，意在增强教师对教学情境的理解，培养具有本地文化取向的优质教师。

家长和学生的选择权充分体现了教育自由的主张，公共教育体制的建立保障了公民教育机会的平等，对弱势群体学生的关注和支持则反映了追求教育结果平等的目标导向，追求地域和文化两方面师资均衡的政策主张凸显了民主价值的取向。

2. 教育政策中的经济价值取向

美国教育政策中的经济价值主要指的是效率，效率的价值观念是绩效制的根源，其最终目标在于追求质量。绩效的表现形式是通过评估体系来测试产品（学生的学业成绩）和目标（教育标准或经费目的）的差距，并采取相

---

① 陈玥．“基于公平，追求卓越”——美国奥巴马政府基础教育《改革蓝图》述评［J］．基础教育，2011（4）．

应的奖惩措施。市场驱动下的教育政策越来越重视教育支出与收益的关系，而对效率的关注本质上就是在强调教育质量问题，因此，提高教育质量成为教育政策的着力点。这也是小布什和奥巴马两届政府教育政策的一个重要出发点。《不让一个孩子掉队法案》和“力争上游”计划非常突出地体现了对于优质教育的追求，都试图通过制定教育标准、实施测验、问责、择校、教师评价等制度以及提供资助等措施来提高学生的学业成绩。[①]在小布什政府的基础上，奥巴马政府鼓励各州建立更高的教育标准，使毕业生的知识和技能满足市场发展的需求，并在此基础上更新评估体系，提升学校办学质量，为升学或者就业做好充足的准备。严格的问责制导致州和地方出现欺瞒和作假的现象，奥巴马政府主张以支持代替惩罚，以奖励为主。对于表现不佳的学校，从财政、人力、物力等方面予以扶持，承诺尽量满足学校的发展需求；针对那些具有发展潜力的学校，鼓励其进行教育创新。针对各州教育改革比较被动的局面，奥巴马政府以竞争性拨款代替合格性拨款，以激发教育工作者的积极性和主动性。但这些教育政策潜在的价值取向都是对教育经济效益的追求，其本质要求是提高教育质量。

美国教师教育改革以高质量教师的发展为目标，强调吸引高素质教师候选人从教，培养、激励和认证教师。《不让一个孩子掉队法案》对“高质量教师”也作出了界定，认为至少具备三个基本条件：取得州完全合格证书；拥有所授课程专业学士或以上学位；被认证拥有所授课程的专业知识。美国通过建立全国性的教师质量保障体系和监控系统，实行责任制、奖惩制和拨款政策等措施培养高质量教师。2010年，美国国家教师教育认证委员会组建的“蓝带小组”工作委员会发布《通过临床实践转变教师教育模式：国家优秀教师培养策略》，基于教学实践性的本质特征，该文件强调教学临床实践在专业化、高质量教师培养中的重要性。为保障教师培养质量，《改革蓝图》和《我们的教师，我们的未来》中均提出了关于教师评价的政策建议。前者提出教师绩效工资制，将学生的学业成就表现与教师奖惩联系起来。后者提倡建立基于教学结果报告和问责制度的教师评估政策。无论是对教师具

---

① 孔令帅. 新世纪以来美国基础教育政策价值取向的演变［J］. 西南大学学报：社会科学版，2016（5）：93-100、190-191.

体培养方式的关注还是对教师教育最终质量的评定，美国教育政策内容均指向高质量教师的培养目标，强调教师培养的经济价值。

立足对教育效率和卓越的追求，教育政策倡导对学生学业成就以及教师教育项目质量进行严格评估，对教师及教育问责的强调体现出明显的经济价值取向。

（三）多样化的教育政策工具

1. 政策工具框架

为了追求教育目标的实现和效果的最优化，政策制定者综合运用多种政策工具促使教育目标转化为行动。政策工具是政府为实现特定的政策目标而运用的手段与机制，作为联结政策目标和政策结果的桥梁，具有价值负载、目标导向和间接作用三个特点。①麦克唐纳尔和埃尔莫尔构建了政策工具的概念框架，包含五类工具（见表6-1）：命令、激励、能力建设、系统变革、劝告或劝诱。在制定教育政策时，美国常常综合利用上述几种政策工具，以实现各种工具的效能的最大化。

表 6-1　麦克唐纳尔和埃尔莫尔的政策工具框架②

政策工具	组成部分	最优运用情境	成本	主要缺点
命令	1. 行为要求规则 2. 罚则	1. 可以期望的行为一致 2. 高度支持	1. 强制 2. 服从 3. 躲避	敌对关系
激励	1. 短期资源调整 2. 相关指南	可以期望的行为差异	监管	过度差异
能力建设	1. 长期投资 2. 相关指南	既有的机构没有能力回应政策	1. 投资 2. 管理	短期难以确定结果
系统变革	权威调整	既有的机构不愿回应政策	反对和抵制	无法预料结果

① 胡仲勋，俞可．以政策工具创新推进公共教育改革——基于纽约市教育局的经验［J］. 全球教育展望，2016（3）：81.

② 弗朗西斯·C. 福勒．教育政策学导论［M］. 许庆豫，译．南京：江苏教育出版社，2007：230.

续表

政策工具	组成部分	最优运用情境	成本	主要缺点
劝告 / 劝诱	1. 信息 2. 符号、象征 3. 价值灌输	政策对象群体最有可能依据信息作出行为反应	发布信息	政策面临被操控的风险

2. 政策工具框架的运用

美国教育政策中的命令政策工具较为明显地体现在义务教育的发展上。美国政府规定父母必须为孩子提供适合的教育，违背这一原则会受到法律的惩罚。而教育券则是依据市场机制做出的教育改革，是一种典型的系统变革政策工具。它将教育选择权从州和地方转移到学生和家长手里，学生不再局限于本学区内的公立学校，而是可以选择其他地区的公立或私立学校。

2015年颁布的《让每个孩子都成功法案》则综合运用了激励、能力建设以及劝告三种政策工具。与《不让一个孩子掉队法案》的合格性拨款不同，《让每个孩子都成功法案》强调以竞争性拨款项目鼓励各州的自主改革，申请该项目的各州需要提供教育改革计划，其中学业成就较高的州和教育改革计划已通过的州能够得到联邦的资助与奖励。这在无形之中可以激励、诱导其他州加快实行教育改革。

《让每个孩子都成功法案》中，能力建设主要体现为提升教育工作者的质量。法案第二条款明确提出要培养、培训和聘任高质量教师、校长和其他学校领导者。为加强师资队伍建设，改革教师及校长的认证和培养标准，并为教师提供公平的发展机会。该法案制订了教师激励计划，计划在2017年—2020年为各州提供每年22.96亿美元的教师发展专项资金。另外，鼓励各个州建立合理的教师以及学校领导者的评价体系，除了考核学生成绩之外，还可以综合考核教师的课堂表现以及科研能力，并以绩效工资的方式鼓励教师不断促进自身的专业发展。①

① 刘淑琪．公平而卓越：21世纪美国基础教育政策研究［D］．桂林：广西师范大学，2017：24.

《让每个孩子都成功法案》中体现劝告工具的措施是基于标准的测试，与《不让一个孩子掉队法案》严格的问责制不同的是，《让每个孩子都成功法案》中教育问责的根本动机在于帮助落后学校持续改善状况，促进学生、教师和学校的发展。在各州内处于学校排名后5%的困难学校、高辍学率的高中以及所有学生成绩落后的学校，州和地方学区决策者将为其提供改善教学所需要的资源，激励学校的所有学生达到州预定的学业目标。另外，基于择校的教育政策，学校测试的结果会影响家长选择学校的倾向，进而影响学校的教学运转。因此，在问责和家长的双重压力下，学校努力改善教学实践活动，以期获得较好的测试成绩。

二、以多元制衡为责任主体的治理结构

多中心治理模式的形成和社会网络组织体系的构建，是当代治理运行的制度结构与组织基础。[①]经济学、政治学、社会学中的理论思潮引入教育领域，带来教育管理思想的变革，教育的公共属性以及社会公众的参与权也得到广泛认可。除了政府进行必要的宏观调控外，市场及公民、社会的参与拓展了教育治理的公共空间，并形成了新的结构形态。美国教育治理结构呈现多中心、扁平化、网络化的特点，多元主体基于一致目标与合作协商逐渐形成“小政府、大社会”的教育治理共同体。

（一）教育公共治理的意识形态基础

在现代教育治理中，市场、非营利组织、公民个体等社会力量广泛而又深入的参与，对公共教育服务的有效供给，教育公平优质的发展以及提高政府教育管理的有效性具有重要意义。“参与”一词是教育治理中的关键概念，下面将从新自由主义、自由主义和进步主义三种思潮[②]出发来阐释多元主体参与教育治理背后的理论支撑。

---

① 姜美玲．教育公共治理：内涵、特征与模式［J］．全球教育展望，2009（5）：41.

② Edwards Jr D. B.，Klees S. J. Unpacking “Participation” in Development and Education Governance：A Framework of Perspectives and practices［J］. Prospects，2015（4）：483-499.

1. 新自由主义思潮

新自由主义是在自由市场理论（消费者主义）的支撑下发展起来的。在这种思潮下，教育私有化得以发展，公立和私立教育合作，并且教育治理出现了以市场为主导的解决方式：父母抉择权、教育券、问责制、学校管理私有化等。在新自由主义看来，父母和学生是教育服务的消费者，父母应该通过凭证制度在相互竞争的学校之间进行选择，购买学校的教育服务。个人以顾客身份或参与学校会议的形式参与到基于自由市场理论的学校绩效制度中，这在增强家长个体或团体话语权的同时，也增强了个人及社区对教育管理的责任。从新自由主义的角度来看，市场逻辑已逐渐成为教育治理的核心思维，多元主体的参与是基于经济价值。个人和社区作为自利的消费者，作为问责机制的承担者，引导学校提高教学效率，改善教育结果。需要注意的是，新自由主义并非在暗示“无政府主义”。新自由主义政策依赖中央政府参与课程设计、政策制定以及对学生学业成绩的问责。简而言之，新自由主义期待政府能够创造和保持适当的市场化水平。

2. 自由主义思潮

自由主义重视个人和群体在国家及其既有制度体系中的民主权利和地位。而教育中的自由主义主要指的是强调各方主体参与政府政策的形成，参与事关自身利益诉求的决策，并提供充足的信息。利益集团、智囊团、大众传媒等政府外部行动者通过多方渠道，采取多种策略积极表达利益要求和意愿。政府邀请社区成员（或社区代表）开展对话、分享信息、制定教育计划和政策。总之，自由主义强调主体参与的工具价值，即通过利益相关者的参与更好地收集教育政策的信息，识别并解决教育问题。

3. 进步主义思潮

对于进步主义者来说，参与不仅仅是多元主体在市场中扮演着角色，或在制度制定过程中扮演工具，参与必须反映更公正和民主的关系，必须涉及授权。进步主义将赋权视为一个变革的过程，在这个过程中，人们处理各种社会、经济和政治权力关系，并以重组社会的新形式来取代原有的旧的或压迫的形式。这些替代形式不仅应该表现出更加平等和公平的关系，还应该促使地方或基层人民参与制定和执行影响其生活的决策和政策。进步主义强调，参与教育管理的关键是转变思想和价值观，在这种意识形态下的参与，首先通过发展压迫意识和批判意识来实现个人思想观念的转型；其次针对压迫性的政治、经济和社会制度发动个人和集体行动；最后为实现这些制度的实际转变而努力。进步主义视角的参与活动意味着个人和团体应该被赋予决策权，直接参与到与自己生活相关的决策中。

这三个理论思潮不是彼此割裂的，也没有哪个更完美。三者虽然有分歧，但是三种范式的参与都基于同一个基点——多元主体的参与。新自由主义重视政府与市场共同参与教育治理，自由主义强调多元社会主体为教育体制的建立和完善发挥工具作用，进步主义关注个人及团体主动推翻已有的落后的教育体制。无论其参与方式及最终目的如何，三种思潮均主张打破公共产品、公共服务的政府垄断，重视多元主体在教育管理中发挥作用及价值。

（二）多元共治的教育治理模式

教育治理与教育管理的一大差别就在于治理强调多元主体的参与、协调与合作。治理理论的核心理念是，多元主体通过合作、协商、建立伙伴关系等方式参与公共事务管理。协同治理理论主张多元主体平等参与治理过程，在达成目标共识的基础上进行协同合作。“参与主体的多元性、治理过程的协同性以及治理结果的超越性是协同治理理论的核心要素。”[①]提供什么样的教育服务，如何规范教育服务生产过程以及教育公共治理中各主体的权责，这是政府的责任和义务。市场作为教育公共服务的提供者，发挥教育资源调配的功能。学校作为政府、社会和家庭的委托者，是进行教育活动的场所，承担培养合格公民的职责。家庭和社会既是教育的委托者，也是教育活动重要的参与者和监督者。因此，政府、市场、学校和社会构成了现代教育治理模式。

1. 教育治理多元主体的权责范围

美国形成了政府、市场、中介组织、教师及学生家长等共同参与教育治理的多元主体共治模式（如图6-1所示）。诺尔·爱泼斯坦（Noel Epstein）形象地将美国教育治理现状称之为“错综复杂的网”[②]。随着社会形势的转变，教育在国家发展中的潜在贡献逐渐显现，政府通过政策指导、经费补助

① 孙萍，闫亭豫．我国协同治理理论研究述评［J］．理论月刊，2013（3）：109.

② Epstein N. Who’s in Charge Here：The Tangled Web of School Governance and Policy［M］. Washington，D. C.：Brookings Institution Press，2004：1.

和问责机制调配教育资源，试图强化宏观管理。美国教育治理的一个核心规则是，教育经费应该跟随学生（有更多的资源附加给弱势群体），并随之流到家庭所选择的学校中。学区需要在教育市场中竞争生源和教育经费，这实质上是将市场竞争因素引入到教育活动中。市场为学生提供多样化的教育服务，参与教育资源配置，市场中的企业及营利性组织为教育提供经费。随着教育相关者参与意识的增强，中介组织成为美国教育中非常重要的参与者，其主要通过参与教育政策制定和学校事务管理以及评估教育服务发挥作用。由于以往学区官僚层级导致缺乏对教师和学生需求的关注，放权、教师赋权、家长参与和学校校本管理已经成为当前美国教育改革的关键词。改革者普遍认为，学校要进行改革，必须赋权于教师和家长，让学校成为制定和实施教育决策的场所。总之，当前美国教育治理强调政府、市场和社会等多种因素在教育系统中的作用，逐渐形成了“政府调控、市场牵动、社会参与、学校自主”的教育公共治理模式。

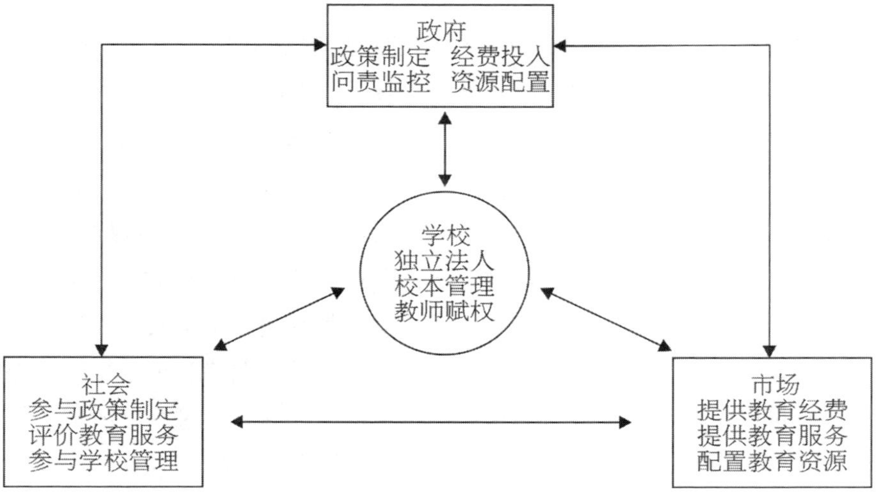

图 6-1　美国教育治理多元主体的权责范围图[①]

① 姜美玲. 教育公共治理：内涵、特征与模式 [J]. 全球教育展望，2009（5）：45.

以美国教师教育治理为例，在美国教师教育治理中，政府、市场、教师教育机构、教师教育者、社会组织等多元主体协作承担教师教育责任。为满足社会对高质量师资的需求，以高质量的教师带来教育质量的提高，政府以政策和财政等手段保障教师质量，集中体现了教师教育的公共性。以选择性路径为代表的非传统教师培养模式预示着市场因素在教师教育治理中的重要角色，中小学及学区作为教师教育消费者，其对未来教师能力素质的要求深刻影响着教师教育项目的培养目标、培养内容以及评价方式等，实质上体现为教师教育的私人性。教师教育在专业化和公共性的发展趋势下，美国教师教育机构发生了相应变化，体现出开放性和合作化的特征。伴随教师教育大学化，美国高校在教师培养中的主体地位得以确立和巩固。随着对教师职业实践性本质的认识，以高校为主的封闭式教育模式亟须改变，中小学作为未来教师的最终场所，在教师培养中的作用得到重视。随之，中小学指导教师作为具有丰富实践经验的一线教师，能够帮助职前教师在实习中获得针对性和专业性的实时指导，有助于职前教师对教师身份的认同。

在教师教育治理中，美国教师组织的作用显著并贯穿于教师职前一入职一职后的全过程，具体包括维护教师的权益，影响政治决策，关注教师专业发展，提高其专业形象。在职前阶段，关注教师教育认证，问责导向的美国教育变革强调以学生学习结果评价教师质量，认证机构作为教师教育内部保障体系成为教师教育问责改革的核心。2013年，美国两大机构——全美教师教育资格认定委员会和教师教育认证委员会合并组成教师培养认证委员会，旨在建立高标准的、统一的、基于证据的教师培养机构质量认证体系。教师培养认证委员会统一认证目标、修订认证标准、明确认证程序，强调教师教育质量保障体系应以问责为核心，形成证据文化，促进持续改善，推动教师教育达到卓越。[①]在新教师入职阶段，教师组织积极探索并开展新教师入职辅导项目，重视指导教师对新教师的指导，以津贴激励和保障新教师入职与留任。教师组织对在职教师的发展和培训也做了大量的工作，如制定专

① 段晓明．美国教师教育认证制度的变革走向——基于CAEP标准的分析［J］．中小学教师培训，2017（6）．

业发展标准、对优秀教师进行认证、建立教师专业发展中心、实行同行援助与评价及举办研讨会与培训活动等。

2. 教育治理多元主体之间的互动

美国教育公共治理合作伙伴关系的形成，意味着学校、社会和家庭从“边缘人”转变为“参与者”，由原来作为政府统治和公共管理的支配对象，成为教育公共治理中不可缺少的合作伙伴。①最终，构建起参与、多中心、分权的公共治理结构。教育治理结构要想发挥最大的效能，多元主体之间协作互动是必不可少的。教育治理能力不单是官员、教育者、学生、其他利益相关者个体的专业知识和能力，而应该具有一种“集体能力”，即教育治理能力应包括多元主体依托各种“合作伙伴关系”形成的组织整体所具有的“专业资本”，也就是相互信任、支持及合作解决问题的专业能力。②因此，在明晰各主体职责边界的基础上形成伙伴关系并寻求合作治理方式，而协作治理的前提是建立共同愿景，在治理过程中以对话、协商、谈判或妥协的方式共同作用于学校教育。

政府、学校、市场、社会各节点之间的权力运行和作用方式是错综复杂的（见图6-2）。就多元主义的权力参与机制来看，在治理结构中没有独一无二的“中心”存在，节点之间都会产生互动，并以其职能范围为基准发挥独特的作用；在合作管理过程中，参与主体间处于同等地位。政府的角色不是高高在上的控制者，而是学校教育的服务者，为学校提供发展资源并对其实施管理督导，是多元主体合作治理的倡导者，吸引市场和社会参与教育治理。其中，市场是教育管理的有力推动者，服务于教育市场，与学校进行合作。社会是教育事业的积极关注者，积极参与和监督学校管理。这就打破了行政官僚式的垂直与水平的关系，形成了平等的多向度的网状结构，网络各节点之间互动频繁、紧密联合，避免了由于缺乏协调而产生的碎片化或不连贯等问题，能更好地应对教育变革中遭遇的困境。

---

① 宋官东．教育公共治理及其机制研究［D］．沈阳：东北大学，2012：99.

② 刘茂祥．示范性普高与中职示范校沟通的课程建构初探：高阶技术技能型人才早期培育的视角［J］．教育发展研究，2015（18）：35-42.

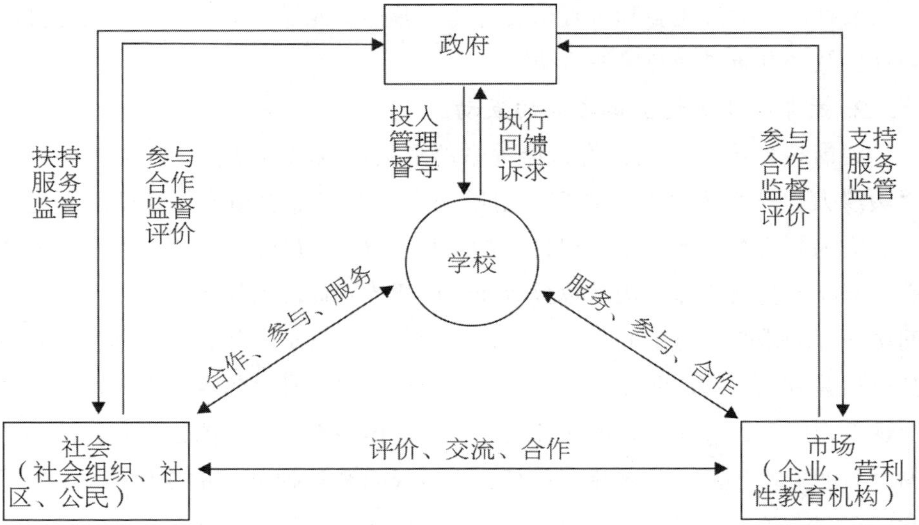

图 6-2　美国教育治理多元主体之间的互动图①

（三）多元主体之间的权力制衡

美国多元教育治理模式中存在政府与市场、分权与集权两类制衡状态。无论是教育资源配置机制中形成的政府与市场的共存，抑或教育权责关系中形成的分权与集权的张力，都打破了公共教育系统中的不同参与群体固有的资源占有和权力占比状况，也改变了它们参与教育的行为和影响教育的方式。

1. 政府与市场二者互为补充

对于如何处理政府和市场在教育治理中的关系，美国经历了不断深化认识、调整变化、自我改革的过程。治理结构由单中心到多元主体参与，最终形成了政府、市场、社会等因素共同作用的教育治理模式。其中，政府与市场之间的关系主要体现为：教育治理中二者力量博弈以及二者共存的“钟摆状态”。

① 姜美玲．教育公共治理：内涵、特征与模式［J］. 全球教育展望，2009（5）：45.

以自由市场为主导的教育治理结构认识到了市场是效率和创新的强大驱动力，却没有意识到市场中存在的垄断、不平等等因素可能造成社会的混乱。南北战争后，美国实行自由放任政策，政府对教育没有引起足够的重视，导致教育质量低下，引起公众的不满。20世纪初，实行政府全面干预的治理模式，政府在教育治理中处于垄断地位，通过当选官员和行政人员自上而下的等级制度进行控制，教育发展缓慢，政策实施效果不明显。20世纪90年代中期，美国总统克林顿为避免单一的市场或政府治理主体给教育带来冲击，推行了一条中间路线——“第三条道路”。“第三条道路”试图在国家与市场、个人与政府、竞争与合作、权利与义务、公平与效率、人类与自然之间寻求新的平衡点，以建立一个既充满活力又符合国家利益的新的教育治理秩序。①“第三条道路”意识到正是由于市场运行存在弊端，才需要政府采取监管措施来限制市场运作方式。

美国教育治理是一种整合的管理模式，市场与政府共同形成教育治理共同体。这种既关注政府作用，又强调市场效能的教育治理运行机制称之为准市场机制。英国牛津大学沃尔伏德教授认为“准市场机制”指的是“一种新的公共服务提供机制，它寻求打破以往由政府垄断性提供公共服务的单一格局，通过多元服务供应者的参与，将市场竞争理念引入公共服务，形成服务供应的多元参与和竞争格局，以求实现公共服务的有效供给”②。目前，美国形成了特许学校、磁石学校、公立学校私营化等多种教育形式共同发展的局面。在引入市场的教育治理体系中，学校成为教育产出的提供者，政府成为教育产出的服务者，市场扮演教育公共产品的诉求者的角色。

市场是教育发展的重要驱动力，教育资源的相对稀缺使学校在各个层面上进行竞争，增强了学校的发展活力。用准市场机制取代教育官僚制度的目标不是把教育从中央控制的官僚机构中彻底抽离，而是国家利用问责等制约市场因素的多种手段加强对学校教育的监控。在政府职能不断扩展的总趋

---

① 宋官东．教育公共治理及其机制研究［D］．沈阳：东北大学，2012：3.

② 阳盛益，蔡旭昶，郁建兴．政府购买就业培训服务的准市场机制及其应用［J］．浙江大学学报：人文社会科学版，2010（5）：73.

势下，以市场为取向的公共教育改革似乎是对政府教育治理作用的质疑和批判，但其实不然。市场力量参与教育治理，是政府增强干预教育的一种新途径，其目的是为了更好地服务于国家利益。在地方管理及学校自治带来教育发展不均衡的状况下，政府要通过加强绩效问责、学业考试、国家教育标准等措施予以管理。因此，教育服务和产品私有化并不是政府提供服务的替代品，其实质是在一定程度上加强了政府在教育方面的监管作用。

2. 分权与集权之间的张力

教育治理中的分权包括两种：一种是政治体制内部纵向的权力分割，即美国联邦政府与州政府、地方学区之间教育管理职能的划分；另一种是社会大环境中横向的权力分享，即教育管理权责在多元主体间的分配与合作，具体是指除政府之外的学校、市场、中介组织、社会公众等利益相关者的共同参与。教育治理中的集权则是指国家在宏观层面，通过政策制定、教育拨款、监督问责等方式宏观调控教育发展的走势。分权与集权之间的张力体现在教育管理权力分散且下放的过程中，国家在宏观层面进行指导和监督。

美国的教育管理体制通常被认为是“地方分权管理模式”，联邦政府没有直接管理教育的权力，州政府主要负责本州的教育事务，地方教育行政部门则管理当地的教育事业。尽管联邦政府没掌握教育的实权，但美国学者更多地倾向于认为，美国长期以来实行的是“双重联邦主义”，即各州政府代替联邦政府履行对教育的管理职责。就教育政策而言，对于整个国家来说，联邦政府自有其目的性政策，但落实到具体实践中，各州还是要根据自己实际情况制定有针对性的行动性政策，州和地方仍具有相当的自主权。[1]除了政治体制内出现的三级教育管理分权情况外，社会环境中的分权则体现为学校自治、市场因素渗入、中介组织支持、家长和社区参与。学校在保持自身独立的基础上争取市场中的生源、师资和资金，教育活动的复杂性使得参与其中的市场主体越来越多元。为了整合学校、政府和市场三方的利益，更好

① 李敏．美国教育政策问题研究——以 20 世纪 80 年代以来基础教育政策为例［D］．上海：华东师范大学，2006：76.

地发挥协同作用，出现了以公益性、专业性和高度独立性为特征，以各种协会组织和基金会为代表的中介组织。中介组织可以影响联邦、州以及学校层面的教育治理，具体体现在：参与政府管理活动，提高政府管理的有效性；规范学校办学行为；减少信息不对称，维护消费者权益；通过对教育问题和教育教学研究展开调查、分析和研究，传递教育界的呼声，向学校和政府提供发展建议和政策咨询。公民在教育治理中的广泛参与是美国公共事业发展的重要特征，利用家长和家庭的声音，促进教育部门和家庭以及其他利益相关者之间的交流互动。例如，“家长营”被称为自由的“联合国会议”，让家长、监护者、社区领导、教育工作者和孩子们一起讨论如何更好地促进学生发展，借此可以拓展学校与家庭、社区的联系，加强教育伙伴关系。

教育治理权力在各利益相关方之间的分享是教育治理发展的趋势，但相关者之间不同的利益驱使可能导致教育治理效率低下的问题，这就需要国家能够在宏观层面进行利益协调，保证教育发展的方向。联邦政府治理教育的途径主要有三种：一是通过法律政策宏观调控教育走势，二是通过教育拨款影响教育资源配置，三是利用评估约束教育基层的行为。顶层设计制定教育发展的政治脉络，直接影响学校实际教育教学活动的治理，在政策上的引导是联邦作用的有力体现。联邦政府作为教育的重要参与者，主要是通过增加对公立学校的资金援助来实现。当州或当地学区接受联邦资金时，联邦政府将获得管理学校的权力。立足于基层、多方参与者的地方教育治理，可能会出现各学校、各学区、各州教育治理方向和力度不一致等问题，这就需要在国家层面建立导向和标准，引导教育治理的总体方向。基于这种理念，多样的问责措施应运而生，以强有力的方式平衡教育分权。尼夫将这种既放权又集权的政府称之为“评估型政府”[①]，即政府在向市场中的个人、自治机构、中介组织放权的同时，通过评估保持自身的支配地位。“学校可能在财政和行政两方面被赋予了新的职责，但在其他领域，特别是与课程相关的领域则节节退让，无论是国家还是州政府，都掌握了决定学校知识的标准、成就评

① Neave G. The Evaluative State，Institutional Autonomy and Re-engineering Higher Education in Western Europe [M]. England，UK：Palgrave Macmillan，2012.

估的方式以及评估报告的对象等新的权力。”①由此可见，私有化和权力下放并不意味着国家权力的“挖空”，国家通过政策、资金、问责三种手段维护自身在教育中的指导者、扶持者以及监督者的角色。

三、以问责制为质量保障的监管范式

教育问责制是美国公共教育改革的重要支柱，指的是“政府通过立法确立参与教育活动主客体各方的责任与权力，制定考量责任和权力落实程度的评判标准并定期组织评判活动，权力客体通过解释、描述或证明等形式来表达其行为成效，权力主体则在综合评估的基础上，对客体的成效作出评判并辅之以奖惩措施的一套行为规范、政策承诺和制度体系”②。莫伊认为，问责制基于委托代理理论，委托代理理论要解决的核心问题是在利益冲突和信息不对等的情况下，委托人如何设计最优契约以激励代理人。③具体到教育领域，即国家雇用行政人员和教师从事教育事业，但是，代理人不可避免地在收入、家庭、意识形态等方面有自己独特的需求，甚至部分利益与委托人相悖。另外，代理人拥有委托人没有的信息，例如，教师比政府更了解学生的真实学习情况。为转变这种利益相悖和信息不对称可能带来的管理问题，建立问责制可在一定程度上规范代理人的行为，使其与委托人持有共同的目标，同时通过严格的奖惩机制来进一步激励代理人与委托人统一步伐。

关于问责制的类型，达令·哈蒙德认为美国教育体系中存在五种问责制形式，分别是：政治问责，例如，立法者和学校董事会成员必须定期参加选举并进行答辩；法律问责，学校要按照法律运作，公民可以要求法院接受有关公立学校违法的投诉；官僚问责，联邦、州和地区办事处颁布旨在确保学校教育按照既定程序进行的规章制度；专业问责，教师和其他学校人员拥有

---

① 杰夫·惠迪，萨莉·鲍尔，大卫·哈尔平．教育中的放权与择校：学校、政府和市场［M］．马忠虎，译．北京：教育科学出版社，2003：49.

② 司林波，郑宏宇．教育问责制的理论探讨［J］．教育理论与实践，2010（21）：28.

③ Moe T M. Politics，Control and the Future of School Accountability［R］. Paper Presented at “Taking Account of Accountability：Assessing Politics and Policy” Harvard Program on Education Policy and Governance，Cambridge，MA. 2002：29.

专业知识，符合入职标准，并在工作中坚持专业的实践标准；市场问责，家长和学生在某些情况下可以选择他们认为最合适的课程或学校。这些问责机制各有利弊，并且每种类型会适合于某些目标。[①]卡努瓦将问责制分为了内部问责和外部问责。外部问责通过外界（政府、社会）对学校施加压力，增进校内凝聚力以改善学生学业水平。内部问责则指的是个体行为和学校整体目标之间达成的共同的规范、价值观、期望以及行动过程。[②]

问责制最初在基础教育领域推行，后来引入高等教育，二者的问责体制存在较大差异。鉴于“美国公立高等院校在教育目标、类型、层次、评价体系等方面的多样性以及政府对其干预程度较低”的特点[③]，本书的分析主要限定在基础教育问责的领域内，不深究高等教育系统。学校是问责的基本单位，从学校的层面分析美国教育监管的能力水准能够更好地分析问责制对教育实践活动产生的实际影响。因此，下面将从学校的层面对美国基础教育问责制进行深入的分析。

（一）市场因素与问责机制并存的双重压力

学校管理权力下放且引入市场因素，这带有“私有”色彩，而学校学业标准和评价是统一且标准化的，具有“公开”的性质。国家战略性地控制学校的优先发展事项和学习结果，而政策话语又承诺“自由选择”“学校自治”以及“多样性”，这种混合的政策配置带有“公私”双重性质，从而使学校受到市场和问责的双重压力。在这种情境下，一方面，市场逻辑已经引入教育中，并带来一系列的变革。父母拥有为子女择校的选择权，为了在市场中吸引“顾客”和销售他们的服务产品，学校积极提供高质量的教育服务。因此，教学质量成为影响学校生存状态的重要因素。另一方面，国家远离日常教学和学校管理，扮演着承包商、目标制定者及绩效监督者的角色，要求学校为学生的表现负责。政府为松散的教育市场创造了维持国家权力和

---

① Darling Hammond L. Standards，Accountability，and School Reform [J]. Teachers College Record，2004（6）：1050.

② Carnoy M，Elmore R F，Siskin L S. The New Accountability：High Schools and High-stakes Testing [M]. New York：RoutledgeFalmer，2003：54-84.

③ 王淑娟 . 美国公立院校的州问责制［M］. 北京：知识产权出版社，2010：69.

监管的新途径。例如，设置国家课程和标准，制定学校目标，进行学校评估和检查，建立规范学校运行和教学成果的细则标准，以保持教育管理的政府管控状态。通过测试学生表现，公布学校问责结果，学校和教师对学生的表现结果负责，这些结果关系到奖惩机制，例如教学经费，解雇学校职员，重组甚至关闭学校。这表明国家已经从直接普及教育的提供者转变为学校的资助者和评估者。[①]测试信息的公开，也会进一步影响家长的选择。来自底层的自下而上的竞争压力驱使学校为了生存努力做出改变而不是迫于政治的压力。[②]这种市场和问责机制组合的模式不断塑造着学校，深刻地改变了学校的管理方式和教学工作。

（二）学校自治与问责对话并存的内在动力

“市场+国家问责”是从外部给学校施加压力，学校自治与问责对话则是从内部为学校发展提供动力。一方面，学校在面临政府问责的压力时，学校的自我管理体制给予其变革的自由环境；另一方面，家长及社区在要求学校对学生的表现负责时，双方就学校发展问题合作互动，这种问责对话形成学校自我革新的内在动力。

1. 学校管理保留自治权

在校本管理中（如图6-3所示），只有当学校的自治权、评估及问责联系在一起，即学校有足够的自主权对教学成果进行评估，并依据评估结果使某些人承担责任时，学校管理才会发挥最大的效能。[③]学校问责体现了政府对学校进行的自上而下控制的运行模式。联邦当局和州想要促进学生的学业成就，他们需要采取各种组织和控制机制，通过测试、学校的报告、奖励和制裁等，促使地方官员、校长、教师和学生通过有效的方式改变自身的行为，提高学生学业成就，达到既定的政策目的。在学校问责中，学校需要向

---

① Falabella A. The Performing School：The Effects of Market and Accountability Policies [J]. Education Policy Analysis Archives，2014（70）：6.

② Moe T M. Politics，Control and the Future of School Accountability [M]// No Child Left Behind? The Politics and Practice of School Accountability. Washington，D.C.：Brookings Institution Press，2003：23.

③ Arcia G，Macdonald K，Patrinos H A，et al. School Autonomy and Accountability [J]. System Assessment and Benchmarking for Education Results，2011：5.

那些对学校有监督权的机构或公众报告工作情况，将奖励、制裁与期望的结果联系起来。为了增进学校表现，更好地实行教育绩效责任，美国在教育治理过程中强调教育去集中化，给予学校更大的决策自主权，在此过程中，校本管理迅速发展起来。在这种管理模式下，学校被视为“自行管理系统”，学校被赋予决策权，包括招聘和解聘人员、课程开发、选择教材、选购学校基础设施以及评估教师和教学工作等。学校委员会（代表家长的利益）在校本管理中发挥着重要的作用，包括规划和审批预算，以及在人事决策中发表意见。校本管理实质体现为权力的下放，学校负责大部分的决策工作，家长和社区成员参与学校运作，通过利益相关者的通力合作促进学生学业成就的提高。因此，在问责制的外部控制下，校本管理为学校教育治理提供了充分的自由，促使学校进行内部问责，并在此过程中，积极寻求各方力量的参与。

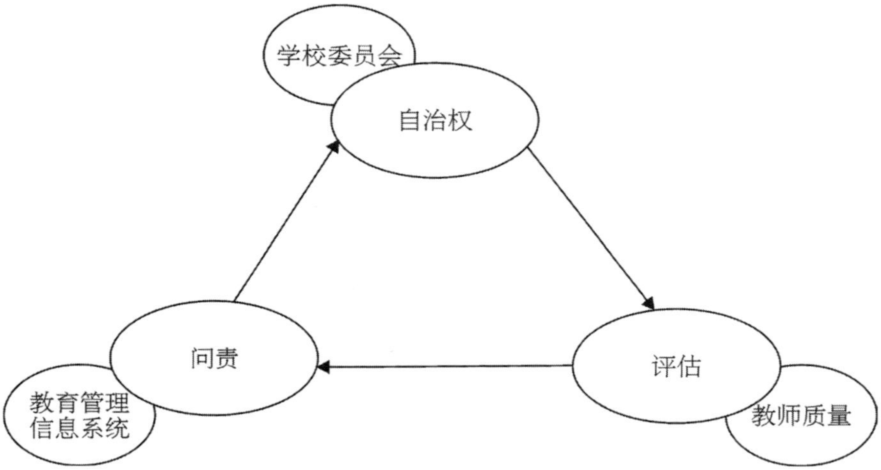

图 6–3　校本管理作为一个封闭的系统示意图[①]

① Arcia G，Macdonald K，Practice H A，et al. School Autonomy and Accountability［J］. System Assessment and Benchmarking for Education Results，2011：7.

2. 学校通过“对话”实现内部问责

有学者认为，影响学生成绩的因素众多，其中影响最大的是非学校因素①，比如，家长和社区。托马斯·J. 瑟吉奥万尼（Thomas J. Sergiovanni）等人提出，“有效教学达到最好效果的条件是学习生态处于平衡状态。学习生态包括家庭和邻居、社区及其机构、学校”。②这些人员参与到学校管理中，将有助于学生成绩的提高。问责对话作为一种新的学校问责机制，旨在将教育者、家长、雇主、高等院校代表、社区领导等人员（见图6–4）联系在一起，制定学校和学生发展的具体标准，规划学校如何达到这些目标，调查影响学校及学生表现的因素，制订计划以改善学校及学生存在的问题。专业人员及公众的参与有助于形成一种内部问责，这将引导学校持续不断的进步，学校和社区结成伙伴关系，共同致力于确保每位学生都能获得高水平的学业成就。与传统问责制强调“责备、报告、等级制、外部问责”相比，问责对话更认同“采取行动、对话、平等分享、内部与外部问责结合”的理念。

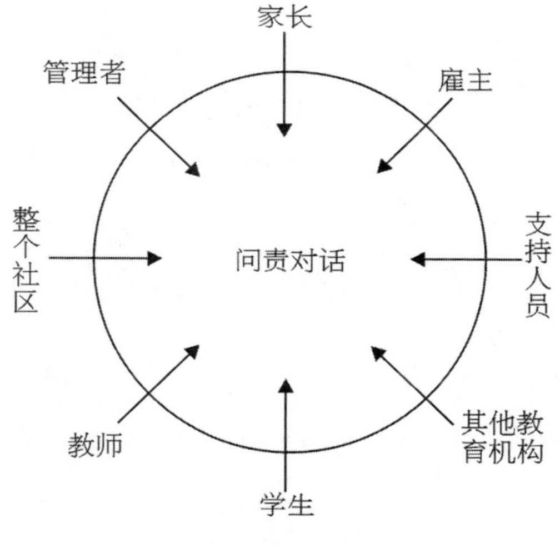

图 6–4　参与问责对话的利益相关者示意图③

---

①③ Jamentz K. Accountability Dialogues：School Communities Creating Demand from Within［M］. WestEd，2001：14、18.

② 托马斯·J. 瑟吉奥万尼，等. 教育管理学［M］. 黄崴，等，译. 北京：中国人民大学出版社，2014：13.

另外，大规模的国家级及州级评估常常依赖学生的考试成绩，作为评估学生的方式，这种考评方式不能全面地衡量学生的综合素养，学校会利用各种课堂评估或者其他考评手段综合诊断学生并得到更丰富的信息。而在问责对话中，家长们与教育工作者可以就此信息全面分析每位学生的优势及问题，就如何改善学生学业成就进行探讨，并在此基础上各方采取一系列措施，共同服务于学生发展。

由此可见，问责对话强调的是在得到有关学生综合表现的信息后，相关者如何做出实际行动，问责对话致力于通过集结各方人员的力量推动学校及学生的发展。自上而下的问责机制是一种外部问责，依赖于授权、强制和合乎规则，即问责是一种回应行为；而问责对话强调从系统内部产生动力来提高效能，是一种内在问责，它是一种对话行为，[①]承认新的角色和关系，鼓励多元参与，放大所有参与者的声音，将对话融入学校的工作中。

（三）集体问责与个人问责相结合的实施路径

当前的问责机制以学校为问责单位，通过教育资源的重新分配激励学校改善教学活动。问责制要发挥实质性的作用，引起学校教育发生内在改变，关键在于教师能否利用问责信息改善自身教学活动。即集体问责的对象是学校，作用发挥的方式是通过问责信息重新配置教育资源；个人问责的对象是教师，作用发挥的方式是充分利用问责信息，改善教学实践，并提高自我专业水平。

在问责制中，学校往往作为一个集体受到政府和公众的问责，测试得到的信息成为衡量一所学校质量的标志。政府会根据问责的结果在学校间进行资源的转移，将更好更多的资源分配给优异的学校，对于测试结果不太理想的学校，在一定时间内给予扶持，若长时间未有改善，则撤回资源的投入。同样，学校也会根据评估结果，以多种形式的激励（物质激励措施、名誉方面的激励和带目标性的激励等）将教师作为改进教学的内在动力。课堂上，教师会依据学生的表现，重新分配课堂学习资源。

---

① Richard Mulgan. “Accountability”：An Ever-Expanding Concept? [J]. Public Administration，2010（3）：556.

学校教学质量的提高不仅需要在集体层面进行资源的重新调整，更需要从个体出发做出改变。教师作为影响教学质量的关键因素，其专业行为的改进是学校发展的根本路径。教师不仅要提高自身的知识和技能，还需要通过使用问责产生的信息改善教学实践。问责制以奖励或责罚形式在集体问责的同时，激励教育工作个体注意教学相关信息，并根据相关信息调整教学策略。因此，问责信息为教师的专业反思提供了基础，将学生的学业表现与自身的教学联系起来，激励教育工作者改善课堂和学校教学实践。

四、以数据信息为教育运行的治理工具

“在国家及全球层面参与和关注公共教育的诸多利益攸关方认为，数据对于治理和问责至关重要……数据越来越多地用来为教育决策和教育投资提供依据，并使其合法化。”①大数据时代的信息共享体系能够促进相关数据的共享互联，实现教育治理多元主体之间的协同，提高治理效率和公共服务水平。大数据作为一种积极的技术性治理资源，能够为优化教育治理过程的生态环境、拓展教育制度框架设计的弹性空间、诱发教育制度变迁和治理转型提供良好的契机和技术支撑。②研究大量碎片化、多样化的数据信息资源，能够帮助治理主体更好地分析教育数据背后隐藏的深层意义和内在联系，并就得到的有效信息进行政策制定及教育改革。《美国联邦教育部战略规划（2014—2018财年）》第五个目标提到，通过更好、更广泛地使用数据，增强教育体系持续发展的能力。③利用互联网扁平化、交互式、快捷性的优势，美国各州建立了纵向教育数据系统来整合、公开教育信息，并在此基础上推动数据决策，实现基于大数据的教育治理透明化、教育决策科学化、教育服务高效化。

---

① 联合国教科文组织．反思教育：向“全球共同利益”的理念转变［M］．联合国教科文组织总部中文科，译．北京：教育科学出版社，2017：67.

② 姚松．大数据时代教育治理转型的前瞻性分析：机遇、挑战及演进逻辑［J］．现代远程教育研究，2016（4）：34.

③ U. S. Department of Education Strategic Plan for Fiscal Years 2014–2018［EB/OL］.［2018–03–13］. https://www2. ed. gov/about/reports/strat/plan2014–18/strategic–plan. pdf.

（一）全方位和公开化的教育数据网络

实施教育评价是教育科学决策的重要前提，有效的教育评价依赖于全面的、可靠的评价依据。[①]为了让教育者、家长、管理部门和其他利益相关者全面了解学生的学业状况及影响学生发展的相关因素，联邦教育部帮助各州开发覆盖全州范围的纵向数据系统，自主设计通用数据标准，提高操作互通性，鼓励教育机构和人员使用数据以提高教学能力和学习效果。这些活动有助于形成有关学生表现及其影响元素的精准描述，[②]进而能够对学生做出全面的评价。

1. 建立全方位的教育数据系统

2005年，美国教育部启动了“州纵向数据系统项目”，旨在为各州提供设计、开发和实施全州P−20W纵向数据系统的支持，从而获取、分析和利用贯穿学生学前—高中—大学—工作四个阶段的数据。据美国教育委员会2017年的调查显示，美国已有37个州以及哥伦比亚特区建立了至少包含两个教育阶段的数据系统，其中，16个州以及哥伦比亚特区已经建立了完整的P−20W纵向数据系统。[③]

该项目要求各州纵向数据系统基于以下12种要素：①学生档案，州的每一位学生都要有一个独特的号码，记录从幼儿园到高中每个年级的行为表现；②学校注册记录、人口统计特征和学生参与教育项目的信息，如特殊教育状况，是否参与免费和减价午餐项目等信息；③有关学生何时入学、转学、退学或毕业的信息；④学生根据“小学和中学教育法”要求的考试成绩；⑤未参加考试学生的信息，是什么年级和科目等；⑥学生大学入学预备考试的成绩，以显示其是否为升入大学做好准备；⑦连接教师与学生的教师档案系统，有助于了解教师的教学水平、专业发展情况等与学生表现之间的

---

① 郑燕林，柳海民. 大数据在美国教育评价中的应用路径分析［J］. 中国电化教育，2015（7）：25.

② 吴颖惠，周莉，黄喆．持续完善教育体制——《美国联邦教育部战略规则（2014—2018财年）》战略目标五［J］. 世界教育信息，2015（23）：10.

③ Examining SLDS Development and Utility［EB/OL］.［2018−04−23］. https://www. ecs. org/wp-content/uploads/Examining_SLDS_Development_and_Utility. pdf.

关系；⑧学生成绩单，特别是所修课程及所取得的成绩，主要是分析学生所选择的高挑战性的课程与就业之间的关系；⑨有关学生在大学获得学业成功的数据，包括他们是否参加了补习课程；⑩关于K-12学生是否准备好在大学获得成功的数据；⑪审查数据质量；⑫具备公开幼儿园到高等教育数据系统的能力。①

通过以上12种要素可以发现，美国纵向教育数据系统的本质特征是一体化和全面性，根本目的是个性化。一体化指的是P-20W纵向数据系统从阶段上讲贯穿了学生从学前到就业的发展过程；全面性指的是其从内容上涵盖了学生、教师及学校的信息；个性化是指纵向教育数据系统的效能发挥，通过数据收集，分析学生的行为表现，不管是评价教育计划的实施效果还是改革教育政策，其根本目的在于为学生提供个性化的发展路径。

在教师教育治理中，美国利用信息技术和大数据对职前教师的培养质量进行追踪。美国临床实践型教师教育模式主张影响未来教师的进步和培养计划的要素要基于数据分析，制订强有力的研发方案，系统地收集和使用数据为教师培养提供持续性动力。②在教师培养过程中，除了利用信息技术改革教师教育机构的培养目标、课程设置以及教师评价等方面外，如何利用科学技术实现职前教师的有效管理也是值得重视的。建立全国性的教师教育信息数据库对教师教育一体化和教师的专业发展很有必要。当前，加州和路易斯安那州已建立了教育实习信息数据库，将实习生的绩效评估结果和学生的学习成绩有机结合起来进行考核，以确保教育实习的整体成效。③

2. 公开教育数据系统中的信息

2012年，美国教育部发布《通过教育数据挖掘和学习分析促进教与学》

---

① 王洪晶．奥巴马政府学前教育政策演讲研究［D］. 长春：东北师范大学，2018：28.

② 高燕林，梁婷婷. 21世纪以来美国教师教育政策评析及启示［J］. 现代教育科学，2016（1）：147.

③ 周琴，刘燕红．美国“临床实践型教师教育”的教育实习模式探析［J］. 比较教育研究，2011（11）：13.

报告，指出要充分发挥教育数据挖掘和学习分析的功能。[①]教育数据网络建立的关键要为多方主体参与教育治理提供信息，即数据库要有开放性。以密西西比州的全州纵向数据系统为例，其被称为“生命轨迹”，是利用数据和研究推动多元主体参与地方和州级教育工作的关键组成部分。[②]将信息技术运用于教育评估之中，广泛的收集学生学习过程的全方位信息，可为教育教学过程提供实时、可靠的信息，促进形成性评价的发展和应用，使教育工作者及家长能够及时了解到学生学习、生活的真实情况，并根据这些信息为学生提供针对性的指导，发展个性化教学，提高学习的目的性。另外，运用数据可以设计个性化的教学实践活动、创新性学习计划和教师专业发展项目，以提高学生学业成绩。

美国教育把对各种教育数据的分析和使用作为形成绩效责任制的依据，其中起着关键作用的是各种标准化测验的数据。[③]通过数据可视化等大数据技术，将全美各州学生的学习数据进行收集处理，最终以教育质量报告的形式将学生的学业情况反馈到家长手中，是当前最为成熟的教育大数据项目之一。[④]依托大数据的教育评估实质上是综合运用教育数据系统中关于学生学习的相关数据，包括教师、学生、同伴和家长等多方的评价信息，对学生进行全方位、深入准确地评价和分析，为学生的发展提供科学的、合理的、有针对性的指导意见。因此，纵向教育数据系统为教育治理利益相关者提供了全方位和公开化的学生数据信息。这些高质量的数据可以帮助各级教育者更好地满足学生的需求，使家庭和学生做出明智的教育选择。恰当地使用教育数据也可以让利益相关者调整教育项目，提高教育服务的个性化程度。[⑤]

---

① Enhancing Teaching and Learning Through Educational Data Mining and Learning Analytics：An Issue Brief [EB/OL]. [2018-04-03]. https://tech. ed. gov/wp-content/uploads/2014/03/edm-la-brief. pdf.

② Carey M. Wright. Protecting Privacy，Promoting Policy：Evidence-Based Policymaking and the Future of Education [EB/OL]. [2018-03-12]. http://www. ccsso. org/sites/default/files/2018-01/US HouseHearingDataResearchPrivacyCareyWrightTestimony01302018. pdf.

③ 高星原 . 美国教育绩效责任制研究 [D]. 上海：华东师范大学，2010：53.

④ 曹胜勇 . 美国教育大数据的发展现状、经验与启示 [D]. 武汉：华中师范大学，2017：37.

⑤ 吴颖惠，周莉，黄喆 . 持续完善教育体制——《美国联邦教育部战略规划（2014—2018 财年）》战略目标五 [J]. 世界教育信息，2015（23）：10-13.

此外，借助此数据系统，政府能够对各级各类学校学生的学习行为、学业成就、生源规划、家庭背景等海量信息进行深度挖掘，为新政策的出台提供更为丰富、精确的依据。①

（二）基于证据和研究的教育政策制定

“以证据为基础的治理模式”（亦称为“循证治理模式”）涵盖了绩效反馈、数据分析和教育改进的全过程。这种基于证据的治理模式具有三个特征：首先，这种模式设定了对教育系统绩效的期待，通过数据能够更清楚的向社会传达有效讯息；其次，评估和问责制被认为是提供高质量教育的关键，这种模式通过研究、分析产生关于系统是否满足期待的证据；最后，循证政策的目标定位在于促进教育系统的发展，该系统中各级行动者，包括政治家、行政人员、学校领导、教师、学生、家长等，能够利用评估信息做出更为合理的决策。

美国于2002年颁布了《教育科学改革法》，要求所有教育政策的制定都必须有实证数据的支持，明确了数据在教育决策中的决定性地位。②随后成立了美国教育决策咨询机构——美国教育科学研究所，旨在收集、分析和分享关于学生表现和教育政策有效性的数据，是美国教育研究、评估和统计的首要信息来源，帮助教育者、决策者和利益相关者共同改善所有学生的发展。美国教育科学研究所下设4个中心：国家教育研究中心，主要负责资助和实施科学研究活动，并对相关教育研究进行整合；国家教育评估和地区援助中心，主要负责对联邦教育部实施的相关教育项目及其影响进行评估；国家特殊教育研究中心，主要服务于有特殊需要的婴幼儿、儿童和青少年，通过实施大规模且重点突出的研究活动来解决特殊教育中的重要问题，促进特殊学生的学习发展；国家教育统计中心，这是美国教育科学研究所中主要负责收集和分析数据的重要机构，数据收集囊括了学前教育到高等教育阶段，也包括职业教育、成人教育、技术教育等领域，通过分析统计数据，协助州

① 姚松．大数据时代教育治理转型的前瞻性分析：机遇、挑战及演进逻辑［J］．现代远程教育研究，2016（4）：32-41．

② U. S. Department of Education. The Education Sciences Reform Act of 2002 [EB/OL]. [2018-03-13]. http://www2. ed. gov/policy/rschstat/leg/PL107-279. pdf.

及联邦开展教育治理。[①] 国家教育统计中心每年都会出版近200种纸质和电子出版物，广泛服务于包括教育管理者、教育实施者、教育接受者、教育参与者和教育关注者在内的各种教育相关群体。[②] 基于以上部门的合作，美国教育科学研究所开展了一系列活动，主要包括：收集和分析相关数据，开展周期较长的研究和调查；支持国际评估；对全国教育的发展进行评估；对大规模教育项目和联邦教育项目进行评估；对相关研究人员进行资助；帮助各州提高学校质量以及信息公开等。这些数据信息成为美国联邦政府及各州衡量教育发展、分配教育资源、改革教育实践的重要依据。

作为研究教师质量和培训的专门机构，美国教育科学研究所每年资助和开展许多关于教师质量的科研和评估项目，提供大量有价值的教师培养成效的信息。在教师培养的全过程中，收集与公布基于成果的数据有助于更明智的决策。于州而言，可以更好地决定哪一种方案将通过并投资；于学区或校长而言，可以更好地判断与何种教师培养机构建立合作伙伴关系并雇用其培养的教师；于未来教师而言，可以更好地决定参加何种教师培养方案；此外，还有助于培养方案自身课程设置的优化，明确有待改进的方面。[③] 通过这些研究和评估，可以发现和了解政策实施过程中所遇到的问题，以便及时解决，也可以甄别不同的教育、培训模式对教师专门化的影响，以便保留和有效推广，确保各项政策的有效性。[④]

随着信息化程度的加深，信息数据除作为政策制定的实证基础不断得到强化外，还衍生出另一功能，即通过信息数据对未来的教育境况进行预测，提前制定相关政策以应对未来可能发生的状况。例如，美国一些高校利用数据挖掘精准预测学生入学率、转学率、辍学率以及学业成功的比例。

---

① The Institute of Education Sciences［EB/OL］.［2018-03-13］. https://ies. ed. gov/.

② 吴旻瑜，郭海骏，卢蓓蓉，等 . 美国国家教育统计中心对我国教育管理信息化建设的启示［J］. 世界教育信息，2014（3）：15.

③ 许楠，刘义兵 . 美国教师教育新动向——兼析《我们的未来，我们的教师》［J］. 重庆三峡学院学报，2013（01）：143-148.

④ 李学书 . 高质量教师：美国教育改革的关键——聚焦《不让一个孩子掉队》和《美国全面教育改革计划》［J］. 中小学教师培训，2011（1）：61-64.

（三）以隐私保护为前提的教育数据挖掘

美国非常重视教育数据保护，在不断修订完善《儿童在线隐私权保护法案》《家庭教育权利和隐私法案》等法案的基础上，2015年美国教育部发布了“使用在线教育服务保护学生隐私的指导”，该指导为保护学生数据的服务提供了方向，可以帮助学校主管人员辨别应用程序和在线服务是否具有良好的保密性，确保学生教育数据的安全。①

联邦教育部为了推动州、地方、学校合法合理地使用学生数据信息，要求他们遵守各类隐私法律，采取相应措施保护学生隐私。随着全州纵向数据系统的建立和更多教育信息的数字化和共享化，对隐私保护和数据安全性的需求不断增长。随着各州不断开发和完善其信息管理系统，学生信息要在得到保护以及学生的个人身份信息仅在授权和法律允许的情况下才可以使用。所有P-20利益攸关方都应参与制定这些涉及全州范围教育数据安全的制度和政策。美国教育部已经开始采取多项举措，向各州、地区和学校提供技术援助，以保护学生的隐私权，监督各方负责任地使用数据，为教育政策和做法提供信息，并授权家长、教师和学生利用这些信息维护自己的权利并改善教育成果。密西西比州对学校、地区、州和联邦级的数据隐私需求非常敏感，加强了数据治理、隐私政策和实践工作，对学生数据进行层层保护。通过经常性地测试内部系统，以确保学生数据传输通过加密通道进行，而且学区的学生档案只能通过安全站点才能上传。

第二节　教育治理发展趋势

多元主体参与美国教育治理是美国教育的一大特色。从历史的角度来看，多元主体的参与程度及参与状态在教育治理发展过程中呈现出一些较

① U. S. Department of Education. Guidance Issued on Protecting Student Privacy While Using Online Educational Services [EB/OL]. [2018-03-14]. https://www. ed. gov/news/press-releases/guidance-issued-protecting-student-privacy-while-using-online-educational-services.

为显著的发展趋势：在教育分权持续进行的同时，联邦和州政府在不断增强其管理教育的权责；随着教育市场化的发展，市场在基础教育和高等教育中的渗透力持续加大；从高校这一主体来看，其内部各主体逐渐从分散走向协作，并且这种合作关系在不断完善。

一、集中化：政府的教育治理职责增强

杰夫·惠迪等人在研究英国、澳大利亚、新西兰、美国和瑞典五国公共教育放权与择校的改革实践后指出，虽然许多教育职责正在从国家或地方政府转移，但没有一国政府的总体作用在明显下降。①

1867年，联邦政府设立联邦教育部专门负责学校教育管理，后改组为教育局，虽然其职能仅限于收集数据，但这标志着联邦政府管理作用的合法化。自从20世纪50年代末苏联卫星发射成功，联邦计划提供联邦基金培养数学和科学教师，这是联邦在学校教育政策上职能拓展的开端，并引发了全国上下对教育问题的关注。随后，其在教育中的作用不断攀升，主要集中在增加了对地方教育资金的支援。联邦通过教育经费的补贴影响州和地方的教育决策和行为，要求其对联邦基金负责，目的在于使其与联邦法律在教育目标上保持一致。接受联邦资助的州和地方进行学校改革后，联邦对其改革成果进行审计和复查，对没有满足资金使用要求的州及地方政府采取资金回收等措施。之后，联邦政府通过一些教育项目扩大其在教育治理中的职能范围。

虽然联邦法律对各州都具有法律上的强制性，但具体的教育改革内容仍然由各州决定。美国联邦、州与地方政府，三者分享教育治理权力并承担相应职责，且美国联邦政府与州政府的权力范围一直处于动态调整之中。历史上，美国教育主要是由州政府实行有限控制，由地方政府主导控制。最初美国学校较少，儿童大多在教堂或私人家庭中接受简单的教育，教育问题未进入公众的视野，突出表现为宪法及公共法律中极少涉及教育问题。美国1789

① 杰夫·惠迪，萨莉·鲍尔，大卫·哈尔平．教育中的放权与择校：学校、政府和市场［M］．马忠虎，译．北京：教育科学出版社．2003.

年宪法中将有关教育管理的权限赋予各州，从一开始就将州作为教育治理中的重要一员。在此后推行义务教育的过程中，各州开始将学校教育问题纳入政策体系中，并逐渐加强对教育发展的引导。但是有关学校教育资金、课程以及管理问题仍属于地方政府的职责。在20世纪80年代，州开始重申其在教育政策制定中的地位。目前，州和联邦决策者正在持续增强对教育政策制定的参与度。①

（一）联邦政府教育治理职能的拓展

美国联邦政府教育治理职能具有明显的拓展倾向。在奥巴马政府主导下，联邦政府积极推动制定全国性的课程标准，并鼓励各州参照这一课程标准进行改革，这表明联邦政府在协调各州教育发展方面迈出了一大步。②二战后至今，联邦政府从宏观上介入教育治理的趋势明显增强。③从教育治理历史的角度来看，联邦政府的教育治理职能是伴随美国教育发展而显现并增强的，联邦政府教育治理职能的拓展有三个阶段，由最开始以教育经费援助弱势群体，重点保障教育公平，发展到以奖惩捆绑教育政策，侧重教育质量，再到以问责增强宏观治理，兼顾教育均衡与卓越。

1. 以经费援助弱势群体，关注教育公平

20世纪60年代和70年代，联邦政府通过发布《初等和中等教育法》和其他联邦教育政策向中小学教育提供援助。这些政策力求通过补偿性教育来平衡教育机会，旨在通过向最贫穷的学校提供额外资源来进行再分配，将资源重新分配给在州和地方政府资助和控制的制度下被剥夺或受歧视的学生。这个时期联邦教育计划基于新政的假设，即绝大多数失业者或贫困人士不是个人的责任，而是由于种族歧视、失业或就业不足、工资低、缺乏教育等原因导致的结构性不平等，这是造成特定人群高失业率和贫困的根本原因。例如，这种假设认为黑人收入不高与其教育经历有关，是由学校种族隔离和不

---

① Jacobsen R，Saultz A. Trends—Who Should Control Education? [J]. Public Opinion Quarterly，2011（2）：379.

② 王晓阳．当前美国教育改革的观念与趋势［J］. 教育研究，2012（3）：140-145.

③ 肖凡．从历史角度分析美国联邦政府在教育改革中的角色［J］. 世界经济与政治论坛，2011（6）：45-51.

平等的教育资源而导致的。20世纪60年代颁布的“伟大社会”计划依赖教育战略来减少贫困和平衡经济机会，提出教育是摆脱贫困的思路。这些方案强调通过教育和培训项目为弱势群体提供就业资源，提升劳动技能，以争取获得工作机会。

2. 以奖惩捆绑政策，关注教育质量

20世纪80年代，政府对“由于结构性不平等导致社会和经济问题”的假设提出了质疑。政府把这个问题诊断为学校整体表现不佳，而不是弱势群体的问题，即公立学校体制的官僚化和集权化以及教育问题的政治化被确定为是导致教育质量低下的主要原因。联邦政府认为市场比公共部门更有效率，私营部门的解决方案在解决公共问题上具有优越性，并相信市场会比联邦政策或财政支出产生更好的结果。而后，通过教育决策私有化、教育券等措施减少了政府对学校的控制，将政策制定与公共投入分开，因此对于政府官员来说，他们提出的教育观点有可能得不到广泛的公众支持。

1983年，《国家处于危机中》发布后，教育获得了更高的国家关注度，这使得教育核心问题从强调平等转向重视卓越。这份报告把国家的经济问题与学校表现不佳联系起来，认为教育在为学生做好工作准备方面起着至关重要的作用。报告建议采取一系列广泛的政策来改善学校体系。这些改革强调要通过加强成绩测试来衡量学生的学习进度，并对所有学生采取严格的标准，通过要求更高的教师教学技能和能力测试来改进教学。联邦法律规定了州和地方官员对教育资金和学校管理负有首要责任，并且号召地方政府实施国家关于教育政策和财政计划的改革建议。《国家处于危机中》报告对国家教育体系的强烈批评以及它提出的作为补救措施的卓越改革意义重大，加速了随后的标准运动，并成为后来联邦教育政策的基础。

联邦政府通过对州实施援助制度实现其政策目标，在这种制度下，国家采取奖励措施或制裁措施来实现联邦政策目标。通常情况下，各州的政策传播是一个缓慢的过程，每个州都依据地方学校的具体情况做出政策反应。对于国家改革委员会所倡导的改革，各州采取了一系列由联邦政府主张的政策。这表明联邦政府在教育中发挥作用的方式发生了改变：由直接提供教育经费—刺激各州教育改革到教育问题界定—提出解决方案—制定奖惩措施—

引导各州实施，在这个过程中，政府更注重教育质量。

3. 以问责监管教育，兼顾均衡与卓越

2001年，《不让一个孩子掉队法案》的出台标志着联邦政府对教育的控制权力前所未有的扩展。这一法案规定由联邦法律来决定什么是失败的学校，应该如何处理，规定学校改善的时限，在全国范围内向所有学校扩展了基于绩效的，或者更具体地说是基于测试的问责制的思想。这一教育政策通过将学校和教师的进步与国家规定的国家考试进度挂钩，推动课程和教学改革。

2009年，《美国复苏与再投资法》提出由联邦政府提供1 000亿美元的资助，旨在提高教育质量并促进教育公平。为了改善《不让一个孩子掉队法案》造成的“为考试而教”的局面，2015年，《让每个孩子都成功法案》出台，旨在为每一个孩子升学和就业做好准备。该法案创造了联邦政府与各州之间真正的伙伴关系，各州拥有更加灵活的制订它们改进计划的权力，与此同时，联邦政府具有监督计划顺利进行的责任。[①]

除基础教育治理领域外，联邦政府干预也成为近年来美国教师教育改革趋势中的一大特点。[②]在美国政府推行的教育革新计划中，教师教育是一项核心议题。美国政府为招募教师和吸引人才，进一步提高学生学业标准并奖励优秀教师，出台了一系列对美国教师教育发展产生深刻影响的教育革新计划等措施，即联邦政府通过增加联邦教育经费、资金补助和政策导向的形式来干预各州的教师教育改革，致力于培养、补充、留任与评估教师。由此能够看出，联邦政府在教师教育改革中的作用日益增强，美国教育权力的重心呈现了“上移”的倾向。[③]

在资金补助方面，主要体现为两点：一是以激励优异为目标的财政拨款，如2012年“总统教学伙伴”资助方案，承诺将1.85亿美元的资金分配给那些致力于建立教师培养与教师准入高标准的州、需要资助的教师教育项

---

① 李娟．美国弱势群体补偿教育政策形成与变迁研究［D］．上海：华东师范大学，2016：135.

② 曲铁华，王凌玉．新世纪美国教师教育改革的新举措及对我国的启示［J］．国家教育行政学院学报，2016（3）：93.

③ 赵丽丽．美国奥巴马政府教师政策研究［D］．长春：东北师范大学，2014：29.

目以及成绩优秀的学生。另外，美国政府启动了“教师奖励基金”“教师服务奖学金”等教师教育资助政策和计划，鼓励优秀毕业生投身教育事业。二是目标性投资，如为满足教师群体的多样性发展需求，培养少数民族教师，政府投资鼓励少数民族服务机构——“霍金斯卓越中心”的少数民族教师教育项目，2012年政府给此类教师教育项目提供4 000万美元，为获得这笔拨款的资助，少数民族教师教育机构要在教师入职标准、教师资格认证、教师培养方案等方面进行改革。以上两点均体现了联邦政府有计划地逐步改变政府管理美国教师教育的方式，并不断扩展其干预教师教育改革的范围和力度。[①]

在政策导向方面，美国联邦政府从教师补充、教师培养、教师留任以及教师评价全方面进行宏观管控，以致有学者认为“美国教师教育改革政策的本质是联邦的政治驱动”[②]。在教师补充政策中，以奖学金和资金补助等形式吸引教师候选人从教；在教师准备政策中，大力倡导“教师驻校模式”，即在教师培养的实践层面进行直接干预[③]；在教师留任政策中，采用赋予教师共同决策和专业自治的权力，为其提供持续性的教师发展阶梯等措施保留教师；在教师评价政策中引入“绩效责任制”，确立“关注结果的报告与问责制度”的教师教育项目问责机制，支持各州进行教师评估方式的改革。由此可见，联邦政府在教育治理中的角色越来越倾向于宏观治理，在未来的教育改革中，依然离不开联邦政府在教育政策、教育经费、教育项目等领域的支持，其影响已经深入到美国教育的方方面面。需要指出的是，在特朗普政府期间，出现了减弱政府职能的主张。例如，当前美国联邦政府高等教育贷款体系反对私人银行和机构的过度介入，强调由联邦政府直接给学生资助，而特朗普政府反对现行的联邦直接贷款制度。为了降低学费和给予学生可供选择的教育贷款方案，特朗普政府认为应该恢

---

①③ 曲铁华，王凌玉．新世纪美国教师教育改革的新举措及对我国的启示［J］．国家教育行政学院学报，2016（3）：89-95.

② 谌启标．新世纪美国教师教育改革政策述评［J］．比较教育研究，2013（9）：22-28.

复私人机构和银行在学生教育资助中的角色和地位。[①]但是，特朗普政府的教育治理主张如何真正落实以及政府治理职能是增是减仍需进一步观察。

（二）州政府教育治理职能的拓展

20世纪下半叶的改革运动加强了州在教育投资和政策落实方面的作用。各州逐步采取更全面的教育资助方式，许多州采取补偿式教育计划，为处于劣势处境的学生提供额外的资源。通过20世纪80年代后的教育标准运动，各州由监督地方实施“联邦问责体系”到自行制定“州级问责体系”。值得注意的是，联邦政府的教育治理职能在宏观管理层面增强，州政府仍然是教育政策实施的行动主体，州政府在教育治理中的主体地位主要体现在以下两个方面。

1. 分配教育经费，监督法律落实

联邦政府在教育中作用增强的同时，加强了州教育机构作为监管机构的作用。[②]为了响应联邦政府在教育领域的作用，《初等和中等教育法》的通过加强了“大理石蛋糕”联邦制的概念，即联邦、州及地方政府分担教育领域的管理权，亦即为了避免联邦控制教育，州教育机构负责管理联邦资金的使用和监督法律的实施。该法案颁布以前，州教育机构只是执行联邦资助项目、分配资金和收集统计资料的小型机构。随着《初等和中等教育法》的通过，联邦官员需要一个组织机构来管理联邦资金并监督法律的实施。因此该法案提倡建立专业化的州教育机构，同时各州为了得到与联邦法规捆绑的联邦教育资金，必须制定和执行符合联邦法律要求的具体政策。

里根政府时期，根据有限政府的保守原则，联邦政府试图通过削减权力和将服务职责下放给州和地方政府来缩小联邦政府规模。在这个被称为“新联邦主义”的行政政策下，联邦政府试图用一揽子拨款（这种拨款方式给予州政府和地方政府更多的使用联邦资金的权力）来取代分类援助（这种拨款

---

① 魏孟飞，谷贤林．“特朗普时代”美国高等教育将如何变革［N］．中国教育报，2017-03-31（005）．

② Sunderman G L. Evidence of the Impact of School Reform on Systems Governance and Educational Bureaucracies in the United States [J]. Review of Research in Education，2010（1）：230.

方式由联邦政府来决定资金的使用）。与此同时，强调放松管制，削弱那些限制州和地方自由裁量计划实施权力的指导方针。分权加上减少联邦援助，减少国家计划以及降低教育和社会支出的增长速度。通过上述行动，里根政府试图降低联邦在教育政策和计划方面的作用，并明确划分政府间的责任。然而，这种承诺是权力的转移而不是释放，并且通过转移，加强了州在教育治理中的参与度。根据里根总统再授权的《中小学教育法》，即1981年的《教育巩固和改善法案》，法案给予州更大的配置教育经费的权力，并且要求其承担新的责任。

2. 增强问责职能，保障学校质量

在20世纪80年代和90年代，当联邦和州开始实施基于标准的改革时，州教育机构承担了更多的责任。1994年《改善美国学校法案》为标准运动提供了支持，要求相同的标准适用于所有学生，但要留给各州制定和实施课程标准与评估的权力。2001年《不让一个孩子掉队法案》进一步强化了州在学校改革中处于中心地位的重要趋势。该法案有三个值得注意的变化是通过对州教育部门提出更多的要求和新的责任来实现。首先，要求所有学生必须在2014年达到国家的能力目标，要求各州在相对较短的时间内使所有学校的学生达到相同的绩效水平；其次，《不让一个孩子掉队法案》赋予各州在帮助学校和地区改善方面的职责，例如，在美国教育财政体制中，由于学区教育经费主要来自地方税收，因此学区、学校之间教育经费差别较大，为了能够平衡州内所有学校的教学质量，州政府需要均衡本州内的教学经费，这在以往不属于州的职责范围；最后，制定时间线，即各州必须在某一时间点达到该法案的要求。这意味着不管各州目前教育水平如何，所有州教育必须达到同一水准，各州必须坚持联邦确定的时间线，建立问责制并进行评估，找出失败的学校，提高学生成绩，确定适当的年度进展目标，确保教师质量。这些新的责任加上制裁的力量，使州对地方和学校拥有更大的管理权。

《让每个孩子都成功法案》的颁布，开启了州主导的问责体系，体现了教育行政管理权从联邦到州的转移，主要体现在以“州问责制”取代“适当年度进步”的“联邦问责制”，[①]取消“高风险测试”，重新肯定各州学业标准的制定权，提高学区使用资金的灵活度，结束联邦强制性教师评价等。这种权力的转移说明州受联邦控制的减小，同时在教育管理中州的权责得到增强。

从教育治理发展的进程来看，政府参与教育治理的力度大多伴随教育政策的颁布和实施。特别是《不让一个孩子掉队法案》中对基于标准的问责的强调，极大地增强了联邦及州政府对地方教育的监督和管理权，尽管《让每个孩子都成功法案》中教育管理权力经历了由联邦到州的转移，但这并不表示联邦权力的弱化，实质上联邦政府对教育的管控权一直呈增强的趋势。通过分析不同时期的教育活动可以看到，联邦和州政府教育管理权几乎同时呈上升的趋势，即联邦政府权力的增强带动州政府治理权责的增强。

二、市场化：市场参与教育治理的程度日益增强

无论是基础教育还是高等教育，“当前，美国政府的教育改革比较多地借鉴企业管理理念与市场机制”[②]。在教育领域引入市场法则为学生和家长提供了多样化的教育选择机会，而随着高等教育的大众化，高校学生数量越来越多，政府财政援助的人均数额减少、教育经费的下降都直接刺激高校面向市场，吸引生源。

20世纪80年代以来，受到新自由主义思想和经济全球化发展的影响，美国放弃凯恩斯模式，反对政府过多干预，倡导市场发挥作用，行政管理领域发生的转变促使教育领域市场化改革。这种改革旨在把美国的公立教育体制和管理方式从过去的“政治经济模式”转化为一种“经济市场模式”，从而减少和克服过去公立学校体制的“垄断”与“官僚”，扩大儿童和家长自由选择权力，它主导着美国教育改革的趋势。[③]教育治理市场化改革的实

① 成赛．由《不让一个孩子掉队法案》到《让每个孩子都成功法案》——美国教育管理权从联邦政府到地方的下移［J］．当代教育科学，2016（10）：53.

② 王晓阳．当前美国教育改革的观念与趋势［J］．教育研究，2012（3）：140-145.

③ 马健生．公平与效率的抉择：美国教育市场化改革研究［M］．北京：教育科学出版社，2008：154.

质是鼓励教育服务者之间展开以提高教育质量为目的的竞争，进一步开放教育服务范围，让更多的教育服务供应者参与进来，以丰富教育服务机构的种类。与此同时，政府采取财政、法律法规等相关手段确保教育消费者正当合理的选择权。时至今日，美国教育领域市场化趋势非常显著，在基础教育和高等教育领域均有体现。美国基础教育市场化改革中出现多样化的教育选择机制，且私营公司也参与学校的日常管理。美国高等教育的市场化由来已久，已经达到非常完善的程度，是高等教育市场化程度最彻底的国家，所有的大学、学院、社区学院，不管是公立、私立还是营利性院校，都围绕着生源和财政经费展开竞争，整个高等教育系统就是一个结构复杂、功能各异、竞争激烈的巨型市场。[①]

（一）基础教育的市场化

政府推行教育改革和法院裁决强化了教育治理的官僚性，而教育的市场化改革旨在削弱教育官僚机构的作用。当前，教育私有化具体体现在范围广泛的活动、举措和政策方面，包括特许学校、教育券、私营公司承包教学和非教学服务以及管理、接管整个学区。教育私有化对美国来说并不陌生，关于市场和政府在提供公共服务方面的作用，目前的政策辩论以及许多有关私有化的学术研究呈现两极分化。支持者认为，将公共服务外包给非政府组织是控制成本，同时也是提高教育服务质量的一种手段。反对者则认为，私有化是从公立学校转移资源，会造成种族、阶级的不公平。无论基于何种观念，基础教育的市场化趋势都非常显著。

1. 基于市场取向的教育选择机制

20世纪70年代以来，美国政府和社会各界为了提高基础教育的教学质量，促进教育机会均等，对基础教育进行了多种形式的具有市场化特征的教育改革，在学校办学模式、资金来源、教学个性化等方面进行了探索。[②]直到20世纪90年代，在公立学校系统内部出现了一些新型的办学模式：教育

---

① 马健生．公平与效率的抉择：美国教育市场化改革研究［M］．北京：教育科学出版社，2008：127.

② 马立武．美国基础教育改革的市场化趋势及其借鉴意义［J］．河北师范大学学报：教育科学版，2004（2）：29

凭证制度、磁石学校、特许学校、家庭学校等，同时出现公立教育私营化的现象以及营利教育公司。从公立学校系统内部来讲，特许学校起到了激发公立学校之间相互竞争的作用；从公立学校系统外部来讲，营利学校是公立学校的挑战者，强化了学校之间的竞争。[①]改革办学主体的多元化为基础教育提供了新的发展空间和模式，并试图以这些市场化因素促使基础教育提高质量。特朗普“自由竞争”的教育理念将美国的教育系统视为竞争激烈的巨型化市场，并基于市场化的理念提出了影响美国教育改革的政策主张。[②]特朗普认为，自由选择的市场机制能够激发公立和非公立学校的相互竞争和自我革新，他在竞选时曾提出要提供200亿美元的教育券鼓励家长按照各自需求为其子女自主择校，并支持特许学校的发展。

学校选择和放松管制的论点主要来源于消费者的选择应该塑造教育服务市场的理念。倡导者认为，学校正在一步步地走向失败，彻底的教育改革对于经济发展是十分必要的。这个论点把国家的经济发展与公立学校的表现联系起来，父母的选择通常被认为是基于教育自由的权利，基于市场机制的教育选择成为改善学校和提高教育效能的重要手段。但是目前有关教育选择能否提高学生成绩或改善学校的证据，依然是模糊和不确定的。虽然学校选择提高了学生成绩或导致学校改善的证据有限，但学校选择和放松管制的论点表明了学校教育组织规范和价值观的转变。依靠市场力量来指导教育决策，将重点从学校治理的视角转移为追求公众的集体利益、强调个人的自身利益和将责任赋予更广泛的集体。私有化不仅仅是提供教育服务方式的变革，而且也是代表教育关系和价值观的社会转型。

2. 私营公司参与学校日常运营

教育市场化方面最重要的表现体现在私营公司在提供一系列教育服务和产品方面日益突出，包括测试开发、测试分数的数据存储和其他测试相关服务；对低收入学生进行补救教育和外包教学服务；以及学区和学校的接管和

---

① 阚阅．透视教育变革中的市场力量——评公平与效率的抉择：美国教育市场化改革研究［J］. 教育科学，2009（2）：93-94.

② 段世飞，辛越优．教育市场化能否让美国教育更公正与卓越？——新任“商人”总统特朗普教育政策主张述评［J］. 比较教育研究，2017（6）：3-12.

管理。在这种私有化方式下，当地学区与私人或非营利组织签订提供教学和非教学服务的合同，这些新的教育合同形式正在将更多的活动和作用从公共部门转移到私营部门。

虽然承包服务在美国有悠久的历史，但从历史上看，最常见的承包类型是非传统服务，如交通、食品服务和保管服务。在20世纪90年代，私有化引起了教育管理机构的兴起，这些机构被引入整个学校或学校系统，控制了学校运营的各个方面，包括行政管理、教学、建筑维护、食品服务等方面。《不让一个孩子掉队法案》通过明确市场模式，强化对私有化的重视，鼓励对测试和相关产品进行更大的投资，扩大教育教学服务和产品的市场。这些教育私有化形式引入了新的教育合作形式，赋予了私人承包商更多有关教育事务的参与权，这极大地影响了学校治理结构。例如，之前只是简单开发测试的私营公司现在在协助地方问责制的设计和运行。这些公司通常在做出关键性决策时扮演重要角色，如，如何跟踪问责结果，以及如何根据这些问责结果设计干预措施。

（二）高等教育的市场化

20世纪80年代初，美国开始实施高等教育的市场化改革，随着教育领域市场机制持续地发挥作用，在高等教育办学方面出现了“消费主义”的倾向。消费主义既是一种价值取向，也是一种实践模式，在这种教育观的主导下，教育机构的教育活动围绕“如何满足消费者”这一命题开展，教育的功利化趋向明显。美国高校类型多样，体系完善，发展水平较高，但面对资源有限的市场，它们还是需要通过竞争来获取教育需要的资源，因此，在专业及课程设置方面会积极向市场和学生的需求靠拢。另外，学校的运营需要充足的教育经费的支持，在政府投入下降的现状下，美国高校积极探寻提高学费以及科研成果转化等缓解措施。

1. 高校专业与课程设置面向市场需求

对任何一个国家来说，就业问题都是关系高等教育质量的重要方面。美国社会商品化发展速度相对较快，高等教育也深受商品化思想的影响。正如美国教育家伯顿·克拉克所言：“在世界上几个主要的先进国家的高等教育系统中，美国的系统是最缺乏组织的，几乎完全是一种相互之间自由竞争的市场。”[①]面对市场对于劳动力素质的要求，以及学生在多样化的高等教育机会面前的选择权，高校主动进行相应的专业调整，挑选优质的师资，提高学校的教育水准和评估结果。

美国高等教育的发展与市场人才需求息息相关，这体现在学校专业的增设、课程的变动以及学校管理模式的变革等方面，具体而言：其一，大学专业的设置关注市场的动态。大部分院校根据学生的专业选择来做出相应调整，对于申报较多的专业，学校会积极地申请与开设，来满足学生们的专业需求。其二，课程的设置与专业的调整有着相似之处。高校学生自由进行课程选择，面对学生选择较多的课程，院校会积极配备师资，丰富教学资源与内容。[②]其三，在学校管理方面，美国高校借鉴企业管理的理念与模式，强调效率、效果、责任制，采用科层化、专业化、集中化的学区管理，形成协调一致的公立学校系统，高等教育管理也日益强调质量观念、绩效责任制观念，进行成本效益核算和借鉴企业的经营管理方式。[③]由此可见，美国高等教育的变革与人才市场需求有着直接的、紧密的关联，市场对人才的规格需求影响着学生的培养质量要求，学生的学习目标影响着学校专业及课程的设置，进而学生的反馈使得院校及时调整所开的专业与课程，及时满足社会发展的需要。[④]

2. 教育经费由政府资助转向多元渠道筹集

20世纪以前，公立大学在很大程度上依赖政府的拨款来资助它们的教育活动，即使在经济大萧条时期，公共机构也几乎得到了州政府的全部支持。私立院校在很大程度上依赖于学费，在20世纪，学费得到政府提供的赠款和贷款支持越来越多。然而，在21世纪，公共和私营机构的筹资来源要求必须多样化。虽然许多私人机构仍然通过学费，公共机构仍然通过国家资助获得

① 王勇．浅析美国高等教育市场化——以营利性高校为视角［J］. 外国教育研究，2006(8)：42.

②④ 赵晓英．美国教育市场化路径对我国教育发展改革的启示［J］. 中国成人教育，2014（17）：134-136.

③ 王晓阳．美国教育现代化的历史经验及其启示［J］. 教育发展研究，2008（23）：64-72.

教育收入，但趋势是走向私有化和资金多样化。[①]近十几年来，美国政府对高校的经费资助在高校财政体系中所占的比例呈下降趋势。无论是公立高校还是私立高校，市场力量大力介入高等教育的治理。特别是自特朗普上台以来，在其以自由市场理论为引导的教育政策主张中，提出要削弱联邦教育部在高校学生贷款中的积极作用，极力鼓励私立金融机构参与高等教育，支持营利性高等教育机构的发展。

随着公共资助水平的降低，公立院校在筹集资金和创收行动中需要更大的管理自治权和弹性，州政府对公立高校虽然拥有名义上的控制，但会放松管制，突出表现为放松学费制定权和学费收入的管理和使用权。[②]这在一定程度上增强了学校的自主权。政府教育经费拨款占比及学生人均资助的减少，使得教育财政负担更多地落在学生和家庭的身上，学费的增长就是学校面对国家财政支持下降，维持学校正常运转所采取的一大措施。家庭支付的越多，他们的教育期望就越大，因此，学校要不断地进行教育改革以满足家长和学生的教育需求。与此同时，为应对因政府财政拨款下降导致的危机，学校与工商业、私人基金会合作参与到金融市场的资本运作中，通过加快科研成果的转化提升大学财政的稳定性。如，美国斯坦福大学所创设的硅谷产业园区，就是企业与高等院校合作的成功案例，企业购买科研成果，通过直接购买或奖学金的形式给院校一定的经济支持。高校科研成果的转化将高校发展与市场需求对接，是高等教育市场化较为明显的特征。

（三）教师教育的市场化

当前的教师教育比以往任何时候都更加被视为经济竞争和增长的重要组成部分。[③]当经济领域的概念和话语不加批判地应用于教师教育，知识和社会化被称为产品和教育服务，学生是消费者并且学校必须适应市场并具有竞

① Whitney K. M. Lost in Transition：Governing in a Time of Privatization[A]. W. G. Tierney. Governance and the Public Good [C]. Albany，NY：State University of New York Press，2006：29-45.

② 刘冬青．美国公立高等教育的私有化趋势探析：概念、路径和影响 [J]. 中国人民大学教育学刊，2014（3）：81-90.

③ Karlsen G E. The Role of Governance in Teacher Education [J]. International Encyclopedia of Education，2010：537.

争力，学生转变为人力资本并被视为全球竞争经济中的增长优势，市场因素的渗透从根本上影响了教师教育价值和治理逻辑。有学者认为，市场因素作用的发挥是当前美国教师教育改革的一个重要导向，这种导向表现在“消费者”观念的引入、竞争机制的渗透和自由选择理念的确立三方面。①美国教师教育的市场化在教师培养职前和入职阶段更为显著，教师教育各治理主体的角色及互动方式具有明显的市场化特征，主要涉及教师教育项目、教师、中小学以及政府和认证机构四类主体（如图6-5所示）。

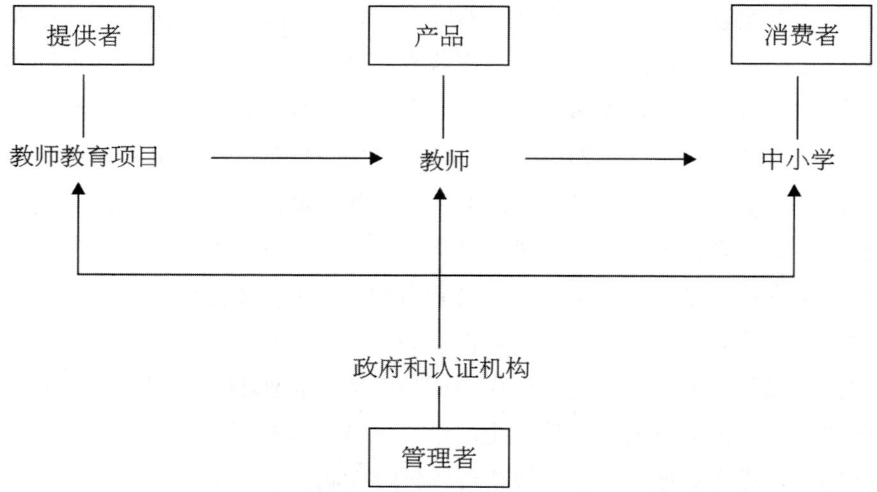

图 6-5　美国教师教育市场化的运行示意图

在教师教育大学化进程中，教师教育专业化运动如火如荼地开展，高校垄断了教师的培养。由于美国综合性大学多为私立大学，学费是其运营的重要来源，当教育学院进入综合性大学系统之后，收取高额学费成为它生存的必要前提，②体现出较为明显的市场化特征。基于此，钟秉林等学者认为美

① 王佳佳，鞠玉翠．美国教师教育市场化模式评析［J］. 外国教育研究，2009（7）：22.

② 钟秉林，宋萑．专业化与去专业化：美国教师教育改革悖论——中美教师教育比较研究之一［J］. 高等教育研究，2011（5）：56-61.

国教师教育大学化亦即教师教育市场化。[①]伴随教育界对教师教育大学化教师培养效率低下的批评，解制主义[②]呼声愈来愈强烈，并成为抵抗专业主义的另一种声音。解制主义强调教师培养效率，主张在中小学实践中和短时间内培养面向市场需求的教师，认为高校并非是培养教师的唯一主体，那些严格的教师认证和标准体系浪费了教育资源和时间。在此呼声下的选择性教师教育项目涌现，这种教师培养活动从本质上来讲是在市场驱动下进行的。

市场强调单位时间内的产值，即“效率”。无论是传统的高校提供的教师教育项目，还是非传统的教师培养活动相互之间的资源竞争都是不可避免的。这些教师教育项目作为未来教师的“提供者”，满足中小学的教师需求是最终的目标，接受政府和认证机构的管理是体现其是否具备培养资质以及能否获得经费支持的必要一环。在市场化模式下，教师被视为教师教育项目生产的一种“产品”，教师培养的质量取决于教师本身所具备的交换价值的大小，包括数量和质量两个方面。中小学作为教师的“购买方”，其需求影响教师教育项目的运行和教师培养的评价。在教育市场化模式中，市场化不等同于绝对的自由，为保障教师教育的有效运行，政府和认证机构作为“管理者”主要从外部的宏观视角进行把控。政府出于提高教师培养质量以及满足中小学教育改善的目标，通过政策法规和教育资金为教师教育项目提供必要的支持。另外，作为评价机制的责任主体，认证机构需要对教师教育机构及其项目进行认证和评估，进而为政策制定和资金流动提供参考，为教师培养的更好运作提供依据。

学校办学模式的多元化增加了家长基于市场的选择权，私营公司日渐参与，且发挥的作用不断增强，基础教育领域发生的这些变化正体现了市场因素不断渗入的趋势。高校迫于市场的压力，其专业与课程设置非常重视市场因素的影响，积极满足学生的需求。由于政府教育经费的减少，高校通过增加学费以及转化科研成果来保障学校运转。教师教育领域中，教师培养模式

---

① 钟秉林，宋萑．专业化与去专业化：美国教师教育改革悖论——中美教师教育比较研究之一［J］．高等教育研究，2011（5）：56-61．

② 周钧．解制：当代美国教师教育改革的另一种声音［J］．外国教育研究，2004（5）：29-32．

出现多元化的趋势，教师教育治理参与主体在市场化下的角色发生了变化。“选择”“竞争”“效率”“消费者”等概念涌入教育领域，充分体现了市场对教育影响不断加大的趋势。

三、协作化：高校治理逐渐形成共同参与的格局

新公共管理理论强调利益相关者的共同参与，利益相关者的积极参与为教育发展引入新的智慧渠道。利益相关者是市场力量和社会力量的拥有者，通过缔约方式内化到大学之后，便形成了行政权力和学术权力。这两种权力介于市场与社会之间，其拥有者代表着不同的利益群体，而不同利益相关者又有着不同的利益取向，这使得他们对大学的发展走向有着不同的要求，因而他们会根据各自的谈判力与效用目标开展博弈，大学治理制度恰是这样的博弈均衡的结果。①

美国大学内部治理体系中的权力关系，从由非学者组成的学校管理委员会（董事会）作为大学管理的主导自治机构，到大致由董事会—校长—管理委员会（教授协会）形成了一个三角治理结构。其间权力主导地位发生变化，大致经历了由早期的行政权力占主导地位到学术权力日益凸显的发展演变，再逐渐演变为共同治理理念下学术权力与行政权力均衡的状态。具体来说，美国大学内部治理的权力关系经历了三个阶段：第一阶段，17世纪中期至18世纪中期，行政力量占据权力的主导地位；第二阶段，18世纪中期至20世纪中期，学术力量凸显，随着研究型大学的建立，学术权力得到空前提升；第三阶段，20世纪中期至今，大学内部治理呈现行政权力与学术权力共同治理的趋势。

（一）行政权力占据主导地位

殖民地时期，大学的控制权完全掌握在外部社会力量的手中。教师群体在慢慢成长，从最初的无权地位逐步争取到有限的权力。这一时期教育管理

① 张凤都．美国大学治理制度的演变与启示［J］．现代教育管理，2015（8）：23-28.

权力的竞争主要存在于教师和董事会之间。[①]

欧洲人侵入北美大陆给北美的发展带来了翻天覆地的变化，其中以英国人对殖民地的影响最甚。英国对北美殖民地产生的巨大影响不仅体现在政治、经济、宗教等方面，也表现在高等教育中。北美高等教育体系以英国大学的理念和制度为基础，并确立了具有法人性质的董事会。学院最高决策机构是董事会或校监委员会。董事会成员都是校外人士（如教会成员和殖民地官员），其成立经过了英国王室或殖民地立法机关的特许，拥有管理学校资产、任免校长等权力，承担为学校的经办筹集资金等责任。[②]这一时期教师群体初步形成，构建了管理委员会，但力量弱小，其对于学术事务的管理权力仅仅是名义上的，经过教师的极力争取，部分学术事务的管理权力日渐下放到教师手中。从大学在美国建立至1701年耶鲁学院建立之前，教师都未在学校治理中拥有实际的权力。随后威廉玛丽学院（18世纪末建校）的成立章程中赋予教师任命校长和为大学立法的权力，但是直到30年后董事会才接纳教师参与大学决策。[③]18世纪初始，学术权力受到重视，行政权力主导的局面开始被打破，但这一力量在该时期并不够强大。

总之，殖民地时期美国高等教育的内部控制权无疑掌握在以校外人为主导的董事会以及作为其代理人的校长手中。该时期美国大学教师人数少、资历浅、任期短，尚未形成一定的团体规模力量。在大学内部的权力结构中董事会占据绝对的优势，依附于董事会的校长掌握了行政权，而教授和教师听命于董事会和校长，仅拥有微弱的话语权，还没有真正地参与到大学的治理中。

（二）学术权力持续增强，共治格局逐渐显露

独立战争后美国高等教育系统发生了公、私立高等教育的分立，但是作为学术自由、大学自治、教授治校榜样的私立大学的法人——董事会制度被保留下来，逐渐牢固并不断扩展。这一时期，董事会仍然拥有至高的权力，

---

①③ 郭卉．美国大学“联合治理”制度的历史发展及其价值意蕴[J]．高教探索，2006(2)：36、39.

② 牛风蕊．大学治理：美国的经验与启示［J］．内蒙古师范大学学报：教育科学版，2009（1）：44-46；黄福涛．外国高等教育史［M］．上海：上海教育出版社，2003：182.

但是其构成人员发生了显著变化，以往占主导地位的宗教人士逐渐让位于那些熟知公共事务的工商业者，与此同时，校友和捐赠者也开始在董事会中占据一席之位，学校管理逐渐朝着共治方向发展。

首先，体现为校长的权力开始增强，校长的角色不仅仅是从教师中选拔出来的行政管理人员，亦开始被认为是董事会的发言人和代表，并在学校的扩建、发展以及筹备资金等方面发挥作用。实际上，这一时期校长权力大小深受董事会与校长自身因素的影响，校长是否为董事会的一员，校长的个人魅力和影响力的大小，董事会赋予校长的权力等都会影响到校长的话语权。[①]其次，从美国建国到南北战争期间，美国大学的治理结构的调整，权力的变化也体现在教师身上，作为教师权力集中体现的学术权力发生了显著的变化。这主要体现在耶鲁大学的学术治校理念中，即“教授会立法，校长同意，董事会批准”。耶鲁大学校长杰里迈亚·戴（Jeremiah Day）倡导尊重教师参与决策的权力，反对利用行政权力干涉其职责和特权，并指出如果没有征求教师们的意见或建议，即便是法人代表（董事会）也不得做出任何决策。这种治校理念受到耶鲁学生的极力追捧，许多耶鲁毕业生将母校的治理理念扩展到其任教的学院，受到这一管理理念的影响，学术权力在学院中逐渐受到重视，教师的地位有所提升。

同时，美国大学内部治理发展过程中，学术权力的上升与德国大学“学术自由”“教授治校”的理念也有深层关系。美国开始派遣教师前往欧洲各国进行学习，同时各院校之间的教师流动也日渐频繁。由此带来了这一时期大学讲师和助理教授的渐增。在这样的环境下，欧洲成为期望在学术上得到更好发展人士的首选之地。这些学者学成归来后往往进入各大学院成为管理者，将他们在欧洲学到的学术管理理念带回美国各高校。在“耶鲁理念”和德国“学术自由”的双重号召下，学院的学术事务决策权虽然在一定程度上呈现出由董事会向教师转移的趋势，但学术权力在这一时期仍然无法与处于

---

① 马楠楠．美国大学治理结构的嬗变——基于系统论的视角［D］．南京：南京大学，2013：28.

垄断学院控制权地位的行政权力相制衡。[①]

19世纪中后期，随着政府和民众对高等教育的重视程度日益加强，以《莫里尔法案》的颁布和推动为契机，美国开始建立和发展仿造德国大学模式的研究型大学。这类大学鼓励科研，强调提高学者的地位。随着研究型大学的兴起，一直以来强调“教授治校”的德国高校成为美国大学治理的学习榜样。同时，大批欧洲学者和留欧人才的引入使“学术自由”气息愈浓。教师队伍也较之前大规模增加，教师间的社团和专业组织也随之建立，这些专业组织使教师在参与大学内部权力博弈中有了更深的根基和更足的底气，因而在大学内部治理中享有越来越大的权力。虽然此时学术的权力在不断增加，但是还是会发生董事会和校长越矩的事件，如任意解除教授的职务或职称，这些情况有损教师正当权利，并对学术自由产生威胁。在这种背景下，1915年美国大学教授协会产生，并于同年发布《关于学术自由与学术任期的原则宣言》，提出保护学术自由的基本原则，建议大学实行教授终身制、教授会裁判以及司法听证制度。[②]1920年，美国大学教授协会成立大学和学院治理委员会，促使教师更多地参与大学的治理。

学者需要拥有一定的自由进行学科教学和研究，随着公众以及相关管理者对这一观念的日渐认可，以及系列学术自由保护措施的出台，教授产生了他们应该对大学本身进行控制的想法。[③]在此想法的驱动下，教授在大学里通过学术评议会逐渐掌握了大学学术事务的治理权。随着学问和研究专业性的加深，以校外人士为主导的董事会对学术问题难以插手，学术相关事宜的治理权力自然而然地转移给教授。伴随着这一权力的转移，教授的重要性和专业性也被人们广泛认可。一些大学也开始借助学术评议会这一平台，将教授吸纳进学校有关学术事务决策中去。到了20世纪中叶，美国几乎所有的大学都开始建立评议会，有些州甚至开始把公立大学的评议会制度纳入到州立

① 张凤都．美国大学治理制度的演变与启示［J］．现代教育管理，2015（8）：23-28.

② 马楠楠．美国大学治理结构的嬗变——基于系统论的视角［D］．南京：南京大学，2013：37.

③ José-Ginés Mora. Governance and Management in the New University［J］. Tertiary Education & Management，2001（2）：95-110.

法中来。[①]从美国建立第一所大学到20世纪中期以来，学术权力得到了空前的提高。至此，美国大学内部董事会—校长—学术评议会三权分立制衡的治理体系基本成型。

（三）高校内部权力制衡，共同治理模式不断完善

二战以后，伴随着高等教育规模的扩张，美国高等教育逐渐由精英化走向大众化。随着民权运动的发展，美国大学对董事会成员的构成结构进行了调整。外部力量对高等教育影响的凸显使得外部利益相关者被吸纳进董事会，尤其是学生也被纳入董事会开始参与对学校重大事件的决策。董事会作为大学内部决策和立法中心仍然掌握着最终、最大占比的决策权力。然而该时期，学生和教师通过集体谈判相继获得了相应权力，再加上高校规模的扩大和组织管理的日渐复杂化，大学行政管理人员快速增加，校长的权力由此被进一步分散。但不管怎样，校长仍然是一个学校最具影响力和最有权力的人物。

这一时期学术权力也发生了一定的变化。二战结束后，因教授团体在战时国防研究中的突出贡献以及“教授明星制度”的推行，大学教授的地位得到大幅提升，他们逐渐通过董事会的明确授权或默许，在各自专业领域的教师聘任、晋升、工作进度等方面获得更大的权力。与此同时，归功于学术评议会的发展和教师工会制度及其集体谈判的维权方式，大学教授对学校决策和运作的影响力持续增强。[②]1966年，美国大学教授协会、美国大学董事会协会等机构联合发表《学院与大学治理的联合声明》（以下简称《声明》）。《声明》中进一步指出，教师不仅应该在有关学术事务，如研究内容、方法，教师选聘、升任等事项中负有首要责任，而且应该支持教师参与到有关学校总体目标制定、预算以及行政人员的选任中来，[③]甚至在校长的筛选上也应该充分听取教师的意见。《声明》的发表为学术权力在学术事务中的领导权和行政中的话语权提供了制度保障。

---

① 张凤都．美国大学治理制度的演变与启示［J］．现代教育管理，2015（8）：23-28.

② 马楠楠．美国大学治理结构的嬗变——基于系统论的视角［D］．南京：南京大学，2013：47.

③ 甘永涛．美国大学共同治理制度的演进［J］．清华大学教育研究，2009（3）：25-30.

从20世纪60年代开始，共同治理制度在高校快速流行起来，作为一项改革策略，共同治理成为20 世纪60年代至80年代许多高校治理模式转换的中心议题。讨论只能加深对共同治理的认识，最终要得以运用和实施，就必须有立法的保障。共同治理的立法进程始于加利福尼亚州，1988年，加州政府颁布的AB1725（California's Assembly Bill 1725）确立了“首要依赖于学术委员会的建议与判断”和“学区董事会和学术委员会的相互协商”原则，以法案的形式保障了“共同治理”的实施。全美有95%的高校效仿这一做法。[①] 到20世纪90年代，社会上掀起了对共同治理制度的广泛讨论和激烈批评。美国不少学者开始重新审视共同治理制度的作用，提出要对共同治理制度进行改革。1998年，大学治理协会发表《治理宣言》，其中教师的个人学术自由权力得到最高程度的保留，但其他方面的决策权力却有所下降。此外，学生作为大学的重要利益主体参与到大学治理当中。一些大学董事会招募学生成为学生董事，进而使学生拥有了部分行政权力。学术治理参与权的下放使学术权力进一步上升。董事会成员构成的不断变化，相关利益者的参与，校长权力的分割，学术权力的上升以及学生团体拥有了一定的话语权，为共同治理的各方参与者提供了权力保障。

当前美国的大学治理结构随着教育环境的改变不断完善，伴随着新系统力量的重新平衡，新的大学治理结构也会在新的力量平衡中完成构建。[②] 随着高等教育发展公共资金的逐步减少，高校之间的竞争愈演愈烈，社会大众对于高等教育治理的关注度不断上升，共治的高校治理模式通过不断稳固应对教育发展带来的各种挑战。毫无疑问，高校内部避免“一刀切”的管理模式，内部各机构相互协调，互相信任，更加合作互助，对彼此和社会负责成为了美国大学治理的发展趋势。[③]

---

① 甘永涛．美国大学共同治理制度的演进及发展趋势［J］. 职业技术教育，2009（7）：79-83.

② 马楠楠．美国大学治理结构的嬗变——基于系统论的视角［D］. 南京：南京大学，2013：53-54.

③ Trakman L. Modelling University Governance［J］. Higher Education Quarterly，2008（1-2）：63-83.

聚焦于教师教育治理领域，这种共同治理格局主要体现为教师教育机构之间的合作，在这里教师教育机构主要指的是高校和中小学。教师教育的一体化、专业化和实践性发展趋势需要各方主体建立长久的实质性伙伴关系，这除了各级政府、认证评估机构、公民社会等外部治理力量的团结之外，更需要高校与中小学及教师教育机构之间的密切合作。学者达令·哈蒙德认为，这种合作伙伴关系的建立是改善教育的关键，能够在专业学习共同体中更系统地培养未来教师，为所有的学生和教师学习提供高效环境。[①]教师教育过分强调学者型教师培养的目标受到了批评，教师教育培养理念开始从学术性向实践性和合作性转变，关注教师培养中理论学习与临床实践的糅合，主张在教学实践中培养优质教师，教师教育模式也随之发生了转变。教师教育开始重视中小学在培养实践性教师中的重要作用，并衍生出了一些补偿性教师教育模式，如选择性教师培养计划、教师专业发展学校以及城市教师驻校培养模式。这些新型教师培养模式均属于协同创新模式，即注重大学与中小学之间实践共同体的建构，赋予了中小学职前教师培养的责任，特别强调为职前教师提供严格的临床教学实践和全方位的入职指导，推动了教师教育一体化进程，促进了教师教育实践转型和教育质量的提高。

如何确保每位学生都有一位好教师并接受高质量的教学是教师教育改革的难题，此问题的起点和关键在于确保教师培养工作与K-12学校和学生的需求保持一致，这意味着教师培养的治理不能与K-12系统的需求隔离开来，不能隐藏在高等教育机构中，这些单一的机构必然无法满足公共教育改革的要求。在改革教师培养方面，美国一些州通过变革治理结构来跨越教师培养的高等教育系统和教师工作的K-12系统之间的治理边界。

以路易斯安那州为例，[②]20世纪90年代中期，路易斯安那州众多学区领导向州官员反映，从该州教育学院雇佣的新教师没有帮助学生达到国家成就标准。为提高该州教师队伍的素质，该州设立了一个致力于改善教师培养的

① Darling Hammond L. Constructing 21st-Century Teacher Education [J]. Journal of Teacher Education, 2006 (3): 300-314.

② DeMonte J. Who is in Charge of Teacher Preparation? [R]. Washington, D.C.: Center for American Progress, 2013.

委员会——蓝带教育卓越委员会。该委员会由36名成员组成，包括州官员、商人、高校教师、K-12教师和社区领导，负责建议改善该州高校的教师培训计划。

路易斯安那州董事会和中小学教育委员会负责监督所有K-12学校和公立高等教育。由于来自K-12学校和高等教育治理组织的代表在蓝带教育卓越委员会任职，这使其所在的组织更容易接受委员会的建议，并敦促教师培养机构采用这些建议。在这些举措中，委员会呼吁将教师班级的学生成绩（当有这些考试数据时）与教师接受培训的具体课程联系起来。与此同时，委员会要求该州所有教师培养机构重新设计课程，以改善教师培训。经过十多年的高等教育和K-12教育管理部门的合作，路易斯安那州的教师培养项目开始培养新的教师，经研究发现，他们的表现与经验丰富的教师一样，重新设计的教师培养项目正在培养比以往毕业生更有能力的教师。[①]

---

① DeMonte J. Who is in Charge of Teacher Preparation? [R]. Washington, D.C.: Center for American Progress, 2013.

参考文献

一、中文文献

[1] C. A. 坦基扬 . 新自由主义全球化［M］. 北京：教育科学出版社，2008.

[2] 保罗・E. 彼得森 . 平等与自由：学校选择的未来［M］. 刘涛，王佳佳，译 . 北京：教育科学出版社，2012.

[3] 别敦荣 . 中美大学学术管理［M］. 武汉：华中理工大学出版社，2000.

[4] 程晋宽 . 象牙塔、知识工厂、超级市场：大学管理问题的比较研究［M］. 哈尔滨：黑龙江教育出版社，2005.

[5] 程昔武 . 非营利组织治理机制研究［M］. 北京：中国人民大学出版社，2008.

[6] 楚树龙，荣予 . 美国政府和政治［M］. 北京：清华大学出版社，2012.

[7] 大卫・科伯 . 高等教育市场化的底线［M］. 晓征，译 . 北京：北京大学出版社，2008.

[8] 德里克・博克 . 美国高等教育［M］. 乔佳义，译 . 北京：北京师范大学出版社，1991.

[9] 邓旭 . 教育政策执行研究：一种制度分析的范式［M］. 北京：教育科学出版社，2010.

[10] 弗朗西斯・C. 福勒 . 教育政策学导论［M］. 许庆豫，译 . 南京：江苏教育出版社，2007.

[11] 符华兴，王建武 . 世界主要国家高等教育发展研究 ［M］ . 长沙：湖南人民出版社，2010.

[12] 谷贤林 . 美国研究型大学管理——国家、市场和学术权力的平衡与制约［M］. 北京：教育科学出版社，2008.

[13] 何宝玉 . 英国信托法原理与判例［M］. 北京：法律出版社，2001.

[14] 杰夫・惠迪，萨莉・鲍尔，大卫・哈尔平 . 教育中的放权与择校：学校、政府和市场［M］. 马忠虎，译 . 北京：教育科学出版社，2003.

[15] Clark Kerr. 大学的功用［M］. 陈学飞，等，译 . 南昌：江西教育出版社，1993.

[16] 李子江，张斌贤 . 大学自由、自治与控制 [M]. 北京：北京师范大学出版社，2005.
[17] 联合国教科文组织 . 反思教育：向“全球共同利益”的理念转变 [M]. 联合国教科文组织总部中文科，译 . 北京：教育科学出版社，2017.
[18] 罗伯特·伯恩鲍姆 . 大学运行模式：大学组织与领导的控制系统 [M]. 别敦荣，译 . 青岛：中国海洋大学出版社，2003.
[19] 罗纳德·G. 艾伦伯格 . 美国的大学治理 [M]. 沈文钦，译 . 北京：北京大学出版社，2010.
[20] 马健生 . 公平与效率的抉择：美国教育市场化改革研究 [M]. 北京：教育科学出版社，2008.
[21] 欧文·E·休斯 . 公共管理导论 [M]. 张成福，马子博，等，译 . 北京：中国人民大学出版社，2001.
[22] 欧阳光华 . 董事、校长与教授——美国大学治理结构研究 [M]. 北京：高等教育出版社，2011.
[23] 斯蒂芬·J·鲍尔. 教育改革——批判和后结构主义的视角 [M]. 侯定凯，译. 上海：华东师范大学出版社，2002.
[24] 滕大春 . 外国教育史和外国教育 [M]. 石家庄：河北大学出版社，1998.
[25] 托马斯·J·瑟吉奥万尼，保罗·凯莱赫，玛莎·M·麦卡锡，等 . 教育管理学 [M]. 黄崴，等，译 . 北京：中国人民大学出版社，2014.
[26] 王定华 . 美国基础教育观察与研究 [M]. 北京：人民教育出版社，2016.
[27] 王萍 . 美国中小学教师教育发展研究 [M]. 武汉：武汉大学出版社，2014.
[28] 王淑娟 . 美国公立院校的州问责制 [M]. 北京：知识产权出版社，2010.
[29] 萧公权 . 政治多元论 [M]. 周林刚，译 . 北京：中国人民大学出版社，2014.
[30] 熊耕 . 美国高等教育协会组织研究 [M]. 北京：知识产权出版社，2010.
[31] 续润华 . 美国社区学院发展研究 [M]. 北京：中国档案出版社，1991.
[32] 俞可平 . 治理与善治 [M]. 北京：社会科学文献出版社，2000.
[33] 袁振国 . 教育政策学 [M]. 南京：江苏教育出版社，2001.
[34] 张维平，马立武 . 美国教育法研究 [M]. 北京：中国法制出版社，2004.
[35] 张燕军 . 美国教育战略研究 [M]. 杭州：浙江教育出版社，2013.
[36] 赵中建 . 全球教育发展的研究热点——90 年代来自联合国教科文组织的报告 [M]. 北

京：教育科学出版社，2003.

[37] Joyce L. Epstein，Mavis G. Sanders. 美国家庭、学校与社区合作的历史及理论与实践模式探讨 [J]. 徐玉珍，译 . 中国家庭教育，2008（3）.

[38] 比尔・克林顿 . 克林顿总统的教育计划 [J]. 宋来惠，译 . 比较教育研究，1994（5）.

[39] 蔡敏 . 同行评价：美国中小学教育评价的重要方式 [J]. 教育科学，2006（4）.

[40] 曹惠容 . 试论美国教师教育经费来源的特点及其对我国的启示 [J]. 中国高教研究，2009（1）.

[41] 常宝宁 . 教师教育一体化：本体特征与核心要素 [J]. 当代教育科学，2013（18）.

[42] 陈超，郄海霞 . 从联邦政府的三次干预透视美国研究型大学的发展 [J]. 比较教育研究，2008（10）.

[43] 陈芳 . 美国提高教育质量新举措：建立纵向的数据质量系统 [J]. 世界教育信息，2008（12）.

[44] 陈良雨，陈建. 大数据背景下的教育治理能力现代化研究 [J]. 现代教育技术，2017（2）.

[45] 谌启标 . 新世纪美国教师教育改革政策述评 [J]. 比较教育研究，2013（9）.

[46] 成赛 . 由《不让一个孩子掉队法案》到《让每个孩子都成功法案》——美国教育管理权从联邦政府到地方的下移 [J]. 当代教育科学，2016（10）.

[47] 程冬冬，冯庚祥 . 美国《让每个孩子都成功法案》真的能确保“每个孩子成功”？[J]. 新教育时代电子杂志学生版，2017（5）.

[48] 程青英 . 资源约束下的高等教育治理——当代美国大学财政治理给我们的启示 [J]. 现代教育科学，2012（1）.

[49] 褚宏启，贾继娥 . 教育治理与教育善治 [J]. 中国教育学刊，2014（12）.

[50] 褚宏启 . 教育治理：以共治求善治 [J]. 教育研究，2014（10）.

[51] 丁冬汉 . 从“元治理”理论视角构建服务型政府 [J]. 海南大学学报：人文社会科学版，2010（5）.

[52] 丁华，周超，张惠 . 教育券制度的理论与实践性分析 [J]. 现代教育管理，2006（11）.

[53] 丁连普. 美国联邦教育部《2007—2012年战略规划》述评 [J]. 世界教育信息，2008（6）.

[54] 杜明峰，范国睿 . 社会组织参与教育：机制与策略 [J]. 教育研究，2017（2）.

[55] 段晓明 . 美国教师教育认证制度的变革走向——基于 CAEP 标准的分析 [J]. 中小学教师培训，2017（6）.

[56] 冯瑶 . 美国教育问责制及其启示 [J]. 基础教育参考，2007（8）.

[57] 付光槐，刘义兵 . 论教师教育一体化发展保障机制的构建 [J]. 教育理论与实践，2015（25）.

[58] 甘永涛 . 美国大学共同治理制度的演进及发展趋势 [J]. 职业技术教育，2009（7）.

[59] 甘永涛 . 美国大学共同治理界说及制度演进 [J]. 外国教育研究，2008（6）.

[60] 甘永涛 . 美国大学共同治理制度的演进 [J]. 清华大学教育研究，2009（3）.

[61] 高连和，杨莉 . 高等教育公共产品性与市场化的均衡 [J]. 职业技术教育：教科版，2005（10）.

[62] 高燕林，梁婷婷. 21世纪以来美国教师教育政策评析及启示 [J]. 现代教育科学，2016（1）.

[63] 公磊 . 浅议新公共管理理论及其在西方国家教育改革的实践 [J]. 外国中小学教育，2009（4）.

[64] 郭卉 . 美国大学“联合治理”制度的历史发展及其价值意蕴 [J]. 高教探索，2006（2）.

[65] 郭勇 . 美国教育问责制：历史变迁及特色 [J]. 外国中小学教育，2011（1）.

[66] 和震 . 美国大学自治制度的特征与主题 [J]. 学术研究，2006（1）.

[67] 胡仲勋，俞可 . 以政策工具创新推进公共教育改革——基于纽约市教育局的经验 [J]. 全球教育展望，2016（3）.

[68] 黄敏，杨凤英. 第三方治理：美国高等教育协会组织的管理职能 [J]. 河北师范大学学报：教育科学版，2014（3）.

[69] 黄培森 . 教师教育一体化实施中的困境与对策 [J]. 教育探索，2013（12）.

[70] 姜晶 . 美国大学治理的结构、特点及其启示 [J]. 当代教育科学，2010（1）.

[71] 姜美玲 . 教育公共治理：内涵、特征与模式 [J]. 全球教育展望，2009（5）.

[72] 蒋洪池 . 21 世纪美国大学治理面临的挑战及其对中国的启示 [J]. 比较教育研究，2006（1）.

[73] 孔令帅 . 新世纪以来美国基础教育政策价值取向的演变 [J]. 西南大学学报：社会科学版，2016（5）.

[74] 李娟 . 美国弱势群体补偿教育立法的历史研究——基于教育公平的视角 [J]. 外国教育

研究，2016（1）.
[75] 李军 . 终身教育视角下的教师教育体系 [J]. 教师教育研究，2008（3）.
[76] 李树峰 . 教育问责制：美国的经验及启示 [J]. 外国教育研究，2006（4）.
[77] 李祥 . 教育治理现代化的法治逻辑 [J]. 现代教育管理，2017（7）.
[78] 李忠华，单维锋 . 美国高等教育治理体系 [J]. 教育与职业，2014（34）.
[79] 栗玉香，冯国有 . 结果公平：美国联邦政府教育财政政策取向与策略 [J]. 华中师范大学学报：人文社会科学版，2015（1）.
[80] 刘宝存 . 校本管理：当代西方学校管理的新模式 [J]. 比较教育研究，2001（12）.
[81] 刘冬青 . 美国公立高等教育的私有化趋势探析：概念、路径和影响 [J]. 中国人民大学教育学刊，2014（3）.
[82] 刘香东，孙燕. 美国教师教育评价能力的研究及启示 [J]. 教育测量与评价，2013（12）.
[83] 刘正周 . 管理激励与激励机制 [J]. 管理世界，1996（5）.
[84] 毛金德 . 美国大学终身教职制度存废之争及启示 [J]. 中国高等教育评估，2012（4）.
[85] 闵维方 . 美国大学崛起的历史进程与管理特点分析 [J]. 山东高等教育，2015（1）.
[86] 穆丽媛，赵娜. 美国教师表现性评价的最新进展及其启示 [J]. 世界教育信息，2013（3）.
[87] 欧阳光华 . 从法人治理到共同治理——美国大学治理的历史演进与结构转换 [J]. 教育研究与实验，2015（2）.
[88] 潘燕 . 美国高校董事会制度及其启示 [J]. 教育科学，2004（2）.
[89] 彭湃 . 大学、政府与市场：高等教育三角关系模式探析——一个历史与比较的视角 [J]. 高等教育研究，2006（9）.
[90] 曲铁华，王凌玉 . 新世纪美国教师教育改革的新举措及对我国的启示 [J]. 国家教育行政学院学报，2016（3）.
[91] 茹宗志，邱艳萍，李洁 . 美国教师教育机构的转型及其启示 [J]. 宝鸡文理学院学报：社会科学版，2009（6）.
[92] 申国昌，郭景川 . 大数据促进教育治理现代化体制建构 [J]. 河北师范大学学报：教育科学版，2017（3）.
[93] 司林波，郑宏宇 . 教育问责制的理论探讨 [J]. 教育理论与实践，2010（21）.

[94] 宋明钧 . 教师参与：学校成功发展的关键 [J]. 中国高教研究，2006（4）.
[95] 孙萍，闫亭豫 . 我国协同治理理论研究述评 [J]. 理论月刊，2013（3）.
[96] 孙琪 . 教学专业化变革：美国 RESPECT 项目的实施蓝图探析[J]. 教育评论，2017（1）.
[97] 王凤秋，刘俊花 . 论新公共管理理论视野下我国教育行政体制改革 [J]. 黑龙江高教研究，2007（11）.
[98] 王宏方，房玉辰 . 英美两国公共教育私有化比较与分析 [J]. 上海师范大学学报：基础教育版，2008（3）.
[99] 王佳佳，鞠玉翠 . 美国教师教育市场化模式评析 [J]. 外国教育研究，2009（7）.
[100] 王锟 . 工具理性和价值理性——理解韦伯的社会学思想 [J]. 甘肃社会科学，2005（1）.
[101] 王萍，傅泽禄 . 数据驱动决策系统：大数据时代美国学校改进的有力工具 [J]. 中国电化教育，2014（7）.
[102] 王晓燕 . 从《州共同核心标准》透视美国基础教育质量改革趋势 [J]. 世界教育信息，2012（13）.
[103] 王晓阳 . 当前美国教育改革的观念与趋势 [J]. 教育研究，2012（3）.
[104] 王晓阳 . 美国教育现代化的历史经验及其启示 [J]. 教育发展研究，2008（23）.
[105] 王勇 . 浅析美国高等教育市场化——以营利性高校为视角 [J]. 外国教育研究，2006（8）.
[106] 王正青，陈琴 . 美国联邦、州、地方三级基础教育治理体系与运行机制 [J]. 教育科学研究，2017（8）.
[107] 王正青，徐辉 . 当前美国基础教育质量现状与改进趋势——“追求卓越”理念引领下的实践 [J]. 教育研究，2014（9）.
[108] 吴康宁 . 政府部门超强控制：制约教育改革深入推进的一个要害性问题 [J]. 南京师范大学学报：社会科学版，2012（5）.
[109] 吴旻瑜，郭海骏，卢蓓蓉，等 . 美国国家教育统计中心对我国教育管理信息化建设的启示 [J]. 世界教育信息，2014（3）.
[110] 吴越 . 美国州级高等教育治理的权力结构演变与政府角色定位 [J]. 高等教育研究，2017（4）.
[111] 肖凡 . 从历史角度分析美国联邦政府在教育改革中的角色 [J]. 世界经济与政治论坛，2011（6）.

[112] 肖瑶，张学斌．教师教育一体化课程资源及其建设 [J]. 教育研究，2015（8）．
[113] 熊耕．美国高等教育认证制度面临的问题与挑战 [J]. 比较教育研究，2006（1）．
[114] 徐魁鸿．教师教育生态学研究 [J]. 现代教育论丛，2008（4）．
[115] 许洁英，苏丹兰．美国教师教育改革的重心转移及其对我国的启示 [J]. 教育科学研究，2009（5）．
[116] 荀渊．教师教育一体化改革的回顾与反思 [J]. 教师教育研究，2004（4）．
[117] 荀振芳，张妍．美国大学教育捐赠历史研究 [J]. 中国电力教育，2012（34）．
[118] 阳盛益，蔡旭昶，郁建兴．政府购买就业培训服务的准市场机制及其应用 [J]. 浙江大学学报：人文社会科学版，2010（5）．
[119] 杨瑞．论我国现代教师教育一体化实现路径 [J]. 继续教育研究，2016（5）．
[120] 杨晓波．美国联邦政府的高等教育政策 [J]. 外国教育研究，2003（10）．
[121] 杨晓波，费爱心．美国高等教育质量保障机制探析 [J]. 黑龙江高教研究，2008（5）．
[122] 杨志明，孙河川．奥巴马政府对美国基础教育的改革 [J]. 世界教育信息，2015（18）．
[123] 姚松．大数据时代教育治理转型的前瞻性分析：机遇、挑战及演进逻辑 [J]. 现代远程教育研究，2016（4）．
[124] 余承海，程晋宽．美国州政府的高等教育治理模式 [J]. 现代教育管理，2016（7）．
[125] 余凯，David Martin Osher. 基于标准的美国基础教育改革的问题和政策启示 [J]. 教育科学，2013（3）．
[126] 余莲．教师教育一体化的现状、问题与对策 [J]. 教师教育论坛，2013（9）．
[127] 俞可平．民主是个好东西 [J]. 理论参考，2007（9）．
[128] 俞可平．治理和善治：一种新的政治分析框架 [J]. 南京社会科学，2001（9）．
[129] 袁利平．美国高等教育外部治理结构分析 [J]. 现代大学教育，2017（3）．
[130] 岳瑛．我国家校合作的现状及影响因素 [J]. 天津市教科院学报，2002（3）．
[131] 翟博．中国基础教育均衡发展实证分析 [J]. 教育研究，2007（7）．
[132] 张凤都．美国大学治理制度的演变与启示 [J]. 现代教育管理，2015（8）．
[133] 张冉．布朗案在执行中受到的抵制——以弗吉尼亚州为例 [J]. 北京大学教育评论，2012（1）．
[134] 张松，刘志民．美国加州大学学术评议会的发展历程、组织构架与运行特点 [J]. 高教探索，2015（11）．

[135] 张新平 . 对学校科层制的批判与反思 [J]. 教育探索，2003（8）.

[136] 张荣伟 . 美国教育改革发展面临的五大难题——以 PBS《我们位居何处》特别电视节目为视角 [J]. 国家教育行政学院学报，2009（5）.

[137] 赵宇新，王远 . 美国中小学校长的选拔机制 [J]. 中小学校长，2008（1）.

[138] 赵中建 . 今日美国特许学校 [J]. 教育发展研究，2000（7）.

[139] 郑燕林，柳海民 . 大数据在美国教育评价中的应用路径分析 [J]. 中国电化教育，2015（7）.

[140] 郑友训. 教师教育一体化课程建构的理论与实践 [J]. 课程. 教材. 教法，2006（6）.

[141] 钟秉林，宋萑 . 专业化与去专业化：美国教师教育改革悖论——中美教师教育比较研究之一 [J]. 高等教育研究，2011（5）.

[142] 钟祖荣 . 教师教育一体化的反思与教育学院发展的选择[J]. 教师教育研究，2011（6）.

[143] 周钧，李小薇 . 当前美国联邦政府的教师教育拨款制度[J]. 外国教育研究，2008（7）.

[144] 周钧，朱旭东 . 美国教师教育大学化形成的路径研究 [J]. 高等教育研究，2005（12）.

[145] 周钧 . 解制：当代美国教师教育改革的另一种声音 [J]. 外国教育研究，2004（5）.

[146] 周钧. 美国教师教育的第二条道路：争议中的选择性教师证书项目 [J]. 外国教育研究，2013（4）.

[147] 周钧. 美国教师教育认证标准的发展历程及对我国的启示 [J]. 比较教育研究，2007（2）.

[148] 周琴，刘燕红. 美国“临床实践型教师教育”的教育实习模式探析 [J]. 比较教育研究，2011（11）.

[149] 周玉龙 . 美国中小学校长联盟认定优秀校长的六条标准 [J]. 北京教育：普教版，2010（6）.

[150] 左崇良，胡劲松. 美国高等教育治理体系的结构与特征 [J]. 职业技术教育，2016（34）.

[151] 曹胜勇 . 美国教育大数据的发展现状、经验与启示 [D]. 武汉：华中师范大学，2017.

[152] 方亨庆 . 学校指导家庭教育的策略研究 [D]. 长春：东北师范大学，2008.

[153] 高星原 . 美国教育绩效责任制研究 [D]. 上海：华东师范大学，2010.

[154] 黄建伟 . 美国“府学关系”问题研究——以权力边界为切入点 [D]. 北京：北京航空航天大学，2017.

[155] 姜志坚 . 美国家长教师协会研究 [D]. 成都：四川师范大学，2010.

[156] 李楠 . 美国大学治理中的学生参与研究 [D]. 徐州：江苏师范大学，2017.

[157] 刘虹 . 控制与自治：美国政府与大学关系研究 [D]. 上海：复旦大学，2010.

[158] 吕小梅 . 美国高等教育认证制度研究 [D]. 武汉：武汉理工大学，2006.

[159] 马楠楠 . 美国大学治理结构的嬗变——基于系统论的视角 [D]. 南京：南京大学，2013.

[160] 孙孝花 . 从“局外人”到“局内人”[D]. 杭州：浙江师范大学，2005.

[161] 吴景松 . 政府职能转变视野中的公共教育治理范式研究 [D]. 上海：华东师范大学，2008.

[162] 肖方仁. 国家引导与政策发展：对美国中小学教育政策（1954—2012）的考察 [D]. 上海：复旦大学，2014.

[163] 杨敏 . 美国中小学家校合作的实践探析及启示 [D]. 重庆：西南大学，2007.

[164] 张炜 . 美国校本管理研究 [D]. 保定：河北大学，2004.

[165] 赵丽丽 . 美国奥巴马政府教师政策研究 [D]. 长春：东北师范大学，2014.

[166] 朱丰良 . 学术资本主义理论的批判与重构 [D]. 武汉：华中科技大学，2012.

[167] 美国教育部 . 国家承担起责任：《国家危机中》发布 25 年后 [R]. 陈洪丽，译 . 教育发展研究，2008.

[168] 俞水，易鑫 . 推进教育治理体系和治理能力现代化 [N]. 中国教育报 . 2013-12-05.

二、外文文献

[1] Carnegie Commission on Higher Education. Governance of Higher Education：Six Priority Problems [M]. New York：McGraw-Hill，1973.

[2] Carnoy M，Elmore R F，Siskin L S. The New Accountability：High Schools and High-stakes Testing [M]. New York：RoutledgeFalmer，2003.

[3] Christohper J Lucas. Teacher Education in America：Reform Agendas for the Twenty-First Century [M]. New York：St. Matin's Press，1997.

[4] Clark B. The Encyclopedia of Higher Education [M]. Oxford：Pergamon Press，1992.

[5] Epstein N. Who's in Charge Here：The Tangled Web of School Governance and Policy [M]. Washington，D. C.：Brookings Institution Press，2004：1.

[6] Griffin，Gary A. The Education of Teachers [M]. Chicago：The University of Chicago Press，1999.

[7] Hargreaves A，Fullan M. Understanding Teacher Development [M]. New York：Teachers College Press，1992.

[8] Harvard University. The Charter of the President and Fellows of Harvard College [M]. Cambridge Mass：Harvard University Press，1976.

[9] Honig M. I. Complexity and Policy Implementation：Challenges and Opportunities for the Field [M]// Honig M. I. New Directions in Education Policy Implementation：Confronting Complexity. New York：Suny Press，2006.

[10] Jamentz K. Accountability Dialogues：School Communities Creating Demand from Within [M]. WestEd，2001.

[11] Murphy J.，Beck L. G. School-Based Reform：Taking Stock [M]. Thousand Oaks Ca：Corwin Press，1995.

[12] Neave G. The Evaluative State，Institutional Autonomy and Re-engineering Higher Education in Western Europe [M]. England，UK：Palgrave Macmillan，2012.

[13] Richard C. Richardson，Kathy Reeves Bracco，Pat Rick M. Callan，et al. Designing State Higher Education Systems for a New Century [M]. Phoenix：Oryx Press，1999.

[14] Viteritti J. P. When Mayors Take Charge：School Governance in the City [M]. Washington，D. C.：Brookings Institution Press，2009.

[15] Altrichter H. Governance in Education：Conceptualisation，Methodology，and Research Strategies for Analysing Contemporary Transformations of Teacher Education [A]. Dina Kuhlee，Christopher Winch，Jürgen van Buer. Governance in Initial Teacher Education：Perspectives on England and Germany. Springer Fachmedien Wiesbaden，2015.

[16] Arcia G，Macdonald K，Patrinos H A，et al. School Autonomy and Accountability [J]. System Assessment and Benchmarking for Education Results，2011.

[17] Austin A. Student Involvement：A Developmental Theory for Higher Education [J].

Journal of College Student Personnel，1984（4）.

[18] Birnbaum R. The Latent Organizational Functions of the Academic Senate：Why Senates Don't Work but Won't Go Away [J]. Journal of Higher Education，1989（4）.

[19] Birnbaum R. The End of Shared Governance：Looking Ahead or Back [J]. New Directions for Higher Education，2004（127）.

[20] Bottery，Mike. The Ethics of Educational Management：Personal，Social and Political Perspectives on School Organization [J]. Cassell Educational Limited. 1992（7）.

[21] Crellin M. A. The Future of Shared Governance [J]. New Directions for Higher Education，2010（151）.

[22] Crowther F.，Hann L.，McMaster J. Parallel Leadership：A New Strategy for Successful School Reform [J]. The Practicing Administrator，2001（4）.

[23] Darling Hammond L. How Teacher Education Matters [J]. Journal of Teacher Education，2016（3）.

[24] Darling Hammond L. Constructing 21st-Century Teacher Education [J]. Journal of Teacher Education，2006（3）.

[25] Dimmock C. J. School-based Management and School Effectiveness [J]. Routledge，1993（1）.

[26] Dominic J. Brewer，Joanna Smith. A Framework for Understanding Educational Governance：The Case of California [J]. Education Finance and Policy，2008（1）.

[27] Dougherty，Kevin J. Performance Funding for Higher Education：Forms，Origins，Impacts and Futures [J]. The Annals of the American Academy of Political and Social Science，2014（9）.

[28] Edwards Jr D. B.，Klees S. J. Unpacking "Participation" in Development and Education Governance：A Framework of Perspectives and Practices [J]. Prospects，2015（4）.

[29] Falabella A. The Performing School：The Effects of Market and Accountability Policies [J]. Education Policy Analysis Archives，2014（70）.

[30] Jacobsen R，Saultz A. Trends—Who Should Control Education? [J]. Public Opinion Quarterly，2011（2）.

[31] Malen B. Ogrwa R. T.，Kranz J. What Do We Know about School-based-Mangement? A

Case Study of Literature- A Call for Research [A]. Clune W H， Whitte J E. Choice and Control in American Education. Philadelphia：Falmer Press，1990.

[32] Jessop B. Capitalism and its Future：Remarks on Regulation，Government and governance [J]. Review of International Political Economy，1997（3）.

[33] José-Ginés Mora. Governance and Management in the New University [J]. Tertiary Education & Management，2001（2）.

[34] Karlsen G E. The Role of Governance in Teacher Education [J]. International Encyclopedia of Education，2010.

[35] P Manna，P J McGuinn. Education Governance for the Twenty-First Century：Overcoming the Structural Barriers to School Reform [M]. Washington，D. C.：Brookings Institution，2013.

[36] Moe T M. Politics，Control and the Future of School Accountability [M]// No Child Left Behind? The Politics and Practices of School Accountability. Washington，D. C.：Brookings Institution Press，2003.

[37] Nason J. The Nature of Trusteeship：The Role and Responsibilities of College and University Boards [J]. Association of Governing Boards of Universities & Colleges，1982.

[38] Norwood M Cole. The Licensing of School Master in Colonial Massachusetts [J]. Journal of Massachusetts，1957.

[39] Paulo C，Pimentel B，Huisman J. Constructing Power in Higher Education Governance Structures：An Analysis of Representation and Roles in Governing Bodies [J]. European Journal of Higher Education，2012（4）.

[40] Richard Mulgan. “Accountability”：An Ever-Expanding Concept? [J]. Public Administration，2010（3）.

[41] Sunderman G L. Evidence of the Impact of School Reform on Systems Governance and Educational Bureaucracies in the United States [J]. Review of Research in Education，2010（1）.

[42] Trakman L. Modelling University Governance [J]. Higher Education Quarterly，2008（1-2）.

[43] Whitney K.M. Lost in Transition：Governing in a Time of Privatization［A］. W. G. Tierney. Governance and the Public Good［C］. Albany，NY：State University of New York Press，2006.

[44] DeMonte J. Who is in Charge of Teacher Preparation?［R］. Washington，D.C.：Center for American Progress，2013.

[45] Frank M Bowen，et al. State Structures for the Governance of Higher Education：A Comparative Study［R］. San Jose：The California Higher Education Policy Center，1997.

[46] Paul T Hill. School Boards：Focus on School Performance，Not Money and Patronage［R］. Washington，D.C.：Progressive Policy Institute，2003.

[47] The White House. Remarks by the President to the Hispanic Chamber of Commerce on A Complete and Competitive American Education［R］. Washington Marriott Metro Center，2009.

[48] The Role of Information in the Policy Process：Implications for the Examination of Research Utilization in Higher Education Policy［R］. Higher Education：Handbook of Theory and Research. 2010.

[49] U. S. Department of Education，Office of Planning，Evaluation and Policy Development. ESEA Blueprint for Reform［R］. Washington，D. C. ，2010.

[50] AAUP. Statement on Government of Colleges and Universities［EB/OL］.［2018-11-30］. http://www. aaup. org/report/statement-government-colleges-and-universities.

[51] Answers. com. Higher Education Act of 1965［EB/OL］.［2018-03-15］. http://www. answers. com/topic/higher-education-act-of-1965.

[52] Boards，Commissions，Committees［EB/OL］.［2018-05-11］. http://www. usa. gov/Agencies/Federal/Executive. html.

[53] Carey M Wright. Protecting Privacy，Promoting Policy：Evidence-Based Policymaking and the Future of Education［EB/OL］.［2018-03-12］. http://www. ccsso. org/sites/default/files/2018-01/US HouseHearingDataResearchPrivacyCareyWrightTestimony01302018. pdf.

[54] CHEA. http://www. chea. org/pdf/recognition_policy-June_28_2010-FINAL. pdf.

[55] Department of Education Homeroom Blog. What Is the Biggest Challenge in Education

Today? [EB/OL]. [2018-06-10]. https://blog. ed. gov/2010/08/what-is-the-biggest-challenge-in-education-today/.

[56] Enhancing Teaching and Learning Through Educational Data Mining and Learning Analytics: An Issue Brief [EB/OL]. [2018-04-03]. https://tech. ed. gov/wp-content/uploads/2014/03/edm-la-brief. pdf.

[57] Judith Eaton. Balancing Competing Goods: Accreditation and Information to the Public About Quality [R]. CHEA. 2004. http://www. chea. org/pdf/presltr_informpublic_0304. pdf.

[58] Matthew Lynch. 18 Reasons the U. S. Education System is Failing [EB/OL]. [2018-07-10]. http://www. theedadvocate. org/10-reasons-the-u-s-education-system-is-failing/.

[59] National Association of State Boards of Education. About State Boards of Education [EB/OL]. [2018-03-18]. http://www. nasbe. org/about-us/stateboards-of-education.

[60] The Institute of Education Sciences [EB/OL]. [2018-03-13]. https://ies. ed. gov/.

[61] State Funding Trends and Policies on Affordability [R]. United States Government Accountability Office. http://www. gao. gov/assets/670/667557. pdf.

[62] U. S. Department of Education. US Department of Education Principal Office Functional Statements: Office of Postsecondary Education [EB/OL]. [2018-04-15]. http://www2. ed. gov/about/offices/list/om/fspo/ope/intro. html.

[63] U. S. Department of Education Strategic Plan for Fiscal Years 2014—2018 [EB/OL]. [2018-03-13]. https://www2. ed. gov/about/reports/strat/plan2014-18/strategic-plan. pdf.

[64] U. S. Department of Education. The Education Sciences Reform Act of 2002 [EB/OL]. [2018-03-13]. http://www2. ed. gov/policy/rschstat/leg/PL107-279. pdf.

[65] U. S. Department of Education. Guidance Issued on Protecting Student Privacy While Using Online Educational Services. [EB/OL]. [2018-03-14]. https://www. ed. gov/news/press-releases/guidance-issued-protecting-student-privacy-while-using-online-educational-services.

[66] U. S. Department of Education. Our Future，Our Teachers：The Obama Administration’s Plan for Teacher Education Reform and Improvement. [EB/OL]. [2018-08-02]. https://www. ed. gov/teaching/our-future-our-teachers.

[67] U. S. Department of Education. Guidance on the State Fiscal Stabilization Fund Program [EB/OL]. [2018-03-13]. https://www2. ed. gov/about/reports/strat/plan2014-18/strategic-plan. pdf.

[68] U. S. Department of Education. www. ed. gov/admin/finaid/accred/accreditation_pg13. html#Recognition Criteria.

[69] U. S. News. https://www. usnews. com/education/best-colleges/articles/2013/09/09/how-us-news-calculated-the-2014-best-colleges-rankings.

[70] U. S. Senate. U. S. Senate Website [EB/OL]. [2018-04-20]. http://www. senate. gov/pagelayout/committees/. html.

[71] Whitehouse. https://www. whitehouse. gov/sites/default/files/omb/budget/fy2014/assets/education. pdf.

后　记

二战之后，在世界范围内，教育迎来了发展的“黄金时期”，逐渐被置于社会发展的核心位置，成为人力资本投资以及国家发展的重要保障。20世纪80年代末，世界银行在概括当时非洲的情形时首次用了“治理危机”一词，此后“治理”这一概念在国际学术界流行开来，并逐渐被应用于教育领域。“治理”是“管理”的高级形态，教育治理是对以简政放权、职能转变为特征的教育管理改革的承继与深化，教育中的政府单一管理，以及市场化改革中的政府和市场的“双重失灵”，是促使教育治理勃兴的现实原因。

以治理理论作为理论指导，突破传统的以科层为核心的教育行政化的管理体制，从而构建新型的、科学化的多方主体参与、合作共赢的教育治理模式已成为当前全球教育治理的一个重要导向。21世纪以来，我国进入了教育优先发展的关键时期，但是我国教育的发展并不是一帆风顺的。目前，我国在教育治理体系上，政府教育职能部门公共权力不断扩张，学校办学自主权不足，社会组织与公民个体参与教育工作的机制不完善；在教育资源配置上，区域之间、城乡之间、学校之间的资源不均衡，未真正实现教育公平；在教育质量监测上，更多地依靠分数、等级评价教师及学校的教学水平，导致“唯分数论”。我国教育面临的众多挑战亟待探寻出口，建立良性教育治理生态体系是中国教育走向现代化的关键。

党的十八届三中全会提出了从“管理”走向“治理”的新思路，以解决教育中政府单一管理与市场化改革所带来的问题，完善我国教育管理体制中所存在的不足。目前在联合国教科文组织教育可持续发展2030行动框架的引领下，中国教育现代化2035启程，全面系统的可持续变革需要现代化的治理体系和治理能力。2018年《教育蓝皮书：中国教育发展报告》以教育治理现代化为主题，指出应积极改善政府职能，形成多元主体参与、共建共享的现代教育治理格局。

研究和借鉴他国的教育治理经验有助于丰富和完善我国的教育治理理论和实践。20世纪80年代以来，西方公共教育改革中出现了关系格局变革的新趋势，市场、公民、社会作为新的力量介入教育领域，政府与教育之间的单边关系被政府、市场、社会之间的多边关系取代，并随之引发教育领域的一系列变革，涌现出了善治、市场化、协作化、质量、效率、公平、问责、认证、循证政策等关键词，它们涉及的主题，在很大程度上代表了美国教育领域改革和争论的焦点。美国是内源性现代化国家的代表之一，教育治理体系经历漫长的演变过程已逐渐成熟与稳健，教育管理体制相对完善，其治理举措是世界教育治理实践的缩影，反映了当前的国际趋势。美国教育现代化完成较早且程度较高，具体体现在实施义务教育、普及高中教育、发展职业教育、实现高等教育大众化和普及化并建设世界一流大学等方面。对美国教育治理进行研究，对把握和研究世界教育发展潮流有重要意义。

本书从宏观与微观的层面，基于比较研究，梳理了美国教育治理模式的历史变迁，阐释了基础教育和高等教育包括教师教育的治理体系与结构、运行机制与特征，呈现了美国基础和高等教育治理现状及其成效与挑战，分析了美国教育治理现代化的能力及其发展趋势，以期为我国教育治理提供借鉴。

本书由戴伟芬总体设计，拟好大纲，并围绕书稿组织人员进行了多次探讨以及修改。具体分工：李娜负责撰写第一章至第三章，戴伟芬领衔撰写第四章至第六章，研究生牛莹参与撰写第四章至第五章，颜贝贝参与撰写第六章，李莉初期参与撰写第四章第一节中第三点中的“（一）以地方学区为主要治理工具”，唐诗迪初期参与撰写第六章第二节中第三点“协作化：高校治理逐渐形成共同参与的格局”，唐诗迪、李莉、王振权、华丽和彭璇参与了校稿；梁慧芳初期参与第四章至第六章的资料收集工作；最后由戴伟芬统稿完成。